Lea Sophie Del Grosso
„Das Erwachen der Glut“

Teil Eins
Chroniken des Drachenfeuers

Die Autorin

Lea Sophie Del Grosso wurde 2003 in Herdecke geboren und entdeckte schon früh ihre Leidenschaft für Geschichten, welche sie zu ihrem Debütroman und der dazugehörigen Reihe „Chroniken des Drachenfeuers“ inspirierte. Zurzeit studiert sie Geschichte und Romanistik, Schwerpunkt Italienisch, an der Ruhr-Universität Bochum und lebt weiterhin im Ruhrgebiet.

Auf Instagram und allen gängigen Social-Media Plattformen unter @leasophie.dlg

Lea Sophie Del Grosso

Das Erwachen der Glut

Chroniken des Drachenfeuers

tredition

Lektorat, Korrektorat: Tanja Fischer
Illustrationen: Fiona Salzer (@fionartworks)
Karte: Lea Sophie Del Grosso (mit inkarnate.com)

Druck und Distribution im Auftrag des Autors/der Autorin:
tredition GmbH, Heinz-Beusen-Stieg 5, 22926 Ahrensburg, Deutschland

ISBN
Paperback 978-3-384-62342-3
Hardcover 978-3-384-62343-0
E-Book 978-3-384-62344-7

Lea Sophie Del Grosso,
c/o Autorenglück #27026,
Albert-Einstein-Straße 47, 02977 Hoyerswerda, Germany.
Kontaktadresse nach EU-Produktsicherheitsverordnung: leasophiedelgrosso@gmail.com

Hinweis für sensible Leser:innen:

Chroniken des Drachenfeuers enthält Themen, die emotional herausfordernd sein können. Dazu zählen:

- Krieg und Gewaltdarstellungen
- Tod und Verlust geliebter Personen/ Wesen
- Traumatische Erinnerungen und emotionale Belastung
- Familiäre Konflikte
- Magische Kämpfe und deren Folgen
- Zarte Romantik, aber keine expliziten Szenen

Bitte lese mit Achtsamkeit. Wenn du weißt, dass dich solche Inhalte belasten könnten, achte gut auf dich.

Für all diejenigen, die Drachen in den Wolken sehen und Feen im Wald, die in der Schule heimlich gelesen haben und für ihre Fantasie belächelt wurden.

Hört nie auf zu träumen.

Weitere Bücher der Autorin

Chronik des Drachenfeuers

Das Erwachen der Glut
Die Flammen der Rebellion (2026)

Morgaryne
Elsum
Mistwood
Eldurin
Kaldareth
Tenebris
Adamaris
Anruin
Elswyth
Kyrith
Tenebris
Westwood
Naaida
Edoril
Fásach
Gaoth
Osaias
Bearradh

1

Amara Hawthorne sah aus dem großen mit Buchstaben beklebten Schaufenster des kleinen Antiquariats, in dem sie zurzeit arbeitete. Draußen ging alles seinen gewohnten Gang, bemerkte sie etwas gelangweilt. Die Straße vor dem Laden war dicht gefüllt, wie üblich an Markttagen. Ein paar Mädchen in bunten Kleidern und Bändern im Haar liefen gerade in Richtung Marktplatz, als ihre Gedanken für einen kurzen Moment in die Vergangenheit abschweiften. Sie versuchte, die Erinnerungen, die sich ihren Weg nach oben bahnten, zu verdrängen, doch es gelang ihr nicht. Heute vor genau vier Jahren hatte sie den Hof ihrer Tante verlassen.

„*Ob Tante Margaret es je verstanden hat, warum ich gegangen bin?*", fragte sich eine Stimme in ihr, etwas bedrückt. Tief im Inneren wusste sie, dass es vermutlich niemand jemals verstehen könnte, der nicht mit denselben Problemen zu kämpfen hatte wie sie. Amara atmete tief durch, schob den Gedanken zur Seite und nahm ein Buch aus dem Regal, um es zu entstauben. Der mittlerweile so vertraute Geruch von altem Papier und Holz stieg ihr in die Nase und der Knoten, der sich in ihrem Magen gebildet hatte, löste sich langsam. Leise summend wandte sie sich dem nächsten Buch im Regal zu und begann, es zu entstauben. Die Routine half ihr, die schwirrenden Gedanken in ihrem Kopf zu sortieren. Doch etwas lenkte ihre Aufmerksamkeit wieder auf die Straße vor ihr.

Die Menschen verhielten sich seltsam, beinahe verängstigt. Sie stoben auseinander und drängten sich an den Rand der schmalen Straße. Etwas Großes bahnte sich einen Weg durch die Menge. Amara konnte zwar noch nicht genau erkennen, was es war, doch sie hörte das Kratzen großer Krallen auf dem Stein und sah den langen Schatten, der die Straße verdunkelte. Ihr Herz begann wild zu pochen. Irgendetwas in ihr wusste instinktiv, dass es sich um etwas Gefährliches handeln musste. Erschrocken drückte Amara das Buch fester an sich. Außerstande sich zubewegen, starrte sie weiter auf die Straße und beobachtete, wie sich dieses Etwas in ihre Richtung bewegte. Es war ein Drache.

Hocherhobenen Hauptes und mit eng angelegten Flügeln bahnte er sich mit seinem Reiter einen Weg durch die Menge. Die grünen Schuppen des Ungetüms strahlten in der Sonne. Ein unglaublicher Anblick.

Fasziniert und verängstigt zugleich beobachtete Amara die ungleichen Gefährten. Es war lange her, dass sie einen Drachen mit eigenen Augen gesehen hatte. Damals waren es andere Zeiten gewesen. Friedliche Zeiten.

Ihre Kindheit war tief verwurzelt mit Erinnerungen an die magischen Wesen. Doch diese Zeiten waren vorbei. Damals hatte der Anblick eines Drachen Amara mit Freude erfüllt. Jetzt spürte sie nur noch, wie ihr Puls vor Angst in die Höhe stieg und jede Faser ihres Seins sie anflehte, um ihr Leben zu rennen. Aber ihr blieb keine andere Wahl, als den Drang zu bekämpfen. Wie erstarrt sah sie dem Ungetüm hinterher. Jetzt zu fliehen wäre ein Fehler, den sie sich einfach nicht leisten konnte. Es würde die Aufmerksamkeit der Bestie auf sie lenken. Der Frieden von einst war zerstört worden und mit ihm die wahren Drachenreiter. Zurückgeblieben waren nur jene, die dem König folgten. Diese waren nicht besser als die Monster und Schattenwesen, die die Wälder beherrschten.

Überall, wo sie hinsah, flohen die Menschen weiter an den Rand der Straße, um dem Ungeheuer Platz zu machen. Durch das Gedränge umgeworfen, fiel ein Kind auf die Straße in den Schlamm. Weder der Drache noch sein Reiter schenkten dem Treiben große Beachtung. Das kleine Mädchen weinte, als ihre Mutter es schnell und panisch an den Rand der Straße zog. Nur knapp entkam es den gewaltigen Klauen des Drachen.

Bei dem Anblick schlug Amaras Herz vor Wut schneller. Ihre Finger umklammerten das Buch so krampfhaft, dass sie zu zittern begannen.

Durch das Licht, das zwischen den Häusern auf die Straße fiel, leuchteten die Schuppen des Drachen wie das strahlenddurchzogene Blätterdach eines Waldes. Er war um einiges größer als die Pferde, die von dem Drachen aufgeschreckt, panisch die Straße entlang tänzelten. Er war ein wunderschöner Anblick, welcher in einem grotesken Widerspruch zu dessen Taten stand. Sein Reiter stolzierte durch die Menge. Arrogant grinsend, ohne die Menschen um ihn herum eines Blickes zu würdigen. Er war großgewachsen, muskulös und trug eine Lederrüstung, die der Farbe seines Drachen ähnelte. Der ebenfalls grüne Griff seines Schwertes glänzte in der Sonne und fing für einen Augenblick ihre Aufmerksamkeit ein. Mit gelangweiltem Ausdruck musterte er kurz die Menge und fuhr sich dabei mit einer Hand durch das flachsblonde Haar.

Als sie auf gleicher Höhe zum Fenster des Antiquariats waren, an dem Amara stand, wandte der Drache ruckartig seinen Kopf in ihre Richtung. Große leuchtend braune Augen blickten ihr misstrauisch entgegen. Ihr war, als würde sie der stechende Blick bis in die Seele treffen. Direkt in ihr Innerstes gleiten. Erschrocken schnappte Amara nach Luft und hatte zugleich das Gefühl, als würde ihr Herz aufhören zu schlagen.

Doch dann war der Moment vorbei. Der Drache zog, hinter seinem Reiter hinterher, weiter durch die Menge. Miteinemmal verspürte sie eine Unruhe, die sie lange nicht mehr gespürt hatte und ihre Gedanken überschlugen sich.

„Ob der Drache gespürt hat, was ich bin? Oder war es nur ein Zufall? Vielleicht hat er mich gar nicht gesehen und die Menschenmenge hat mich verborgen?" Bei den Gedanken stieg Panik in ihr auf. Um sich von ihren verrücktspielenden Instinkten abzulenken, versuchte Amara in ihre gewohnte Routine zurückzufinden und begann erneut damit, das Buch zu entstauben.

Ihre zittrigen Finger strichen über den Einband des alten Buches, dessen Seiten die Fähigkeiten von Heilpflanzen schilderten. Gedankenverloren arbeitete sie

sich durch verschiedene Titel und stellte jedes danach zielsicher wieder an seinen Platz. Seit sie vor zwei Monaten ihre Arbeit im Antiquariat aufgenommen hatte, kannte Amara jeden Regalmeter auswendig. Trotzdem kannte sie bei Weitem nicht jedes der unzähligen Werke, die sich in dem verwinkelten Laden verbargen. Mit jedem Buch wurde das Gefühl in ihrer Brust erträglicher und ihr Herzschlag beruhigte sich langsam.
Von dem Drachen und seinem Reiter war nichts mehr zu sehen. Erleichtert atmete Amara auf und spähte erneut aus dem Fenster. Draußen ging alles wieder seinen gewohnten Gang, als ob nie etwas passiert wäre.
Robert, der alte Antiquar, hatte ihr den Laden für dieses Wochenende überlassen. Sie konnte jetzt keine Schwierigkeiten gebrauchen! Er war am Morgen mit seiner Frau Ally aufgebrochen, um seine erkrankte Schwester in Westwood zu besuchen. Der Ort lag eine halbe Tagesreise zu Fuß von Whitebridge entfernt. Amara ging im Geiste jedoch davon aus, dass die Beiden später zurück seien würden, als geplant.
„An Markttagen ist eh nicht so viel los, die Menschen sind viel zu sehr mit den Einkäufen für den kommenden Winter beschäftigt“, hatte Robert gesagt und ihr mit diesen Worten die Verantwortung für das Wochenende übertragen.
Amara schritt zwischen den Regalen entlang und sog den vertrauten Duft von Papier und Holz ein. Es ehrte sie, dass Robert ihr den Laden anvertraut hatten. Sie liebte die Arbeit hier – Robert und Ally waren gut zu ihr und es war keine körperlich schwere Arbeit. Abgesehen

davon, konnte Amara nach Ladenschluss nach Herzenslust durch die Buchreihen stöbern. Mit Hilfe der Worte konnte sie dieser Welt für ein paar kostbare Stunden entfliehen und ihre Sorgen vergessen. Die Bücher waren ihr eine Art Zuflucht geworden. Zwischen ihren Seiten vergas sie wenigsten kurzzeitig ihre eigene, bittere Realität, zu der ihr Leben in den letzten Jahren geworden war.

Amara ging weiter bis in den hinteren Teil des Ladens und entfachte die rußigen Öllampen, die in Messinghaltern an der Wand hingen. Die Fenster waren hier mit schweren dunkelroten Vorhängen verhangen, um die Bücher vor dem Sonnenlicht zu schützen. Denn die Exemplare hier waren besonders alt und wertvoll. Ehrfürchtig nahm Amara eines dieser Werke vorsichtig aus dem Regal und drehte es in der Hand um, um den Titel zu entziffern.

Mit Verwunderung stellte sie fest, dass ihr dieses Buch völlig unbekannt war. Es hatte keinen Titel – weder auf dem Rücken noch auf der Front. Es war eindeutig neu gebunden worden, denn der Umschlag wirkte um einiges jünger, als die vergilbten Seiten des alten Buches. Neugierig geworden schlug sie es auf und entdeckte erst auf der zweiten Seite den Namen.

In geschwungenen Lettern stand dort „*GRIMORIUM VERUM*". Sie schlug das Buch hastig wieder zu und ihre Gedanken überschlugen sich.

„*Ist es wirklich das, was ich denke?*", überlegte sie erstaunt und öffnete ehrfürchtig erneut die ersten Seiten. Amara wollte sichergehen, dass sie sich nicht verlesen hatte. Und tatsächlich!

Auch die folgenden Seiten passten zu ihrer Vermutung. Es handelte sich wahrhaftig um eines der alten Zauberbücher!
Es wunderte sie sehr, dass Robert eines der verbotenen Bücher besaß. Sie hatte den alten Mann nicht für einen Regelbrecher gehalten. Doch bei genauerer Betrachtung ergab es durchaus Sinn: Er versuchte Wissen zu sammeln, selbst wenn es verboten war. Sie hatte bereits Menschen wie Robert getroffen, die ihr Leben dem Erhalt von Wissen oder ähnlichen Aufgaben gewidmet hatten.
Trotzdem erstaunte es sie, dass er das Buch ausgerechnet hier aufbewahrte. Schließlich war es gemeinhin bekannt, was mit Magiern oder den Besitzern magischer Artefakte passierte. Erinnerungen an vergangene Hexenprozesse flackerten in ihr auf, und ein Übelkeit erregender Geruch von verkohltem Fleisch lag ihr erneut in der Nase. Es war im ersten Winter ihrer Flucht gewesen, als sie ihren ersten Hexenprozess miterlebt hatte.
In einem kleinen Ort weiter im Süden, wurde sie Zeuge dieser widerwärtigen Praktik, mit der man Menschen wie sie versuchte auszurotten. Die schmerzverzerrten Schreie der jungen Frau, hallten noch immer in ihren Träumen wider. Sie konnte damals nicht älter gewesen sein, als Amara es jetzt war. Bei dem Gedanken lief ihr ein Schauer über den Rücken.
Für Menschen wie sie gab es nicht viele Optionen. Entweder man schwor dem König Treue und schloss sich seinen Schergen an oder man endete auf dem Scheiterhaufen. Also hatte Amara sich für ein Leben auf der

Flucht entschieden. Natürlich war sie sich bewusst, dass es nicht ewig so weiter gehen konnte. Doch für den Moment musste es genügen.

Eine weitere Möglichkeit kam ihr kurz in den Sinn, doch diese war beinahe unmöglich zu erreichen. Sich den Rebellen anzuschließen, war zwar die beste Möglichkeit für Magier, doch das Problem dabei war, herauszufinden wo diese sich befanden. Niemand wusste, wo die Rebellen ihre Stützpunkte hatten. Amara hatte zu Beginn ihrer Flucht aus Elsum alles darangesetzt, Informationen über den Verbleib der Rebellen zu erlangen, war aber gescheitert und hatte letztendlich die Hoffnung aufgegeben. Kopfschüttelnd dachte Amara an ihre anfängliche Naivität, die sie das ein oder andere Mal fast das Leben gekostet hätte.

Sie schlug den Grimoire wieder zu und wollte es gerade mitnehmen, hielt jedoch zögern inne und stellte es dann doch wieder zurück. Wenn sie fertig mit der Arbeit war, würde sie es holen und etwas darin stöbern, beschloss sie. Diese Gelegenheit konnte sie sich einfach nicht entgehen lassen. Schließlich ergab sich für Amara nicht oft die Möglichkeit, ihre Fähigkeiten zu trainieren. Und diese hatten es dringend nötig, wenn sie ehrlich mit sich selbst war. Mittlerweile war sie zwar ziemlich gut darin, ihre Kräfte einzudämmen und zu verbergen. Eine Fähigkeit die ihr oft das Leben gerettet hatte. Im Gegenzug fiel es ihr jedoch dafür immer schwerer, ihre Kräfte heraufzubeschwören. Das war der Preis, den sie für den Hauch von Sicherheit bezahlen musste.

Amara löste ihren Blick vom Grimoire und ging wiederwillig weiter ihrer Arbeit nach. Doch ihre Gedanken schweiften immer wieder zu dem alten Buch ab, das in dem Regal auf sie wartete und förmlich nach ihr rief.

***

Wie erwartet, kamen an diesem Tag nicht viele Kunden. Robert hatte Recht behalten und die meisten Leute waren viel zu sehr damit beschäftigt, ihre Waren auf dem Markt zu verkaufen.

Der Herbst hatte zwar erst begonnen, doch der Frost würde schneller Einzug halten, als ihnen lieb war. Also bereiteten sich die Bewohner der Stadt schon jetzt auf die unausweichliche Kälte vor. Amara zog gelangweilt eins der Bücher aus dem Regal. Es war eine Novelle, die eine dramatische Liebesgeschichte erzählte. Neugierig geworden schlug sie das Buch auf. Die packende Welt, die es zwischen seinen Seiten beherbergte, ließ sie für den Moment alles andere um sie herum vergessen.

Lediglich zweimal erklang an diesem Tag die kleine Glocke über der Tür und unterbrach ihren Lesefluss. Einmal, weil sich jemand in der Tür geirrt hatte und das andere Mal, weil ein Händler aus Whitebridge im Auftrag eines Kunden ein bestimmtes Werk suchte. Der ältere Mann stöberte einige Minuten durch die Regale und legte letztendlich ein altes Werk über Heilkunde auf den Tresen. Amara staunte, als sie den Titel erkannte. Er zog einen Geldbeutel aus der Tasche seiner tiefblauen Tunika, die er unter dem schweren fellgesäumten Umhang trug, und legte ihr die Münzen auf den Tresen. Es war mehr, als sie in einem halben Jahr verdiente! Sie verstaute das Geld sorgsam in einem Beutel und legte diesen in eine Schublade unter dem Tresen. Amara wartete, bis der Mann den Laden verlassen hatte. Erst dann holte sie das Buch, welches sie gerade gelesen hatte, wieder hervor und fing erneut an in dessen Welt abzutauchen.

***

Es war schon fast dunkel, als Amara das Buch schließlich zur Seite legte und die Ladentür abschloss. Trotz des kurzen Zwischenfalls mit dem Drachen war der Tag so verlaufen, wie fast jeder Tag, seit sie in dem kleinen Ort lebte.

„Den Drachen und seinen Reiter habe ich zum Glück nicht nochmal gesehen“, überlegte sie und ging davon aus, dass die Beiden den Ort schon längst verlassen hatten. *„Warum sollten sie auch länger als nötig in Whitebridge bleiben? Hier gibt es nichts, was sie interessieren könnte. Vermutlich haben sie das Markttreiben gesehen und haben angehalten, um Proviant für die Weiterreise zu kaufen“*, spann sie den Gedanken weiter. Amara sah sich unweigerlich um und hätte fast über sich selbst gelacht.

„Ich bin wirklich paranoid geworden“, dachte sie kopfschüttelnd, bevor sie zum hinteren Teil des kleinen Schauraums ging, den Grimoire aus dem Regal zog und mit dem Buch zurück nach vorne kehrte.

Mit dem Grimoire unterm Arm kletterte Amara die steile Treppe hinter dem Tresen nach oben. Hier lag die kleine Kammer, in der sie wohnte. Amara setzte sich auf den Strohsack, auf dem sie schlief, und zündete ein paar der Kerzenstummel an, die auf dem schmalen Fenstersims standen. Sie wischte die Hände sorgfältig an dem dunklen Stoff ihres Oberteils ab, bevor sie das alte Buch ehrfürchtig aufschlug. Ihre Finger flogen wie von selbst über die vergilbten Pergamentseiten und sie blätterte zu einer Seite, auf die sie beim Überfliegen vormittags aufmerksam geworden war. Konzentriert las Amara die Worte, auch wenn sie sich mit den verschlungenen Glyphen schwertat. Langsam wurde ihr bewusst, welche Möglichkeiten sich mit der Hilfe des Grimoires auftaten. Sie ließ das Buch unweigerlich sinken und brauchte einen Moment, um alles zu verarbeiten.

Es war ihr noch nie leicht gefallen ihre Kräfte heraufzubeschwören, doch das konnte sie jetzt ändern. Sie musste nur vorsichtig sein, wenn sie nicht auf einem Scheiterhaufen enden wollte.

Der Schlüssel zur Kontrolle ihrer Macht lag in Konzentration und einem ruhigen Geist. Amara griff dafür auf die Zauberformel zurück, die im Text als Hilfsmittel stand. Die Worte waren gleich einem Kompass und sollten lediglich dabei helfen, ihre Magie in die richtige Form zu lenken. Erfahrenen Magiern gelang dies, allein mit der Macht ihrer Gedanken.

„Nicht von den Worten der Macht und dem eigenen Wortschatz abhängig zu sein ist eine Gabe, die nur die mächtigsten Magier und Drachenreiter besitzen. Zumindest habe ich bisher nur von wenigen Zauberkundigen gehört, die diese Form der Magie beherrschen“, überlegte sie und merkte, wie die Sehnsucht und der Ehrgeiz in ihr aufstiegen. Sie wollte diese Art der Magie beherrschen!

„Vielleicht gibt es ja doch mehr Nichtreiter, die diese Form der Magie beherrschen?“, überlegte sie weiter. Vielleicht war dieses Ziel ja auch für sie erreichbar.

Doch wenn Amara ehrlich war, war sie froh, wenn sie überhaupt die Kräfte heraufbeschwören könnte, die für einen einfachen Zauber nötig waren. Ihr Traum – die wortlose Magie lag noch in weiter Ferne. Amara hatte die Macht in den letzten Jahren so lange verschlossen gehalten, dass sie den Funken in ihrem Geist fast erstickt hatte. Es brauchte einen gehörigen Haufen Konzentration, um ihre Kräfte überhaupt zu spüren, geschweige denn, sie zu gebrauchen.

Amara schloss kurz die Augen und versuchte sich auf ihre Kraft zu konzentrieren. Sie streckte eine Hand aus und machte die im Buch beschriebene Bewegung. Ähnlich wie ein Schnipsen aus dem Handgelenk und befahl: „Luceat!“ – Nichts geschah.

Sie atmete tief durch und probierte es nochmal.

„Luceat!“ – wieder nichts. *„Verdammt!“*

Amara ließ die Hand sinken und schnaufte genervt auf. Frustriert steckte sie ihre Nase erneut in das Buch und versuchte, mögliche Fehler zu finden. Penibel untersuchte sie erneut die Betonungen und legte das Buch zurück auf den Boden.

„So leicht, gebe ich nicht auf!“, dachte sie verbissen und richtete sich auf. Amara streckte die Hand erneut aus und befahl, diesmal mit klarer Stimme: „Luceat.“

Ein kleines Licht flackerte über ihrer Hand auf. Die formlose Lichtquelle des Runenlichts schwebte einige Sekunden über ihrer Hand und warf einen hellen Schein über den Raum. Das grelle Licht ließ die Schatten des Raumes länger werden und tauchte die Szene für einen kurzen Moment in blendend weiße Helligkeit. Begeistert lachte sie auf und merkte, wie ihr die Konzentration entglitt. Das Runenlicht erlosch.

Amara ließ die Hand sinken und lächelte, fasziniert über das magische Licht, in sich hinein. Stolz auf den Zauber, den sie vollbracht hatte.

„Mit ein wenig Übung werde ich in ein paar Tagen das Licht bestimmt noch länger halten können“, hoffte sie und schlug das Buch zufrieden zu. Sie legte es unter das kleine Fenster neben ihrem Schlafplatz und blickte kurz hinaus. Hinter der trüben Glasscheibe zeichnete sich die Silhouette des Mondes ab, der seinen bleichen, geisterhaften Schein über die Stadt warf. Zufrieden mit sich selbst, legte Amara sich schlafen. In dieser Nacht träumte sie davon, ihre Kräfte endlich zu kontrollieren und nutzen zu können. Ein Lächeln stahl sich im Schlaf auf ihre Lippen, denn der Traum war ihr noch nie so real, wie in dieser Nacht vorgekommen.

2

Der nächste Morgen begann wie jeder gewöhnliche Sonntag. Amara zog sich eine dunkle Hose und eine ebenso dunkle, langärmlige Tunika an. Sie begutachtete ihr Spiegelbild in dem kleinen angelaufenen Spiegel, der an einem der Dachbalken baumelte, und band ihre Haare zusammen, so dass sie ihr in einem festen geflochtenen Zopf über die Schulter fielen. Ihre rabenschwarzen Haare verschmolzen im Spiegelbild förmlich mit dem Schwarz ihres Oberteils. „*Ally würde vermutlich wieder mal die Hände über dem Kopf zusammenschlagen und behaupten ich sehe aus, als ob ich zu einer Beerdigung möchte*“, dachte sie schmunzelnd, als sie an die ältere Frau in ihren immer bunten Röcken dachte. Die kleine, etwas stämmige Frau in ihren farbenfrohen Kleidern, erinnerte sie immer ein wenig an die Blaumeisen oder Rotkehlchen, die im Frühjahr durch die Lüfte tanzten. Die Frau des Antiquars hatte nie sonderlich viel für ihren ungewöhnlichen Kleidungsstil übriggehabt. Noch weniger hatte sie ihren Hang zu dunklen Farben verstanden, doch Ally hatte sie dafür nie verschmäht, wie viele andere es taten. Dafür war sie der alten Frau immer sehr dankbar gewesen. Es war hier und in vielen anderen Teilen Averions nicht gerne gesehen, dass Frauen Hosen trugen. Doch das war Amara herzlich egal, schließlich blieb sie nirgendwo allzu lange. Für sie war es vielmehr eine Sicherheitsmaßnahme, denn ein Kleid würde sie erfahrungsgemäß im Falle einer hastigen Flucht nur behindern. Eine Mauer im Korsett und mit einem nahezu bodenlangen Rock zu überwinden, war eine unmögliche Angelegenheit. Geschweige denn, dass sich besagter Rock in allem verfing. Amara dachte kurz daran, wie viele Röcke sie durch Dornengestrüppe oder ähnliche Hindernisse zerstört hatte. Bevor sie von den Konventionen abgewichen und, trotz der Blicke der Menschen, auf Hosen gewechselt war.

„Sollen die Leute doch denken, was sie wollen!“, dachte Amara, als sie zufrieden mit ihrem Outfit über den Saum ihrer Tunika strich. Zuletzt nahm sie ihre Messer und steckte sie routiniert in die verschiedenen Holster an ihrem Gürtel und in ihren Stiefeln. Sie waren eine weitere, vielleicht sogar ihre wichtigste, Vorsichtsmaßnahme.

Amara stieg die schmale Treppe hinunter und ging zwischen den Regalen auf den Ausgang zu. Das erste Morgenlicht fiel blendend hell durch das große Ladenfenster und schien ihr ins Gesicht, als sie aus dem Laden trat.

Sie schloss die Tür hinter sich ab und steckte den bronzenen Schlüssel in die Tasche ihrer Hose, als sie auf das Haus auf der gegenüberliegenden Straßenseite zuging. Das steinerne Gebäude drängte sich neben den restlichen Wohnhäusern des bürgerlichen Mittelstandes am Rand der Straße entlang. Amara fand, dass es immer ein wenig so wirken würde, als ob die Häuser sich gegenseitig einengten. Mit einem letzten Blick auf die buntverputzte Häuserreihe, schloss sie die Holztür des kleinen

Herrenhauses mit einem zweiten angelaufenen bronzefarbenen Schlüssel auf. Vor dem Eintreten strich sie liebevoll über die alten Schnitzereien am Türrahmen. Als sie eintrat, schweifte ihr Blick über die senfgelben Wände des Herrenhauses.

„Man merkt wirklich, dass Ally alles eingerichtet hat", dachte sie schmunzelnd, als sie auf die Vorratskammer zuhielt. Sie nahm ein paar Scheiben Brot und ein Stück Käse aus der in der bodengelassenen Kiste, die die Lebensmittel kühl halten sollte, und ging damit in die Küche. Ihr Stuhl kratzte etwas über die Holzdielen, als sie ihn vorzog, und eine Gänsehaut lief ihr bei dem Geräusch über den Rücken.

Amara setzte sich an den hölzernen Tisch, der in der Mitte der Küche stand und fing an, in Ruhe zu frühstücken. Sie war dankbar für die Gastfreundschaft und das Vertrauen, die das ältere Paar ihr entgegenbrachte. Es war wahrlich nicht selbstverständlich, dass sie sich so frei hier bewegen durfte. Tiefdurchatmend genoss sie es, in Ruhe am Tisch zu sitzen, ohne Zeitdruck in den Laden zurückkehren zu müssen. Dieser war heute, wie an allen anderen Sonntagen, geschlossen. Amara wollte in Ruhe lesen und vielleicht auch, den ein oder anderen Zauber aus dem Buch ausprobieren.

„Vielleicht einer zum Öffnen und Schließen von Türen? Das könnte praktisch sein", überlegte sie und ließ ihre Gedanken für einen Moment abschweifen. Die wortlose Magie schwebte immer noch wie ein weit entferntes Ziel in ihren Gedanken und ließ sie einfach nicht los. Amara stellte sich kurz vor, wie es wäre, wenn sie diese Form

der Zauberei beherrschen würde. Wie die alten Meister und ihre Eltern es gekonnt hatten. Ein wehmütiges Lächeln stahl sich bei dem Gedanken auf ihre Lippen und eine Mischung aus Sehnsucht und Trauer erfüllte ihre Gedanken. Sie atmete tief durch und schob den Gedanken bei Seite.

Amara biss in ihr Brot und genoss die Ruhe noch einige Zeit, bevor sie ihr Frühstück wegräumte und das Geschirr abwusch. Sie wollte gerade gehen, als sie eine Notiz auf der Arbeitsplatte neben dem Herd erblickte. In Allys feiner Handschrift stand dort: „Sei bitte so lieb und erledige den Einkauf auf dem Markt, während wir weg sind. Ich befürchte, dass wir die Markttage verpassen werden."

Sie hob die Notiz auf und schob sie zusammen mit dem Einkaufszettel und Münzen, die neben dem Zettel lagen, in ihre Hosentasche. Auch, wenn Amara gerne sofort zu dem Grimoire zurückgekehrt wäre, beschloss sie zuerst den Markt aufzusuchen. Sie kannte sich selbst gut genug, um zu wissen, würde sie jetzt anfangen zu lesen, würde sie vermutlich so schnell nicht wieder von dem Zauberbuch aufblicken.

***

Nur kurze Zeit später trat Amara auf die Straße und zog den schweren Wollumhang bibbernd enger um ihren Körper. Die dicke Wolle war perfekt, um sich vor der ersten Kälte zu schützen, die langsam, aber sicher Einzug hielt. Es dauerte nicht lange und ihr wurde angenehm warm.

„Der Winter wird vermutlich nicht mehr lange auf sich warten lassen“, dachte Amara wehmütig, als sie zum kalten, klaren Himmel blickte und sich schließlich unter die Menschen mischte.

„Diesen Winter werde ich hier verbringen!“, beschloss sie, als sie die Straßen entlanglief und den Blick über die Häuserreihen gleiten ließ. Das Risiko war zu hoch, vor dem Wintereinfall eine neue Bleibe finden zu müssen. Auch, wenn jeder Tag das Risiko erhöhte, entdeckt zu werden.

„Das Risiko, die kalte Jahreszeit, ohne ein Dach überm Kopf verbringen zu müssen, ist dabei wahrscheinlich das größere Problem. Hier kommt bestimmt kein Magier auf der Jagd vorbei, nicht im fortschreitenden Herbst“, versuchte sie sich selbst zu beruhigen. Doch sie wusste, dass alles, was es brauchte, ein Magier in der Umgebung war. Einer, der gut genug geschult war, um ihre Magie zu spüren und sie an ihre Feinde verriet. Davon gab es zwar nicht sehr viele, doch es gab sie.

Die Gassen waren dicht besetzt mit Bürgern, die zum Markt drängten. Sie ignorierte die abschätzigen Blicke, die die Leute ihr zuwarfen und folgte der Straße bis zum Marktplatz von Whitebridge.

Der Marktplatz war klein und eng, im Vergleich zu anderen Städten, in denen sie schon gelebt hatte. Er umschloss die Kirche, die in der Stadtmitte thronte und den Platz überblickte, wie ein Hirte seine Schafe. Die windschiefe Spitze des Kirchturms warf ihren kalten Schatten auf die Umgebung und Amaras Blick fiel auf eine Gruppe von Mädchen, die in eben diesem Schatten standen. Sie waren vermutlich ein paar Jahre jünger als sie selbst und ihre bunten Röcke leuchteten in den unterschiedlichsten Farben. Bei dem Anblick packte sie ein Hauch von Wehmut. Für einen kurzen Moment wünschte sich Amara eine andere Zukunft. Eine Zukunft, die nie sein würde. Wie es wäre selbst wieder elegante Kleider tragen zu können, ohne Angst haben zu müssen, dass die sie umbrachten. Sie schob den Gedanken zur Seite. Es war lächerlich!

„Diese Zukunft ist schon lange begraben. Solche Träumereien bringen doch nichts!“, ermahnte sie sich selbst bitter und etwas verärgert über ihre eigene Unvernunft.

Zwischen den ersten Marktständen umherschreitend begutachtete sie beiläufig die Waren, die hier feilgeboten wurden. Die Stände der Händler standen eng aneinander geschmiegt auf dem Platz und Massen von Menschen drängten sich durch die Gassen zu den Ständen, um dort ihre Handel abzuschließen.

„Es ist vermutlich einer der letzten Markttage vor dem Winter“, dachte Amara bedrückt, als sie so über den Markplatz schritt.

Im Sommer zogen die Händler von Ort zu Ort und kamen, laut den Dorfbewohnern, jeden Monat in die Stadt. Doch im Winter, wenn die Wetterbedingungen das Reisen erschwerten, konnte es passieren, dass die Markttage ausfielen und die Händler in ihre Lager zurückkehrten, um Schutz vor den eisigen Temperaturen zu suchen. So versuchte jeder seine Geschäfte vor dem Wintereinbruch zu erledigen.

„Danach zu urteilen, wie früh der Frost in diesem Jahr gekommen ist, wird es höchstwahrscheinlich ein kalter und harter Winter

werden", dachte Amara schaudernd. Die Aussicht nicht nach einer Unterkunft suchen zu müssen, stimmte sie ein wenig hoffnungsvoller.
Ihr Blick schweifte wieder durch die Reihen, auf der Suche nach den Waren, die sie besorgen sollte.
Die Stände waren so heruntergekommen, wie sie es noch nie gesehen hatte – weder hier noch in anderen Teilen des Landes. Und Amara hatte wirklich einige Städte und Märkte auf ihrer Flucht besucht! In den letzten Jahren war sie nie länger als zwei oder drei Monate an einem Ort geblieben, aus Angst enttarnt zu werden.
Ihr Blick fiel auf einen verkohlten Fleck auf dem Steinboden des Platzes und sie hatte das Gefühl, dass ihr Herz einen Schlag aussetzen würde. Es war ein unscheinbarer Anblick, doch Amara dachte an die unzähligen unschuldigen Leben, die hier und an ähnlichen Orten im ganzen Land verteilt, in Feuer geendet hatten. Im Gegensatz zu ihr, waren die meisten dieser Menschen keine wirklichen Hexen gewesen. Sie waren vermutlich bloß Zauberkundige oder Heiler gewesen, die in die Fänge der Hexenjäger geraten waren. Denn wahre Hexen waren selten und die meisten von ihnen lebten weit ab von den Städten der Menschen.
Ein ungutes Gefühl stieg, ohne Vorwarnung in ihr auf. Ihr Magen fühlte sich an, als ob sie aus großer Höhe fiel. Amara tat ihr Bestes, das Gefühl zu ignorieren und ihre Atmung wieder unter Kontrolle zu bekommen. Sie brauchte einen Moment, doch dann fing sie sich wieder und das Gefühl verblasste langsam, als sie vorsichtig aus dem Schatten der Kirche trat.

„Vermutlich spielt der plötzliche Wetterumschwung mir wieder einen Streich, wie er es so oft tut“, dachte sie ein wenig ärgerlich und bewegte sich weiter zwischen den Ständen umher. Der Geruch von allerlei Gewürzen stieg ihr in die Nase und ihre Hände fuhren vorsichtig über die Stoffe, die ein Händler anbot. Es waren schwere Wollstoffe, ideal für den nahenden Winter. Sie fühlten sich trotz der Dicke des Stoffs angenehm weich in ihren Fingern an. Ihr Blick fiel auf das Preisschild und sie musste schlucken. Dieses kleine Stück Stoff kostete mehr, als sie in einem Monat verdiente. Dabei reichte es nicht einmal für einen einzigen Umhang. Natürlich hatte sie schon mit erhöhten Preisen gerechnet, aber der Preis war dennoch ungewöhnlich hoch und machte sie etwas stutzig.

Amara ging weiter und sah sich einige der anderen Stände an. Der Händler, dem sie am Vortag das Buch verkauft hatte, nickte ihr lächelnd zu und Amara erwiderte sein Lächeln. Von seinem Stand wehte der Geruch von allerlei Kräutern herüber. Sie atmete den vertrauten Geruch ein und trat dann zum Stand eines anderen Händlers, welcher Schreibwaren verkaufte und erkundigte sich dort nach dem Preis für Federn und Tinte. Auch hier stellte sie erneut einen deutlichen Preisanstieg fest. Vor zwei Monaten hätte sie noch deutlich weniger bezahlt. Sie drehte eine Feder in der Hand und sah den Händler an, seine Augen waren von dunklen Ringen umgeben und Sorgenfalten zierten seine Stirn.

„Welche Neuigkeiten gibt es von der Straße?“, fragte sie ihn betont beiläufig, als sie weitere Waren in Augenschein nahm. Der Mann lächelte sie müde an, seine

Kleider waren zerschlissen und auch sein Planwagen hatte bereits bessere Tage gesehen.
„Habt Ihr es noch nicht gehört? Die Götter haben dieses verfluchte Reich verlassen und die Monster ringen um die Herrschaft über das Land!“, klagte er und Amara wurde hellhörig. Der Mann sah sich kurz besorgt um und fuhr dann fort: „Der König bietet uns keinen Schutz mehr, die Straßen sind unsicher geworden, also unsicherer als eh schon. Monsterangriffe und Überfälle häufen sich. Ghule und andere Kreaturen wurden gesichtet und ganze Kolonnen wurden leblos zwischen den Trümmern ihrer Wagen gefunden. Es ist dieser verfluchte Wald! “, zischte er mit einem vor Wut und Angst verzerrten Gesicht. Der Mann schimpfte immer weiter und einige der Dorfbewohner guckten schon missbilligend, aber auch erschrocken, zu ihnen herüber. Schockiert lauschte Amara dem Bericht und ein ungutes Gefühl machte sich in ihr breit.
„Der König sitzt mit seinen Drachen im Palast in Naaria und tut nichts, um uns zu helfen! Wir waren uns nicht mal sicher, ob wir weit genug in den Norden ziehen können, um Whitebridge zu erreichen“, beendete er niedergeschlagen seinen Bericht.
Es gab früher zwar immer wieder einzelne Angriffe, aber schon seit Jahrhunderten nicht mehr so zahlreich wie nun. Es verwunderte sie ein wenig. Doch ergab durchaus Sinn, wenn man die gegenwärtige Situation im Königreich bedachte. Jahrhunderte lang hatten die Drachenreiter die Menschheit vor Monstern und anderen Schattenwesen beschützt, doch die Reiter waren gefallen

und die Übrigen, die Kagan folgten, scherten sich nicht um die Sicherheit des einfachen Volkes.
„Ob die Monster, diese Schwäche wittern und wieder aufbegehren? Das könnte die gesamte Menschheit gefährden! Es gibt nichts, was die Ungeheuer lieber fressen als Menschenfleisch", dachte Amara zähneknirschend und ein Schauer lief ihr bei dem Gedanken über den Rücken. Sie verfluchte Kagan und seine Anhänger für das Unglück, welches sie über das Land gebracht hatten. Die Kirchenglocke schlug zum Mittag und der helle Klang riss sie aus ihren Gedanken. Sie nahm die Münzen klimpernd aus dem Beutel und kaufte einige Federn und neue Tinte, bevor sie sich von dem Händler verabschiedete und weiter ging. Die Gasse zwischen den Ständen wurde immer voller und bald quetschte sie sich durch die Menschenmenge oder unterhielt sich mit weiteren Händlern. Das ungute Gefühl verstärkte sich weiter und eine Stimme in ihr wurde immer lauter, dass dies nur der Anfang sei.
„Wenn die Monster wirklich wissen, dass die Reiter sie nicht mehr aufhalten werden, wird es ein Massaker geben! Die Angst vor den Drachen und ihren Reitern, ist das Einzige, was sie in den letzten Jahrhunderten davon abgehalten hat, die Menschensiedlungen anzugreifen und uns alle zu vernichten", dachte sie und versuchte die Angst zu unterdrücken, die ihr die Kehle hinaufschlich. Amara hörte von allen Menschen, mit denen sie sprach, ähnliche Erzählungen – von Monsterangriffen, Überfällen und Tod.
Beunruhigt zog sie weiter auf der Suche nach den restlichen Einkäufen. Plötzlich hallte ein lautes Grollen vom Rand des Platzes zu ihr herüber. Der Klang drang ihr

durch Mark und Bein. Eine Gänsehaut kroch ihr über die Arme, als sie abrupt auf den Pflastersteinen des Marktplatzes stehen blieb und sich erschrocken umsah. Verärgert rempelten sie einige Menschen an, doch davon bekam sie nichts mit. Alles, was sie hörte, war ihr Puls, der ihr bedrohlich laut im Ohr pochte.

„War der Drachenreiter etwa doch noch im Ort?“, überlegte Amara verzweifelt und begann unweigerlich zu zittern. Sie zwang sich ruhig weiter zu atmen und drehte sich so unauffällig wie möglich um. Jeder Muskel in ihrem Körper flehte darum zu fliehen, doch sie bekämpfte den Drang und beruhigte ihr wild pochendes Herz. Sie sollte in eine andere Gasse gehen.

Schnell! – Hauptsache weg von der Richtung in der sie das Wesen vermutete! Ein erneutes Brüllen ließ sie unwillkürlich zusammenfahren. Instinktiv sah sie erneut in die Richtung, aus der die Geräusche kamen.

Plötzlich stieß sie mit jemanden zusammen und geriet ins Straucheln. Der Mann griff nach ihrem Arm und fing sie auf, bevor sie hinfallen konnte. Als sie ihrem Retter ins Gesicht sah, gefror ihr das Blut in den Adern. Groß gewachsen, fiel ihm das flachsfarbene Haar ins Gesicht, als er mit kaltem Blick auf sie hinunterblickte. Amara erkannte die grüne Rüstung und das Schwert, das er am Gürtel trug, sofort.

„Oh nein!“, dachte sie und Todesangst stieg in ihr auf.

Es war der Drachenreiter vom Vortag! Seine braunen Augen leuchteten für den Bruchteil einer Sekunde auf, als seine Finger ihre Haut berührten und Amara wusste, dass er ihre Magie gespürt haben musste.

„Ich muss hier weg!“, schrie eine Stimme in ihrem Kopf. Eine Entschuldigung stammelnd und zog sie ihren Arm so ruckartig zurück, dass seine Fingernägel ihre Haut aufrissen. Sie ignorierte das Blut, welches jetzt in winzigen Strömen ihren Unterarm herunterlief. Amara wartete gar nicht erst auf eine Antwort, sondern drehte sich eilig um und hastete durch die Menge hinfort. Schnell zog sie sich ihre Kapuze tiefer ins Gesicht. Es verlangte ihr eine gehörige Portion Selbstbeherrschung ab, nicht direkt loszurennen.
„Das wäre ein fataler Fehler!“, erinnerte sie sich. Denn dann gäbe es für den Reiter keine Zweifel mehr darüber, dass sie etwas zu verbergen hatte.
„Wenn es überhaupt noch einen Zweifel für ihn gibt!“, dachte Amara ärgerlich und verängstigt zugleich. Wenn er erfuhr, wer oder was sie war, würde er sie gnadenlos jagen, wie ein gehetztes Tier, dem war sie sich bewusst und ein Schauer rannte ihr über den Rücken.
Amara hastete weiter die Markstände entlang. Als sie sich kurz umsah, erkannte sie ihn zwischen den Leuten. Mit wachsamen Blick ging er in dieselbe Richtung wie sie. Seine Augen folgten jedem ihrer Schritte. Sie quetschte sich schnell weiter an den Dorfbewohnern vorbei über den vollen Marktplatz und stellte erschrocken fest, dass er schneller vorankam als sie. Die Marktbesucher stoben verängstigt zu Seite, als sie den Reiter erkannten. Amara jedoch wurde ignoriert und musste sich ihren Weg erkämpfen.
Hastig schob sie sich an den Stand eines Tuchhändlers und durchquerte das Zelt. Sie sah sich noch einmal kurz

um und zu ihrem Glück war der Händler gerade mit einem Kunden beschäftigt. Die Gelegenheit nutzend, hob sie die hintere Zeltwand hoch und kroch ins Freie.
Auf der anderen Seite des Zeltes trat sie auf die Gasse und lief weiter im Schutze der Menschenmenge. Amara hatte die Hoffnung noch nicht ganz aufgegeben, ihren Verfolger so abschütteln zu können.
Mit klopfendem Herzen rannte sie jetzt durch die Straßen, in denen die Menschen nicht mehr so zahlreich waren. Bald würden sie ihr keinen Schutz mehr, vor suchenden Blicken bieten können. Sie sah sich alle paar Schritte um. Doch es schien so, als ob der Reiter ihr nicht weiter gefolgt wäre.
„Ich muss ihn beim Tuchhändler abgeschüttelt haben", dachte sie, doch das Gefühl verfolgt zu werden, ließ nicht von ihr ab.
Nach einigen Umwegen, die sie zur Sicherheit eingelegt hatte, erreichte Amara das Antiquariat. Sie blickte sich ein letztes Mal auf der Straße um und zog mit zitternden Fingern den Ladenschlüssel aus ihrer Tasche. Das Metall klapperte beunruhigend laut, als Amara versuchte die Tür zu öffnen. Nach zwei Anläufen traf sie endlich das Schlüsselloch, schloss auf und atmete erleichtert auf, als sie eintrat.
„Ich werde die Stadt verlassen müssen!", dämmerte es ihr. Die Erkenntnis traf sie wie ein Schlag ins Gesicht. Ihre Schritte wurden schwer. Sie mochte ihr Leben in Whitebridge, doch eine Stimme ihn ihr erinnerte Amara daran, dass ihre Zufluchtsstätte nicht mehr sicher war. Wie

sie ihre innere Stimme der Vernunft verfluchte, mit dieser unwiderlegbaren Logik!

Doch dann flogen ihre Gedanken zurück zu den verkohlten Steinen auf dem Marktplatz und eine alte Angst manifestierte sich in ihrem Herzen.

Amara war bereits zum Tresen, hinter dem die kleine Treppe hinauf in ihre Kammer führte, getreten, als sie bemerkte, dass sie den Korb mit Einkäufen immer noch in den Händen hielt. Mit zitternden Fingern stellte sie ihn ab und stieg mit einem flauen Gefühl im Magen die steile Treppe hinauf. Unter ihren Schritten knarzten die Stufen verräterisch laut.

Die Unterkunft war zwar nicht sonderlich bequem, aber sie hatte ein Dach über dem Kopf gehabt und warme Mahlzeiten. Sie hatte Ally gehabt, die für sie gekocht hatte und sich um sie gesorgt hatte, seit sie hier arbeitete.

„Ich werde sie vermissen“, dachte Amara zerknirscht. Die alte Frau war immer nett zu ihr gewesen. Wehmut traf sie und sie schluckte die Verzweiflung über den erneuten Verlust hinunter.

„Wohin soll ich mich jetzt wenden? Weiter nach Norden in Richtung der Berge? Das wird vermutlich das Schlauste sein, so weit weg wie möglich von der Hauptstadt Naaria im Süden“, überlegte sie, als sie ihre wenigen Habseligkeiten eilig in einen Beutel packte. Der Gedanke, ihrer alten Heimat wieder so nah zu sein, schmerzte.

Die Gegenwart des Drekafjallgebirges erinnerte sie schmerzlich an die Vergangenheit, die sie versuchte zu verdrängen. Und an die Zukunft, die ihr gestohlen worden war. Amara packte den dunkelblauen Umhang, den

sie erst im letzten Monat auf dem Markt erworben hatte und warf ihn sich über ihre Schultern. Der grobe Wollstoff legte sich schwer und warm auf ihre Schultern.
„Im Drekafjall wird vermutlich schon Schnee liegen und eine Unterkunft ist auch nicht gewiss“, dachte sie schaudernd und ihr Blick fiel auf den Grimoire. Er lag noch immer neben ihrem Schlafplatz. Genauso, wie sie ihn am Vorabend zurückgelassen hatte.
„Vielleicht ist das Buch meine Rettung!“ Der Gedanke war zu schön, um wahr zu sein. Amara nahm das Buch ehrfürchtig in ihre Hand. Sie konnte nicht verhindern, dass erneut ein kleiner Funken Hoffnung in ihr aufkeimte. Schnell blätterte sie durch die Kapitel und stieß endlich auf die Seite, die ihr am Vorabend schon ins Auge gefallen war.
Es war ein Schutzzauber, der ihre Spuren verwischen sollte und sie so hoffentlich vor anderen Magiern verbarg. Amara hatte sich zuvor nicht an den Zauber herangewagt, da er schwierig auszuüben und ihre Fähigkeiten mehr als begrenzt waren. Doch welche Wahl blieb ihr jetzt? Der Reiter würde sie vermutlich aufspüren, selbst wenn sie floh. Mittlerweile hatte er ihre Fährte bestimmt schon aufgenommen!
„Wenn ich es schaffe, den Zauber zu meistern, wäre ich sicher!“ Überlegte sie und der Gedanke war verlockend. Doch dann meldete sich wieder diese leise Stimme in ihrem Innersten: *„Aber wenn nicht, werden alle Magier in der Umgebung meinen Aufenthaltsort kennen!“*
Die Jagd wäre eröffnet und sie das Wild! Amara las die Worte der Zauberformel genau durch.

„*Tue ich das jetzt wirklich?!*“, dachte sie und schob dann die letzten Zweifel zur Seite. Mit zitternder Stimme las sie schließlich die Worte aus dem Buch laut vor. Mit Sorge wartete Amara auf den Kraftabfall, den ein Zauber mit sich brachte. Doch vergeblich! Es geschah nichts! Zwei Herzschläge später, war sie sich sicher.
„Verdammt!“, zischte sie und ballte die Hände zu Fäusten.
„*Ich habe versagt!*“, dachte Amara enttäuscht und konnte die Panik nicht mehr unterdrücken. Der Zauber hatte nicht gewirkt, die Jagd war eröffnet!

3

Sie sah das Buch an und überlegte kurz, ob sie es mitnehmen sollte. Sofort machte das schlechte Gewissen sich in ihr breit, doch der Grimoire könnte ihr womöglich das Leben retten.
„*Vorausgesetzt, ich erlange endlich die Kontrolle, über die in mir wohnende Macht*", fügte die zynische Stimme in ihren Gedanken hinzu. Amara steckte das Zauberbuch in ihren Beutel und warf einen letzten Blick auf die kleine Kammer. Das Gefühl, diesen Ort nie wieder zusehen, legte sich bleischwer auf ihr Herz.
Whitebridge war in den letzten Monaten eine Zuflucht für sie gewesen und sie wäre nur zu gerne länger in dem Ort geblieben. Doch Amara war schon länger hier gewesen, als es weise gewesen wäre. Dieses Wissen ärgerte sie, denn es war ein Zeichen ihrer Nachlässigkeit, ihres Wunsches nach Normalität. Dieser Fehler könnte sie nun ihre Freiheit und ihr Leben kosten, wenn sie nicht wieder vorsichtiger wurde.
Schnell hastete sie die Treppe herunter und wollte gerade den Laden in Richtung der Hintertür durchqueren, als sie die Glocke an der Eingangstür läuten hörte. Sie erstarrte und lauschte angestrengt. Schwere Stiefelschritte waren auf den Holzdielen zu hören. Vorsichtig

spähte Amara um die Ecke und erblickte einen Mann, der gerade den Laden betrat und sich umsah. Eine kalte Faust krallte sich um ihr Herz, als sie die hochgewachsene Gestalt des Drachenreiters erkannte, mit dem sie auf dem Markt zusammengestoßen war. Er sah sich fieberhaft suchend zwischen den Regalen um, bis sein Blick auf der Treppe zu ihrem Zimmer haften blieb. Amara griff nach dem Messer, welches in einer kleinen Lederscheide an ihrem Gürtel hing und lockerte es, so dass es sich jederzeit einfach herausziehen lassen würde. Der Reiter durchquerte den Laden mit wenigen Schritten, trat hinter den Tresen und sah zu der Treppe hinauf. Sie wartete nicht drauf, hinter dem Bücherregal entdeckt zu werden. Einmal tief durchatmend, schlich sie zur Hintertür. So leise und schnell wie möglich eilte Amara zwischen den Regalen entlang. Im hinteren Bereich des Ladens wurden es immer mehr und nur noch wenig Sonnenlicht erreichte das Innere. Die schweren Teppiche am Boden dämpften ihre Schritte und Amara zwang sich, so ruhig wie möglich zu atmen, aus Angst, dass das Geräusch sie verraten würde. Nur noch wenige Schritte, dann wäre sie draußen. Die Tür war schon in Sichtweite! Doch der Teppich endete abrupt und auch die Regale boten ihr keine Deckung mehr.

„Mist!“, fluchte sie in Gedanken und versuchte ihre zitternden Hände zu beruhigen. Schwer atmend trat Amara vorsichtig auf die alten Holzdielen. Doch ihr Glück war aufgebraucht, die alten Bohlen bogen sich unter ihrem Gewicht und knarzten verräterisch laut auf.

„Der verdammte Boden wird mich noch verraten!“, dachte sie noch, als sie weiter vorne im Laden schon ein lautes „Ey!“ hörte. Amara hetzte die letzten Schritte zur Tür. Mit klammen Fingern riss die alte Holzür auf und rannte auf die Gasse dahinter. Ihr Herz wollte ihr aus der Brust springen, als sie mit langen Schritten durch die vollen Gassen in Richtung Ortsausgang rannte. Einige Male stieß sie mit Menschen zusammen, die ihr wüste Beschimpfungen nachriefen. Doch sie bremste nicht ab, sondern lief noch schneller weiter, ohne sich umzudrehen.
„Die Menschen auf den Straßen, könnten mich vielleicht etwas verbergen“, dachte sie und rannte weiterhin so schnell ihre Füße sie trugen – immer darauf bedacht, kleinere Gassen zu wählen, die zu eng für den Drachen waren. Sie umging den Markplatz, da hier vermutlich das Ungeheuer schon auf sie wartete. Als sie sich nun doch umsah, erkannte Amara, dass je näher sie der Stadtmauer kam, immer weniger Menschen unterwegs waren. Schon bald würde sie keinen Schutz mehr vor suchenden Blicken hinter ihnen finden können. Aber ihr blieb keine Wahl. Sie rannte weiter. Wagte nicht sich erneut umzusehen, aus Angst wertvolle Zeit zu vergeuden. Jeder Schritt trug sie näher zum Stadttor. Doch das Antiquariat befand sich zu ihrem Pech fast unmittelbar im Zentrum und der Weg aus der Stadt war lang.
Amara war schon im äußeren Ring der Stadt angelangt. Hier waren die Häuser kleiner und die Bewohner um ein Vielfaches ärmer. Sie eilte an den Lehmgebäuden vorbei

und ihre Lunge brannte, doch sie ignorierte das Stechen in ihrer Brust. Sie musste weiter, einfach immer weiter.
„Jetzt ist keine Zeit für Schwäche! Es ist nicht mehr weit bis zur Stadtmauer!“, ermahnte sie sich. Laut keuchend bog sie in eine weitere Gasse ab und musste abrupt stoppen. Eine Sackgasse!
Vor ihr erstreckte sich nichts weiter als eine hohe nackte Wand. Gerade noch rechtzeitig kam sie zum Stehen, sonst wäre sie gegen die Mauer geprallt. Entgeistert blickte Amara sich um. *„Wohin nun?“*
Die Mauer war fast drei Meter hoch und aus glatten Backsteinen. Sie bot keinerlei Halt zum Klettern, ihre einzige Möglichkeit war es umzudrehen!
„Verdammt! Wieso muss mir das ausgerechnet jetzt passieren?“, stellte sie ärgerlich fest. Die Gasse war schmal und wäre sie nicht in Panik verfallen, hätte sie vielleicht gemerkt, dass sie lediglich eine Straße weitergemusst hätte, um die weiße Brücke, der Whitebridge ihren Namen verdankte, und die den Zugang zur Stadt symbolisierte, zu erreichen. Amara drehte sich um und wollte gerade wieder loslaufen, als ihr Verfolger plötzlich am Ende der Gasse auftauchte. Aus dem Nichts war er erschienen und hatte sich am anderen Ende der Gasse in einem Wimpernschlag materialisiert. Erschrocken starrte sie ihn an.
„Er kann sich teleportieren!“, dämmerte es ihr und beinahe wäre sie bei dem Gedanken erneut in Panik geraten.
„So konnte er mich also so schnell finden!“, dachte sie und ihre Gedanken überschlugen sich, als sie ihre Lage erkannte: *„Ich werde ihn nicht abschütteln können!“*

Die Erkenntnis traf sie wie ein Schlag ins Gesicht. Amara zog ihr Messer jetzt ganz aus dem Gürtel und versuchte, die Verzweiflung herunterzuschlucken, die sich erneut in ihr breitmachen wollte. Ihre Hände waren mittlerweile feucht vor Schweiß. Amara fluchte innerlich darüber, dass würde es ihr schwerer machen, das Messer sicher in der Hand zu halten. Ihre Chance gegen einen ausgebildeten Krieger und Magier standen schlecht, dem war sie sich bewusst. Amara war zwar in den Grundlagen der Kampfkunst ausgebildet worden, doch mit einem Reiter würde sie es nicht aufnehmen können. Das wusste sie und dennoch machte sie sich bereit für den Kampf!

„Panik nützt nichts! Du brauchst einen klaren Verstand, wenn du nicht als Gefangene oder tot enden willst!", sagte sie sich und atmete tief durch. Ihr Angreifer lächelte höhnisch.

„Ich geh mal davon aus, dass du weißt, worum es hier geht, oder? Also, ich gebe dir noch eine Chance, freiwillig mitzukommen und dem König deine Treue zuschwören, kleine Hexe. Ansonsten –" Er zog sein Schwert und ließ es in einer eleganten Bewegung durch die Luft fahren. Die Message war klar und deutlich.

Amara umklammerte den Griff ihres Messers, welches ihr im Vergleich unglaublich mickrig vorkam, und straffte ihre Schultern.

„Ich werde nicht als Gefangene des Königs enden, weder heute noch an einem anderen Tag!", sagte sie sich und erlangte ihre Fassung zurück. Doch selbst in ihrem Kopf klang ihre Stimme nicht gerade zuversichtlich. Sie schob den

Gedanken zur Seite und richtete ihre volle Konzentration auf ihren Gegner.
„Niemals!“, zischte sie und hielt ihr Messer vor der Brust ausgestreckt. Sie war bereit zu zuschlagen! Ihr Angreifer trat einen Schritt auf sie zu und Amara ging in Kampfposition. Bereit, es mit dem überlegenen Gegner aufzunehmen, als plötzlich eine Bewegung ihren Blick auf sich zog.
„Die Schatten bewegen sich!“, dachte Amara fassungslos und hätte fast ihren Gegner aus den Augen gelassen. Sie fingen an, sich in der Gasse zu sammeln! Wie von einem Magneten angezogen, scharrten sie sich zusammen und die Finsternis erstickte das wenige Licht, das durch die Dächer fiel. Die Dunkelheit umfing die Gasse wie eine Wolke und waberte hinter dem Reiter auf.
„Was zur Hölle?!“, dachte sie schockiert und unterdrückte ein Husten, als Staubpartikel in ihre Lunge flogen.
„Nicht Staub. Asche!“, stellte sie verwundert fest.
Ihr Angreifer sah ebenso erschrocken wie sie, zu dem dunklen Himmel hinauf, der vor wenigen Augenblicken noch strahlendblau gewesen war. Es brauchte einen Moment, dann verstand sie. Es war nicht seine Magie!
Eine Gestalt tauchte plötzlich, aus den Schatten auf. Ein junger Mann, trat aus der Aschewolke und zog sein Schwert. Ehe sie oder ihr Angreifer verstanden, was vor sich ging, schlug der Fremde ihrem Angreifer den Knauf des Schwertes heftig von hinten gegen den Kopf, woraufhin der Reiter bewusstlos zu Boden fiel. Fassungslos zuckte Amara zusammen, als der bewusstlose Körper

mit einem dumpfen Knall auf dem Boden aufprallte. Blut quoll jetzt aus einer kleinen Wunde an seinem Kopf und topfte beinahe lautlos auf den Lehmboden der Gasse. Sie konnte den Blick nicht von dem bewusstlosen Mann losreißen. Zu ihrer Erleichterung steckte der Fremde sein Schwert zügig weg.

„*Was zu Hölle geht, hier vor sich?!*“, fragte Amara sich verwirrt und blickte erschrocken auf ihren Retter.

„*Er war nicht gekommen, um mich zu fangen. Sonst hätte er das Schwert nicht weggesteckt, oder ist das ein Trick?*“, überlegte sie und umklammerte ihr Messer noch fester.

Ihre Finger liefen schon weiß an, so groß war ihre Anspannung. Ärgerlich ließ sie das Handgelenk rollen und entspannte ihre Muskeln ein wenig. Sie warf ihm erneut einen misstrauischen Blick zu und stellte jedoch erstaunt fest, dass er nicht viel älter als sie selbst sein konnte. Mitte zwanzig vielleicht. Wie ihr Angreifer trug auch er eine leichte Rüstung aus Leder, jedoch nicht grün, sondern dunkelrot gefärbt. Fast braun, wie gefallene Blätter im Herbst. Ihr Blick wanderte von seinem muskulösen Köper zu seinem Gesicht hoch. Die Augen waren so Dunkelblau, dass sie fast anthrazitfarben wirkten. Ihr Blick haftete einen Augenblick auf ihnen, Amara hatte noch nie so eine außergewöhnliche Augenfarbe gesehen. Sie schob den Gedanken bei Seite und hätte sich am liebsten selbst für ihre Schwärmerei geohrfeigt. Dafür war nun wirklich nicht die Zeit!

In der Ferne hörte sie das markerschütternde Gebrüll eines Drachen. Amara zuckte zusammen und blickte

instinktiv in die Richtung, in der sie ihn vermutete. Der Fremde drehte sich um und trat raus auf die Straße.
„Kommst du?", fragte er und wartete ihre Antwort gar nicht erst ab, sondern eilte davon. Amara löste sich aus ihrer Starre – verwirrt was sie jetzt tun sollte.
„Hierbleiben ist auf jeden Fall keine Option!", bemerkte sie mit einem letzten Blick auf den bewusstlosen Mann und lief los. Ihrem Retter hinterher. Sie steckte das Messer nur widerwillig zurück in die Scheide am Gürtel. Es würde nur ungewollte Aufmerksamkeit erregen, wenn sie es weiterhin in der Hand behielt. Amara versuchte mit dem Fremden Schritt zu halten, aber er war einen guten Kopf größer als sie und ging so eilig durch die Straßen, dass sie kaum mitkam.
„Warte!", zischte sie und griff nach seinem Arm, woraufhin dieser abrupt stehen blieb und sich umdrehte.
„Worauf? Das Aldwin zu sich kommt? Oder darauf, dass sein ziemlich wütender Drache uns hier findet?", zischte er ebenso leise zurück und sah sich um, als ob er sicher gehen wollte, dass die Marktbesucher nichts von dem Gespräch mitbekommen hatten. Doch die Menschen um sie herum gingen weiter ihrem Alltag nach. Sie schienen nichts von der angespannten Lage zu spüren. Der Fremde lief eilig weiter, ohne sich nochmal zu ihr umzudrehen.
„Was ein Mistkerl", dachte sie ein wenig gereizt und lief ihm weiter hinterher. Viel anderes blieb ihr schließlich nicht übrig. Außer zu warten, dass dieser Aldwin wieder zu sich kommt, um weiter Jagd nach ihr zu machen, oder sich von seinem Drachen fressen zu lassen.

Amara hatte alle Optionen, die ihr einfielen im Kopf durchgespielt und dem Fremden zu folgen schien zwar immer noch waghalsig und dumm, aber immer noch besser als die anderen Möglichkeiten. Ihre Aussichten waren beschränkt und somit folgte sie dem Fremden weiter.

Sie liefen mit eiligen Schritten durch die Straßen, auf den Ortsausgang zu. Bald hatten sie die Stadt hinter sich gelassen und überquerten die Felder am Rande des Ortes. Die Wiesen und Getreidefelder flogen an ihnen vorbei, als sie vom Hauptweg auf einen Nebenpfad abbogen. Plötzlich vernahm sie in der Ferne laute Schreie. Amara drehte sich entsetzt um und sah, wie Rauch hinter der Stadtmauer aufstieg. Der Wind stand in ihre Richtung, so dass ihr der Geruch von Feuer in der Nase brannte.

„Was passiert da?“, fragte sie erschrocken und konnte den leicht panischen Unterton in ihrer Stimme nicht unterdrücken. Wie gebannt verweilte ihr Blick auf den Rauchschwaden, die in hohen Säulen in den Himmel aufstiegen und ein schrecklicher Verdacht keimte in ihr auf.

„Wir haben einen Drachen wütend gemacht“, antwortete ihr Retter mit rauer Stimme. Seine Reaktion verriet ihr, dass er dies eindeutig nicht zum ersten Mal sah.

„Perrath ist, sagen wir mal, ein besonders skrupelloser Vertreter seiner Art und dazu gerade noch sehr wütend“, sagte er und sah sich noch einmal um.

„Wir müssen weiter, bevor er unsere Witterung aufnimmt.“ Er wandte sich von der Stadt ab und packte ihren Arm, um sie weiterzuziehen.
„Es muss doch Etwas geben, was man tun kann?“, fragte Amara schockiert und riss sich los.
„Wir können Nichts für diese Leute tun. Selbst wenn du dich ihm jetzt stellen würdest, würde er das Dorf und dich auch vernichten. Ihn interessiert gerade nur sein Reiter. Also denk nicht mal darüber nach zurückzugehen“, warnte er sie nachdrücklich.
„Und was interessiert dich das? Wieso hilfst du mir überhaupt?“, entfuhr es ihr entrüstet.
„Es wäre wirklich ärgerlich gewesen dich gerettet zu haben, nur damit du dich von diesem Ungeheuer verbrennen lässt“, antwortete ihr Retter, ohne langsamer zu werden.
„Wie hast du mich überhaupt gefunden?“, fragte sie, wieder misstrauischer geworden, als sich der erste Schock gelegt hatte.
„Mein Drache hat deine Magie gespürt. Wir können jeden Magier gebrauchen, wenn wir eine Chance haben wollen zu überleben“, antwortete er achselzuckend und nahm den Pfad, der nach Norden führte.
Es bestätigte ihren Verdacht, dass es sich bei ihrem Retter ebenfalls um einen Drachenreiter handelte. Amara bewegte ihre Hand instinktiv zum Griff ihres Messers.
„Auf wessen Seite steht er?“, fragte sie sich misstrauisch. Seit Jahren hatte sie nur Reiter erlebt, die für den König flogen.

„Beruhig´ dich Prinzessin, wir sind auf derselben Seite. Warum hätte ich dich sonst retten sollen?“, sagte der Reiter und beäugte ihre Hand am Messer mit hochgezogener Augenbraue.
„Ich hatte es nicht nötig gerettet zu werden“, erwiderte sie trotzig. Das entsprach zwar nicht so ganz der Wahrheit, aber das musste er ja nicht wissen.
„Oh natürlich, du und dein Messerchen wärt natürlich auch ohne meine Hilfe zurechtgekommen“, sagte er zynisch und lächelte amüsiert.
„*Was für ein Arschloch.*“ Amara verdrehte die Augen und fragte: „Woher soll ich wissen, dass du kein Reiter des Königs bist und das Ganze eine Falle ist?“
Ihre Finger schlichen langsam wieder zu ihrem Messer zurück. Wenn sie ihn noch etwas ablenkte, könnte sie die Klinge vielleicht unbemerkt ziehen und fliehen. So ein Messer in der Schulter würde ihn gewiss gut genug ablenken. Außerhalb der Stadt hätte Amara eine Chance zu entkommen. Sie war schnell und vermutlich auch wendiger als er. Es wäre Glückssache, doch vielleicht konnte sie ihm entkommen.
„Warum um alles in der Welt hätte ich mir dann die Mühe gemacht, dich zu retten?“, fragte der Reiter jetzt wieder ernst.
„Vielleicht, um die Belohnung nicht teilen zu müssen oder aus Spaß an der Jagd? Was weiß ich!?“, grübelte Amara und beäugte ihn weiter misstrauisch.
„Wer weiß, vielleicht bist du auch eine Agentin des Königs und das Ganze war eine Farce, um dich bei uns einzuschleusen“, erwiderte er schulterzuckend.

„Wieso solltest du, so offen zugeben, dass du einer der Rebellen bist, wenn das keine Farce ist, um mein Vertrauen zu gewinnen?“, konterte Amara mürrisch.
„Das Spiel beherrsche ich auch“, dachte sie grimmig. Ihre Finger schlossen sich um ein kleines Wurfmesser, das sie rechts an ihrer Hüfte versteckt hielt. Sie holte so schnell aus wie sie konnte, und schleuderte es los. Das Messer stoppte in der Luft und glitt wie auf dunklen Schwingen in seine Hand.
„Vielleicht, weil ich von dir und deinem Messerchen nichts zu befürchten habe“, erklärte der Reiter ruhig und sein Blick wanderte zu dem Messer in seiner Hand. Schockiert sah sie erst ihn, dann die glatte Klinge an.
Er ging unberührt weiter, das Wurfmesser immer noch in einer Hand. Amara starrte ihm missmutig hinterher und dachte unweigerlich über die Unterhaltung nach.
„Gibt es tatsächlich immer noch Drachenreiter, die sich gegen den König zu Wehr setzen?“ Sie konnte es kaum glauben! Zum ersten Mal seit Jahren keimte ein Funken Hoffnung in ihr auf. Amara schob das Gefühl zur Seite, Hoffnung war eine gefährliche Sache. Sie war berüchtigt dafür, von den Tatsachen abzulenken und das konnte genauso gut töten, wie Stahl.
Sie gingen schnellen Schrittes weiter und folgten den verwobenen Pfaden über Wiesen in Richtung Wald. Bald traten sie unter den Schutz des Blätterdaches der ersten Bäume. Sie waren noch jung an Jahren und klein im Vergleich zu denen, die tiefer im Wald wuchsen. Zu oft wurden sie von den Menschen gefällt, sodass sie weder so alt noch so groß wie ihre Vetter im Herzen des

Waldes werden konnten. Die Bäume, die im Herzen des Tenebris Forstes wuchsen, sollten riesig sein. So gigantisch, dass selbst die großen Drachen, der alten Zeiten, unter ihnen versteckt waren! Einige von ihnen sollen den Legenden nach schon zur Zeit der ersten Drachenreiter vor weit über eintausend Jahren gestanden haben. Der Gedanke kam ihr surreal vor.

Die Beiden gingen immer tiefer in den Wald. Die Wege, auf denen sie wandelten, wurden immer verwachsener, bis es nicht mehr als versteckte Schleichpfade durchs Unterholz waren, welche höchstwahrscheinlich vom Wild erschaffen wurden, das diese Wälder bevölkerte. Knochig ragten die Baumkronen über ihnen hervor und ließen nur noch wenig Sonnenlicht zwischen den Blättern auf den Boden fallen. Obwohl einige Bäume bereits ihre Blätter, dank des voranschreitenden Herbsts verloren hatten, herrschte ein schummeriges Dämmerlicht. Amara musste unwillkürlich an die Geschichten denken, die ihr der Händler auf dem Markt erzählt hatte. Ihr kamen ebenso die Monster in den Sinn, von denen ihre Mutter ihr gerne erzählt hatte. Die Drachenreiter vergangener Tage sollen sie in diese Lande verbannt haben. Harpyien, Nachtalbe und andere bösartige Kreaturen, die sie als Kind in ihren Albträumen heimgesucht hatten.

„Bist du sicher, dass es klug ist, so tief in den Wald zugehen? Du hast doch bestimmt auch von den Schattenwesen gehört, die diese Wälder bevölkern sollen?“, fragte Amara daher verunsichert und sah sich um. Der

Reiter drehte sich kurz irritiert zu ihr um und zog spöttisch eine Augenbraue hoch.
„Hast du nicht dein Messerchen mit, um dich zu verteidigen?“, fragte er zurück.
„Falls du dich nicht mehr erinnerst, hast du mein Messer“, konterte sie etwas gereizt.
„Dir ist schon klar, dass ich weiß, dass du mehr Dolche hast als den einen hier, oder? Und abgesehen davon, sind wir fast da“, erwiderte ihr Retter ruhig. Er trat mit einer eleganten Bewegung zur Seite, um den Blick auf eine Lichtung freizugeben.
„Woher weiß er von den anderen Messern?“, fragte sie sich irritiert und wäre fast in ihn reingelaufen, überrascht davon, dass er plötzlich stehen geblieben war. Sie kam stockend am Rande einer Lichtung zum Stehen und was sie dort sah, verschlug ihr nun doch den Atem.
Die Lichtung war groß und von hohen Bäumen umsäumt. Doch das war es nicht, was ihren Atem fesselte. Es war der riesige dunkelrote Drache, der mit mächtigen an den Körper gefalteten Flügeln inmitten der Weite lag. Seine Schuppen glänzten im Licht der Mittagssonne blutrot auf. Als er sie näherkommen sah, hob er seinen riesigen Schädel und wandte den Kopf misstrauisch in ihre Richtung. Der Anblick war atemberaubend.
Dieser Drache war riesig – um ein Vielfaches größer als der grüne Drache, den sie gestern noch auf der Straße gesehen hatte und der heute Whitebridge in Brand gesteckt hatte. Der Grüne wirkte im Vergleich zu diesem Ungetüm wie ein Küken. Der weinrote Drache war sogar größer als Skasyn, der Drache ihres Vaters, gewesen

war. Die unvermittelte Erinnerung an ihre Vergangenheit schmerzte.
„Das ist der größte Drache, denn ich je gesehen habe!", dachte sie und starrte diesen mit großen Augen, erstaunt und fasziniert zugleich, an.
Mit leuchtend goldenen Augen sah der Drache erst ihren Retter und dann sie an. Dabei entblößte er eine Reihe messerscharfer Zähne, welche zum Teil fast so lang wie ihr Unterarm waren. Er ließ ein leises Grollen erklingen und bei dem Geräusch gefror ihr das Blut in den Adern. Jeder Muskel in ihrem Körper drängte sie zur Flucht vor dem Jäger, der vor ihr im Grass lag. Mit einem Schaudern kämpfte sie gegen diesen Urinstinkt an. Der Fremde trat ungerührt von der Drohung, die auch vermutlich ausschließlich ihr galt, an den Drachen heran.
„Es gibt sie doch noch, Drachen und Reiter, die gegen Kagan kämpfen", dachte Amara und der Funken Hoffnung flackerte kurz erneut auf, doch verebbte gleich wieder. Niemals würde sie mit dem roten Drachen fliegen! Dieser funkelte sie weiterhin böse an.
„Ob er mich einfach zu Asche verbrennen wird? So abwegig ist der Gedanke nicht…sonderlich begeistert sieht er nicht aus", überlegte sie schaudernd.
„Kaida ist nicht sonderlich begeistert, dass wir Jemanden mitnehmen", sagte der Reiter und sprach dabei das Offensichtliche aus.
„Willst du uns vielleicht deinen Namen verraten?", fragte er unerwartet und der plötzliche Themenwechsel verwirrte sie etwas.

„Wozu, für den Grabstein, wenn dein Drache mich röstet?“, fragte sie und beantwortete dann dennoch seine Frage: „Mein Name ist Mara.“
Amara sah den Drachen hocherhobenen Hauptes an und hoffte, dass sie dies nicht als eine Lüge aufnehmen würde.
„Verrätst du mir jetzt auch endlich deinen Namen? Den deines Drachen kenn ich ja schon“, fragte sie und der Fremde sah sie etwas überrascht an. Vielleicht darüber, dass sie bei dem Anblick des Drachen so gefasst blieb – Zumindest äußerlich. Vielleicht hatte er auch einfach nicht mit einer Gegenfrage gerechnet.
„Mein Name ist Kieran, wenn du es unbedingt wissen musst. Und ich glaub, ein Grabstein wird nicht nötig sein. Wenn sie dich verbrennen würde, wäre anschließend eh nichts mehr zum Bestatten übrig“, erwiderte er trocken und Amara hätte schwören können, einen Hauch von Belustigung in seinem Tonfall zu hören.
„Charmant“, presste sie unter zusammengebissenen Zähnen hervor. Doch Kieran hatte sich wieder dem Drachen, Kaida, zugewandt und angefangen mit ihr zu diskutieren. Zumindest glaubte Amara das, denn sie konnte kein Wort hören, was die Beiden sprachen. Sie vermutete, dass sie telepathisch kommunizierten, wie es Drachen und Reiter meist untereinander taten. Zwischendurch stieß Kaida immer wieder eine kleine Rauchwolke aus den Nüstern. Fasziniert beobachtete sie, wie die beiden ungleichen Gefährten über ihr Schicksal verhandelten. So ging es eine Weile, bis Kieran sie zu sich heranwinkte.

„Sie hat, nach einiger Überzeugung, zugestimmt dich mitzunehmen. Und sie hat versprochen, dich nicht zu fressen oder zu verbrennen“, erklärte er und warf dem Drachen dabei einen schiefen Seitenblick zu.
„Da wäre ich mir nicht so sicher, sie sieht immer noch nicht sonderlich begeistert aus“, wiederholte Amara skeptisch und trat, trotz ihrer Zweifel, zögernd an seine Seite.
„Ich habe auch nie behauptet, dass sie begeistert ist. Also steig endlich auf, bevor sie es sich noch anders überlegt“, antwortete Kieran trocken und hielt ihr seine Hand hin. Eindeutig ein Angebot um ihr hochzuhelfen.
„Einen Teufel werde ich tun da aufzusteigen!“, zischte Amara leise, um den Drachen nicht zu beleidigen. Doch da hörte sie in der Ferne das Brüllen des kleinen, grünen Drachen. Sie drehte den Kopf erschrocken in die Richtung und murmelte: „Na gut!“
Amara trat näher und ließ sich von Kieran auf den Rücken des Drachen helfen. Ähnlich wie beim Aufsteigen auf ein Pferd, nahm er ihr linkes Bein und katapultierte sie mit Kraft nach oben. Sie zog sich das letzte Stück an einer Rückenzacke des Drachen hoch und ernte dafür ein bedrohliches Knurren.
Die Schuppen fühlten sich, zu ihrer Verwunderung, unerwartet warm an. Kaida ließ sie keine Sekunden aus den Augen. Der riesige Drache drehte den Kopf mit einer schlangenartigen Bewegung des Halses in ihre Richtung und verfolgte mit ihren goldenen Augen jede ihrer Bewegungen. Als sie saß, nahm Kieran zwei Schritte Anlauf und sprang geübt auf Kaidas Rücken. Er setzte sich

hinter Amara, kurz hinter den Schultern des Drachen, so dass sie vor den Flügeln saßen.
„Halt dich an dem Zacken vor dir fest", warnte er Amara und zeigt auf die langen Erhebungen, die an der Wirbelsäule des Drachen entlangliefen. Kaida begann sich geschmeidig aufzurichten und entfaltete ihre riesigen Flügel zu einer enormen Spannweite. Mit ein paar kräftigen Flügelschlägen hob sie ab und ließ die Spitzen der Bäume schnell unter sich. Sie flogen wirklich!
Amaras Magen machte einen Satz, als sie in Richtung Himmel schossen, und ihr für einen Moment die Luft aus den Lungen gepresst wurde. Mit aller Kraft klammerte sie sich an den riesigen Drachen und hoffte, dass sie nicht herunterfallen würde. Amara wusste, dass Kaida sie nicht auffangen würde. Ihr Blick flog vorsichtig über die Landschaft und aus dem Augenwinkel erkannte sie, dass der Drache in seinen Krallen einen großen Beutel hielt. Was dieser enthielt, konnte sie von ihrer Position aus jedoch nicht identifizieren.
Sie drehte sich um und sah ein letztes Mal zu den Rauchschwaden, die über Whitebridge schwebten. Ihr wurde schlecht bei dem Gedanken, als sie sich ihrer Rolle in diesem Unglück bewusst wurde.
„Zum Glück sind Robert und Ally noch in Westwood", dachte Amara zerknirscht. Vor allem beim Gedanken an den alten Antiquar und dessen Frau packte sie das schlechte Gewissen. Kieran riss sie jedoch schnell aus ihren Gedanken, als er sie antippte und über den Wind hinweg rief: „Wir haben Glück gehabt, Aldwin ist vermutlich noch nicht wieder ganz bei sich. Sonst hätte Perrath

vermutlich bereits die Verfolgung aufgenommen. Er wird seinen Reiter nicht zurücklassen. Kaida ist schnell genug, dass wir außer Sicht sind, bevor er losfliegen wird." Amara hätte schwören können, ein wenig Stolz, in seiner Stimme mitschwingen zu hören.

Aber eins musste sie Kieran lassen, er hatte nicht zu viel versprochen. Sie ließen Whitebridge und das umliegende Tal schon bald hinter sich und tauchten in die Wolken ein.

Sie flogen über kleine Häusersammlungen und große Städte, über reißende Flüsse und stille Bäche, flache Ebenen und hochgewachsene Hügel jedoch immer darauf bedacht, versteckt zwischen den Wolken zu bleiben – ungesehen von den Augen der Menschen. Amara zog sich ihren Umhang enger um den Körper, mit dem Versuch, sich ein wenig vor dem Flugwind zu schützen. Nach kurzer Zeit waren ihre Beine bereits eingefroren. Die Stunden verstrichen und die Wolken begannen sich bereits langsam rosarot zu verfärben, als sie die ersten Ausläufer des Drekafjalls sah. Die hohen Felsen des Gebirges, die die Drachen ihre Heimat nannten, waren schneebehangen. Nur wenige Augenblicke später ging Kaida langsam in den Sinkflug über. Dankbar atmete Amara erleichtert auf. Sie hatten es fast geschafft.

4

Die Festung Anruin lag am Fuß des Drekafjallgebirges und warf in der untergehenden Sonne lange Schatten auf den riesigen See, an dessen Ufer die Burg lag. Der Nebel hing in dicken Schwaden an den Bergen und verwerte vorerst einen wirklichen Blick auf die Festung. An seinem südlichen Rand ging der See in den Fluss Xanth über, welcher im Süden wiederum, bei Naaida, in das große Meer mündete.

Anruin war einst der Sitz der Drachenreiter gewesen, eine mächtige Festung, in der seit Jahrhunderten Reiter lebten und wichtige Ratssitzungen gehalten worden waren. Ein zweites Zuhause für alle Drachenreiter des Kontinents. Und das war die Festung auch für sie gewesen – ihre Heimat.

Doch was Amara von dem Rücken des Drachen aus nun erblickte, hatte wenig mit der alten Erhabenheit der Festung zutun, an die sie sich aus ihrer Kindheit erinnerte. Einige der Türme waren umgestürzt und ein Großteil der Mauern waren verkohlt von Drachenfeuer. Die riesige Treppe zum Hauptportal lag größtenteils in Trümmern und das Dach der einst prächtigen großen Halle fehlte. Der Anblick stach ihr ins Herz.

„Warum fliegen wir hierher, wenn es nicht wieder aufgebaut wurde?“, fragte sie Kieran, ohne die Trauer in ihrer Stimme verbergen zu können.
„Es wurde wieder aufgebaut“, erklärte er und Amara sah erneut hinunter auf die Burgruinen.
„Aber das kann nicht sein, sieh es dir doch an!“, gab sie etwas gereizt zurück. Der lange Flug hatte an ihren Kräften und ihrer Geduld gezerrt.
„Das ist ein Zauber, den die überlebenden Drachen und ihre Reiter nach Kagans Verrat geformt haben, um diesen Ort zu schützen. Du wirst es gleich eh sehen. Jetzt macht es keinen Unterschied mehr, ob ich es ausspreche oder nicht“, erklärte Kieran ihr ruhig.
Sie durchbrachen den Bergnebel. Kurz bevor sie die Festung erreichten, war es, als würde sich ein Schleier von ihrem Blick heben. Ihre Augen weiteten sich bei dem majestätischen Anblick.
Die umgestürzten Türme standen abermals hochgewachsen und stolz empor. Die Trümmerteile und der Ruß an den Wänden waren verschwunden. Nur wenige ausgebrochene Stellen und Löcher im Mauerwerk erinnerten noch an das Trümmerfeld, das die Schlacht von Anruin hinterlassen hatte. Amara rieb sich die Augen und konnte kaum glauben, was sie hier erblickte. Erstaunt sah sie sich um.
Kaida streckte ihre riesigen Flügel aus, der Wind fing sich in ihnen und bremste ihren Flug ab. Behutsam landete der rote Drache auf dem großen Platz vor dem Hauptportal. Amara hätte nie gedacht, diesen Ort jemals wiederzusehen. Bei dem Anblick der Festung überkam

sie eine Mischung aus Trauer und Freude. Als ihr Blick auf die große Treppe traf, erkannte sie, dass man sie bereits erwartete.
Zwei Gestalten, eine Frau und ein Mann, standen am oberen Ende der Treppe und blickten auf sie hinab. Die Frau legte eine Hand auf das Schwert, welches sie am Gürtel trug und Beide warfen sich einen bedeutungsschweren Blick zu. Die Frau war augenscheinlich schon älter und Amara hätte sie vielleicht auf Anfang sechzig geschätzt. Doch bei Drachenreitern täuschte das Äußere oft – sie könnte genauso gut bereits mehrere hundert Jahre alt sein. Die blonden Haare der Reiterin waren von grauen Strähnen durchzogen und zu einem festen Dutt zusammengebunden.
Die Beiden sprachen ein paar Sätze, die Amara aus der Entfernung nicht verstehen konnte. Die Frau nahm die Hand von ihrem Schwert und verschwand durch die riesige Tür. Neugierig sah Amara ihr nach und Aufregung machte sich in ihr breit. Der Mann aber kam die Treppe herunter auf sie zu. Kieran sprang vom Rücken seines Drachen und reichte ihr eine Hand. Erstaunt sah sie ihn an und ließ sich ebenfalls vorsichtig zu Boden gleiten. Wie erwartet, waren ihre Beine steif gefroren und schmerzten bei dem Aufprall. Sie biss sich auf die Lippe, um ein Winseln zu unterdrücken und bedankte sich leise bei ihm für die helfende Hand.
„Wie ich sehe, hast du noch einen Umweg eingelegt und einen Gast mitgebracht“, stellte der ältere Reiter fest. In seiner Stimme lag etwas, dass Amara nicht ganz definieren konnte, war es Wut? Oder vielleicht doch Sorge? Sie

sah zwischen Kieran und dem anderen Drachenreiter hin und her, gespannt, was sich nun zutragen würde.
„Was ist, wenn sie mich nicht aufnehmen wollen?“ Der Gedanke schoss ihr plötzlich in den Kopf und ein Gefühl, als wenn Säure sich in ihrem Magen ausbreitet, überkam sie. *„Werden sie mich umbringen, weil ich ihr Geheimnis kenne? Was habe ich mir nur dabei gedacht, mitzukommen!“* Ihre Hand zuckte instinktiv in Richtung ihrer Messer, doch Amara unterdrückte den Impuls. Es wäre töricht, die Rebellen zu provozieren, wo sie doch eigentlich nur ihren Schutz erhoffte. Kaida breitete ihre riesigen Flügel wieder aus und flog davon. Die Druckwelle, die entstand als der Drache abhob, riss sie beinahe von den Füßen.
Ihr Blick fiel wieder auf den Mann, der jetzt vor ihnen stand. Er war ein Stück kleiner als Kieran, aber vielleicht lag das auch an dem Stock, auf den er sich beim Gehen leicht stützen musste. Sein dunkelbraunes, fast schwarzes Haar, war kurz wie das der meisten Reiter, und von den ersten grauen Strähnen durchzogen. Er wirkte ein wenig jünger, als die andere Drachenreiterin und sie hätte ihn auf Anfang vierzig geschätzt. Für den Hauch einer Sekunde meinte Amara, Wut in seinen dunkelgrünen Augen, aufblitzen zu sehen, als sein Blick auf den jüngeren Mann fiel. Sein Gesicht kam ihr bekannt vor. Doch sie kam nicht sofort darauf, woher. Es lag ihr auf der Zunge.
Vermutlich hatte sie ihn schonmal gesehen, als sie als Kind hier gewesen war. Schließlich war ihr die Burg in ihrer Kindheit beinahe ein zweites Zuhause gewesen.

Doch es waren zu viele Jahre vergangenen und die meisten Erinnerungen nur noch schwammig.
Auch Kieran musste die angespannte Stimmung gespürt haben, doch er zuckte nicht vor dem Blick des älteren Reiters zurück und brummte: „Was hätte ich denn sonst machen sollen, Tirion? Sie einfach zurücklassen? Du weißt genau so gut wie ich, dass wir jeden Magier gebrauchen können und ihre Magie ist stark! Stark genug, um sich mit einem Drachen zu verbinden. Wir brauchen weitere Reiter!"
Fast hätte sie aufgelacht.
„Ich und starke Magie?! Er muss sich vertan haben und den anderen Reiter, Aldwin hieß er glaub ich, gespürt haben." Der Gedanke war lächerlich. Ja, sie besaß Magie, aber keine sonderlich starke.
„Du hättest uns wenigstens vorwarnen können, dass du jemand außenstehenden mitbringst! So hätten wir noch Vorbereitungen treffen können. Du solltest eigentlich wissen, wie gefährlich das sein kann", warf Tirion ärgerlich ein und funkelte Kieran diesmal unverhohlen wütend an.
„Ich dachte, du wärst klüger." Die Missbilligung in seiner Stimme war unüberhörbar und Amara fiel auf, dass er während dem ganzen Gespräch, die Hand auf dem Knauf seines grünen Schwertes ruhen hatte. Die Angelegenheit war heikel, das wusste Amara. Die Rebellen wussten nicht, ob sie ihr trauen konnten. Doch sie wusste genau so wenig, ob sie ihnen trauen konnte.
Und daher blieb sie während der ganzen Diskussion stumm und versuchte, keine Aufmerksamkeit auf sich

zu ziehen. Während sie verbissen dabei war, einen Fluchtplan zu schmieden für den Fall, dass sie hier doch nicht sicher sein sollte.
Schließlich kam Amara zu dem Entschluss, dass sie erst Kieran ausschalten müsste und sich erst dann dem anderen Reiter stellen konnte. Ihre beste Chance war es, Kieran mit einem gezielten Messerwurf auszuschalten. Sie würde das Überraschungsmoment nutzen und sich dann dem anderen Reiter stellen. Mit seiner Beeinträchtigung sollte es ihr möglich sein, ihn auszuschalten, bevor er die anderen informieren konnte. Ihre Chancen standen zwar schlecht gegen zwei Magier, aber ein besserer Plan wollte ihr so schnell nicht in den Sinn kommen. Amara hoffte inständig, dass es nicht so weit kommen würde. Aber sie war lieber vorbeireitet.
Kopfschüttelnd wandte sich der ältere Reiter dem Paket zu, welches Kaida mitgebracht hatte. Seine Augen leuchteten für einen Moment intensiv Grün auf und der riesige Beutel, den Kaida, während dem Flug in den Klauen gehalten hatte, verschwand. Erstaunt sah Amara auf den leeren Fleck, wo bis eben noch der riesige Beutel gelegen hatte. Er war verschwunden!
An den Gebrauch von Magie würde sie sich vermutlich nie gewöhnen. Es verschlug ihr immer wieder aufs Neue die Sprache. Nur ein wirklich mächtiger Magier war in der Lage, einen Gegenstand dieser Größe so mühelos zu teleportieren!
„*Mist.*“ Im Geiste verwarf sie ihren Fluchtplan wieder.
Mit einem Mal wurde ihr bewusst, wieso ihr der ältere Mann so bekannt vorkam. Tirion Valor war damals

leitender Offizier der Drachenreiter gewesen und ein guter Freund ihres Vaters.

„Wieso habe ich ihn nicht eher erkannt?“, fragte sie sich verwundert über ihre Kurzsicht. Doch nur einen Augenblick später, wusste sie selbst wieso. Amara war sich sicher gewesen, dass Tirion tot war. Ermordet von dem eigenen Bruder. Gefallen in der Schlacht von Anruin, wie ihr Vater und so viele andere mit ihm. Sein Bruder Kagan und dessen Drache Kyrell, waren es gewesen, die die Reiter verraten und vernichtet hatten. Kagan beherrschte seither mit eiserner Hand als König über Averion. Er und seine Verbündeten waren den anderen Reitern, in den Rücken gefallen und hatten sie kaltblütig ermordet. Ihr Herz zog sich bei dem Gedanken schmerzlich zusammen. Sie konnte es kaum fassen.

„Wenn Tirion noch am Leben ist, sind es andere vielleicht auch!“, dachte sie und der Gedanke entfachte neue Hoffnung in ihr. Wenn doch mehr Drachenreiter existierten als gedacht, bestand vielleicht doch noch eine Chance gegen Kagan.

Sie blickte wieder zu der Stelle, an der bis vor Kurzem noch das riesige Bündel gelegen hatte. Nur eine Handvoll Magier, von denen sie wusste, wären in der Lage gewesen, etwas von dieser Größe zu teleportieren. Doch Tirion tat es mit einer Leichtigkeit, als ob es eine Kleinigkeit wäre. Er war einer der mächtigsten Magier des Landes gewesen, ging es Amara durch den Kopf, als ihr auffiel, dass Tirion sie musterte. Die beiden Männer waren, so wie es aussah fertig mit streiten.

„Es ist unwahrscheinlich, dass er mich erkennt. Ich bin neun Jahre alt gewesen, als ich diesen Ort zuletzt zu Gesicht bekommen habe!", überlegte Amara nachdenklich und führte diesen Gedanken weiter. Sie war jetzt 23 Jahre alt. Von dem kleinen Mädchen, welches einst in den Hallen der Burg gespielt hatte, war nicht mehr viel übrig. Auch wenn Amara wusste, wie ähnlich sie ihren Eltern sah. Sie strich sich unweigerlich eine Strähne ihrer rabenschwarzen Haare, die ihr aus dem geflochtenen Zopf fielen, aus dem Gesicht. Einige Strähnen hatten sich während der Reise gelöst und standen nun zottelig ab.
„Vierzehn Jahre waren eine lange Zeit! Gewiss würde er mich nicht mehr erkennen", überlegte Amara. Doch ganz sicher war sie sich nicht. Tirion schien immer noch zu überlegen, ob und woher er ihr Gesicht zu kennen glaubte. Schließlich weiteten sich seine Augen erkennend und er wollte gerade etwas sagen, als die Tür der Festung sich knarzend öffnete. Sie drehten sich, von dem Geräusch alarmiert, um und Tirion wandte seine Aufmerksamkeit der Burg zu. Amara sah, wie die Frau von vorhin wieder heraustrat.
„Ich übernehme dann hier", sagte sie mit unverkennbarer Autorität in der Stimme zu Tirion. Dieser nickte ihr respektvoll zu und kurz wirkte es, als würde er noch etwas sagen wollen, doch dann trat er zur Seite. Ihr Blick fiel auf einen jungen blonden Mann, der ungefähr in seinen Zwanzigern sein musste. Er stand am Rand der großen Treppe und wartete augenscheinlich auf den Befehl der älteren Reiter. Auch er war eindeutig ein weiterer Drachenreiter. Seine Rüstung erinnerte ein wenig an die

Fellfarbe eines Fuchses und der Griff seines Schwertes schimmerte in denselben schillernden Tönen.

„Bowen, wärst du so freundlich und könntest uns verraten, ob unser Gast vertrauenswürdig ist?“, fragte die Frau ihn, bevor sie sich zu Amara umdrehte.

„Es ist nur eine Sicherheitsmaßnahme, wenn du verstehst“, sagte sie beiläufig in ihre Richtung, als ob sie vom Wetter sprechen würde und nicht vom Gedankenlesen, wie Amara befürchtete. Bowen streckte ihr eine Hand entgegen und lächelte unsicher.

„Keine Sorge, es dauert nicht lange und ich versuch´ mich aus dem rauszuhalten, was mich nichts angeht“, merkte er an und sein Gesicht wurde leicht rot. Er wartete darauf, dass sie seine Hand entgegennahm und Amara überlegte kurz. Sie blickte nervös zu Kieran herüber, doch der war schon verschwunden. So lautlos, als hätte er sich in Luft aufgelöst. Sie hatte nicht mitbekommen, dass er gegangen war.

„Großartig! Aber welche Wahl habe ich?“ Hierbleiben und sich den Rebellen anschließen oder zurückkehren, und weiterhin auf der Flucht vor dem König leben.

Eigentlich hatte sie ihre Wahl längst getroffen. In dem Augenblick, in dem sie sich entschieden hatte, Kieran zu begleiten, hatte sie ihr Schicksal in die Hände der Rebellen gelegt. Und auch, wenn Amara es niemals ganz aus der Hand geben würde. Ihr Schicksal war schon immer mit dem der Reiter und Drachen verknüpft gewesen, dass hatte sie tief im Herzen immer gewusst. Sie straffte ihre Schultern, atmete tief durch und trat einen Schritt nach vorne.

„Es ist an der Zeit, ein neues Kapitel zu beginnen!“
Sie gab Bowen die Hand, darauf vorbereitet, dass seine Magie ihre Erinnerungen durchsuchte und zischte: „Wenn du meine Gedanken mehr durchforstest als nötig, wirst du es bereuen.“
Er antwortet nicht, aber nickte verlegen.
Sobald seine Fingerspitzen ihre Haut berührten, fühlte Amara ein leichtes Kribbeln, gleich wie Strom, der durch ihren Körper fahren. Instinktiv fuhr sie zusammen. Erinnerungsfetzten jagten durch ihren Kopf, Bruchstücke ihres Lebens: Sie im Lieblingssessel ihrer Mutter sitzend und ein Buch lesend, in der nächsten Sekunde sah sie die blauen Schuppen eines Drachen. Der Wind jagte durch ihre Haare und die Arme ihres Vaters hielten sie fest, damit sie nicht von dem Rücken des Drachen fiel. Irgendwo weit weg spürte sie, wie Bowen erstaunt die Luft einzog.
In der nächsten Erinnerung war es dunkel. Die Orientierung fiel ihr schwer. Dann saß sie auf einmal auf einem Pferd, ihre kleinen Hände krallten sich in die helle Mähne des Tieres und die Arme ihrer Mutter hielten sie fest umschlossen.
„Das geht dich gar nichts an!“, donnerte sie und verdrängte die Erinnerung gewaltsam. Sie spürte die Tränen, dieses unheilsamen Tages immer noch im Gesicht, als die Erinnerung wechselte. Amara sah, wie sie ihrer Tante beim Kochen half. Sie war jetzt etwas älter als in den letzten Erinnerungen. Immer schneller huschten die Bilder an ihrem inneren Auge vorbei. Einige Orte, in denen sie gelebt hatte, erschienen und zuletzt sah sie, wie sie vor

dem Drachenreiter, Aldwin war sein Name gewesen, geflohen war. Sie spürte erneut, wie die Angst ihr die Kehle zu schnürte und schließlich den kalten Griff des Messers in ihrer Hand.
Ihr wurde schwindelig, doch der Moment war genauso schnell vorbei, wie er gekommen war. Bowen zog seine Hand zurück und die Erinnerungen versiegten wieder. Amara atmete schwer, als ob sie mehrere Kilometer gerannt wäre.
„Ich glaub´, wir müssen uns keine Sorgen machen, Astoria", sagte er zu der Dame, die immer noch am Rande der Treppe stand.
„Willkommen in Anruin, Miss Hawthorne!", verkündete Bowen daraufhin und sah sie nun mit unverhohlener Neugierde an.
Astoria Crawford sah sie mit ihren durchdringenden, stahlblauen Augen an und musterte sie eindringlich. Amara strafte unweigerlich ihren Rücken und gab ihr Bestes dem Blick standzuhalten. Die alte Drachenreiterin war zugebenermaßen respekteinflößend in ihrer Art und Weise. Sie erinnerte Amara ein wenig an eine Lehrmeisterin aus alten Zeiten – streng, aber gerecht, mit einem Blick, der keine Ausreden duldete. Es würde sie nicht überraschen, wenn selbst die Drachen ihr Respekt zollten.
„Jetzt weiß ich, an wen du mich erinnerst", warf Astoria nach einer kurzen Pause ein und Amara hätte schwören können, den Hauch eines Lächelns auf ihren Lippen zusehen.

Astoria bedeutete ihr, mit einer Handbewegung zu folgen und wandte sich der riesigen Treppe zu. Amara stockte der Atem bei der Bemerkung und sie tat ihr Bestes sich diesen Moment der Schwäche nicht anmerken zulassen.
„Du musst, von den Unannehmlichkeiten der letzten Stunden wirklich erschöpft sein. Suchen wir dir erstmal einen Schlafplatz“, sagte Astoria bestimmt und trat die Treppe hinauf, die zu der riesigen Eingangstür führte. Amara atmete erleichtert auf. Sie hatte gar nicht gemerkt, dass sie den Atem angehalten hatte.
Die riesigen Flügeltüren waren bestimmt drei Meter hoch und in ihrem Holz waren zwei riesige Drachen geschnitzt, die sich kunstvoll umeinanderwanden. Sie war alt und verwittert, doch die Figuren waren noch gut zu erkennen. Beim Vorbeigehen strich sie ehrfürchtig mit ihren Fingern über die Figuren. Ganz vorsichtig, fast andächtig, berührte sie den Kopf des Drachen, der zu ihrer linken über den Eingang wachte. Ihr wurde ein wenig warm ums Herz, als sie die bekannten Hallen betrat.
Die Eingangshalle, die sich hinter dem Portal befand, war noch so, wie sie sie in Erinnerung hatte. Schwarzweiß gekachelte Fliesen führten tief ins Herz der Burg und waren von grauen Steinmauern und deckenhohen Säulen eingerahmt. Sie durchquerten die Halle bis zur Hälfte und bogen dann nach links ab. Zwischendurch kamen ihnen vereinzelt Menschen entgegen. Alle nickten der älteren Reiterin respektvoll zu und starrten Amara im Vorbeigehen unverhohlen neugierig an.

Eine Wendeltreppe, die aus dem gleichen Stein gebaut war wie der Rest der Festung, führte durch mehrere Etagen.
„Dir wird auffallen, dass sich einiges hier verändert hat, seit du das letzte Mal in Anruin warst. Die Akademie wurde kurz nach Kagans Machtübernahme vernichtet, weswegen wir die Ausbildung der neuen Reiter hierher verlegen mussten. Auch, wenn die Festung nicht gerade geeignet dafür ist“, erklärte Astoria, als sie die Treppe weiter hinaufstiegen. Sie folgten den Stufen bis in die zweite Etage und Amara tat ihr Bestes, die Informationen zu verarbeiten.
Im zweiten Stock traten sie in den Flur und Astoria blieb so abrupt stehen, dass Amara fast gegen sie gestoßen wäre. Sie schallte sich für ihre Unaufmerksamkeit und richtete ihr Gepäck, welches sich mittlerweile Blei schwer anfühlte. Astoria klopften an eine der vielen hölzernen Türen und wartete einen Moment.
Es dauerte einen Augenblick, bis eine junge Frau die Tür öffnete. Sie trug eine schwarze Hose und eine dunkelblaue Tunika. Ihre lockigen dunklen Haare waren zu einem losen Knoten gebunden und umrahmten ein sonnengebräuntes Gesicht. In ihrer Hand hielt sie ein Buch, welches sie vermutlich gerade noch gelesen hatte, bevor sie unterbrochen worden war. Ein Finger klemmte noch als Lesezeichen zwischen den Seiten. Über ihrem linken Schlüsselbein blitzte ein Stück ihrer Aithne unter dem Pullover hervor. Die dunkelblaue Zeichnung auf ihrer Haut schimmerte leicht im Dämmerlicht und Amara

meinte zu sehen, wie sich der Flügel des Drachen bewegte.

„Kann ich Ihnen helfen?“, fragte sie erstaunt und Astoria trat einen Schritt zur Seite und gab den Blick auf Amara frei, die bis gerade noch hinter ihr fast verborgen gestanden hatte.

„In der Tat können Sie das, Miss Hollis. Ich habe eine neue Zimmergenossin für sie. Bitte seien Sie so nett und helfen Miss Hawthorne ein wenig sich hier zurecht zu finden“, sagt sie und drehte sich wieder zu Amara um.

„Wenn ich vorstellen darf, das ist Faelynn Hollis, ihre neue Zimmergenossin, bis wir ein wenig Platz geschafft haben.“ Sie zeigt auf die junge Frau in der Tür.

„Ruhen Sie sich am besten etwas aus, wir sprechen uns morgen“, sagte Astoria und schenkte ihr ein kurzes Lächeln, bevor sie sich umdrehte und den Flur wieder entlangschritt. Es war das erste richtige Lächeln gewesen, was sie auf dem ernsten Gesicht der Reiterin gesehen hatte. Faelynn stand immer noch in der Tür und trat einen Schritt zurück, in den Raum.

„Willst du nicht reinkommen?“, fragte sie und zeigte mit einer Handbewegung in den Raum.

„Ich bin Lynn. Willkommen in Anruin“, begrüßte Faelynn sie mit einem freundlichen Lächeln als das Schweigen zwischen ihnen langsam unangenehm zu werden schien. Amara nahm ihre Hand und antwortete: „Amara Hawthorne, freut mich dich kennenzulernen“, und lächelte unsicher zurück.

Lynns Augen weiteten sich.

„Hawthorne, wie in General Hawthorne?“, fragte Lynn sie neugierig.
„Er war mein Vater“, antwortete sie und trat ohne ein weiteres Wort ins Zimmer.
„Es tut mir leid! Ich hätte nicht fragen sollen. Das war dumm und taktlos von mir“, entschuldigte Lynn sich und sah verlegen auf das Buch in ihren Händen.
„Ist schon in Ordnung. Die Vergangenheit lässt sich nicht ändern“, sagte Amara und schenkte Lynn ein müdes Lächeln.
Jetzt erst fiel ihr Blick auf die Räumlichkeiten, in denen sie sich befanden. Es musste ursprünglich eines der unzähligen Gästezimmer der Burg gewesen sein, überlegte Amara und ihr Blick schweifte suchend durch den Raum. Gegenüber von der Tür war ein großes Fenster und auf den beiden gegenüberliegenden Seiten standen jeweils ein Bett und ein Schrank. Sie trat ans Fenster.
Draußen war es mittlerweile dunkel und man konnte nur noch Umriss der Festung erkennen. Nur die weißen Spitzen der Bergen leuchteten noch leicht in der Ferne. Außer den Betten gab es in dem Raum nur noch einen Schreibtisch und ein Bücherregal. Amara sah sich um, eine weitere Tür war neben dem Schrank – Vermutlich führte diese in ein angrenzendes Badezimmer.
„Das linke Bett ist deins“, sagte Lynn, setzte sich wieder an den Schreibtisch und schlug das Buch erneut auf. Ein magisches Licht hing über dem Tisch und erleuchtete anstelle einer Kerze den Raum. Sein warmes Licht warf lange Schatten entlang der Wand. Amara blickte das Licht kurz fasziniert an und ging dann an dem

Bücherregal vorbei. Sie sah sich die Bücher an. Es waren die unterschiedlichsten Werke darin zu finden, Literatur über Drachen und ihre Reiter, aber auch etliche Romane. Ihr Blick haftete einen Moment an ihnen.
„Wenn du magst, kann du gerne welche davon lesen“, rief Lynn von dem Schreibtisch herüber.
„Ich leihe mir öfters welche von Darius, dem Bibliothekar, und nehme sie mit auf´s Zimmer zum Lesen. Morgen nach dem Training zeig´ ich dir alles, wenn du möchtest“, versprach sie und wandte sich wieder ihrem Buch zu.
Darius, war schon lange für die Bibliothek Anruins zuständig gewesen und es erstaunte sie ein wenig, dass der alte Mann noch immer lebte und die Bücher der Burg hütete. Bei ihrem letzten Besuch war er schon damals, steinalt vorgekommen.
Amara nahm ihre Tasche von der Schulter und legte sie auf das Bett. Sie nahm eine lockere Hose und eine Tunika heraus und ging ins Bad, um sich umzuziehen.
„Es stört dich doch nicht, wenn ich noch lese, oder?“, fragte Lynn und sah nochmal vom Buch hoch, als Amara ihre Tasche in den Schrank stopfte. Sie würde morgen noch genug Zeit haben ihre Habseligkeiten auszuräumen.
„Nein, alles gut“, antwortete Amara abwesend und versuchte ein Gähnen zu unterdrücken. Der Adrenalinabfall und das Gefühl der Sicherheit machten sie schläfrig. Doch ein wenig Unruhe blieb zurück, sie verfolgt sie schon seit sie den Hof von Tante Margaret verlassen hatte. Mittlerweile war Amara an die Ungewissheit

gewöhnt, nicht zu wissen, was der nächste Tag bringen würde. Sie verdrängte das Gefühl so gut wie möglich und legte sich erschöpft ins Bett.
Bevor ihre Augen zu fielen, meinte sie eine Silhouette zuerkennen, die über dem schwarzen See flog. Doch der Schlaf überkam sie, bevor sie noch weiter drüber nachdenken konnte.

5

Amara drehte sich in ihrem Bett um, einige Strähnen hatten sich aus ihrem Zopf gelöst und hingen ihr vor den Augen. Immer noch schlaftrunken strich sie sich die Haare aus dem Gesicht und sah sich um. Einen kurzen Moment dachte sie, dass sie alle Geschehnisse nur geträumt hätte. Doch sie befand sich nicht mehr in ihrer Kammer über der Bibliothek in Whitebridge. Ihr Blick schweifte kurz durch den Raum und ihr wurde langsam bewusst, dass sie sich wirklich in der Burg Anruin befand.

Draußen war es erst am Dämmern, doch das war zu dieser Jahreszeit nicht ungewöhnlich. In den kälteren Jahreszeiten war sie oft vor der Sonne wach. Mit einem Blick durch das Zimmer stellte sie fest, dass ihre Mitbewohnerin nicht da war.

„*Noch eine Frühaufsteherin also*", dachte Amara und stieg aus ihrem Bett, um frische Anziehsachen aus ihrer Tasche im Schrank zu kramen.

Fröstelnd trat sie ins Badezimmer. Die Messingknöpfe der Badewanne fühlten sich kalt unter ihren Fingern an, als sie beide aufdrehte, um sie volllaufen zu lassen. Es dauerte ein wenig, bis genug Wasser drin war. Ihre Anziehsachen fielen mit einem dumpfen Geräusch auf den

Steinboden und sie fröstelte leicht, als sie in das warme Wasser stieg.
Sie schloss die Augen und dankte still den Erfindern von magisch beheizten Badewannen und fließendem Wasser. Der Duft nach Rosen stieg ihr in die Nase, als sie aufatmete. Für einen herrlichen Moment genoss Amara einfach die Wärme, doch dann holten die Geschehnisse des letzten Tages sie wieder ein.
Das sie hier gelandet war, kam ihr wie ein Wunder vor. Fast zu schön, um wahr zu sein, dachte sie für einen Augenblick und erschauderte bei dem Gedanken.
„Es wäre um ein Haar alles schief gegangen." Der Gedanke schnürte ihr die Kehle zu. Die Beklemmung ließ sie weiterhin nicht los: *„Was ist, wenn ich ein Gefängnis gegen das andere getauscht habe, ohne es zu merken?"* Sie schluckte schwer und schob den Gedanken bei Seite, inständig hoffend, endlich einen sicheren Ort gefunden zu haben.
Amara wusste nicht, wie lange sie schon im Wasser gelegen hatte, als ein Klopfen sie plötzlich aus ihren düsteren Überlegungen riss. Eine gedämpfte Stimme klang durch die geschlossene Tür zu ihr.
„Bist du bald fertig? Ich soll dich noch vor dem Frühstück in Astorias Büro bringen", rief Lynn von der anderen Seite der Badezimmertür.
„Ich bin sofort fertig", antwortete sie, wusch sich hastig die Haare und stieg aus der Wanne.
Eine Viertelstunde später liefen die beiden jungen Frauen durch die Hallen der Burg. Die noch feuchten Haare fielen Amara wie so oft in einem geflochtenen Zopf ihren Rücken hinunter. Gekleidet war sie wie

üblich in einer schlichten schwarzen Tunika über einer dunklen Hose. Nur ihre braunen Lederstiefel passten nicht ganz in ihr übliches Schema.
„Ich wollte mich nochmal für gestern entschuldigen. Dass war gedankenlos von mir“, sagte Lynn und blickte nervös zu ihr hinüber.
„Es ist wirklich in Ordnung, ich war einfach nicht darauf vorbereitet. Es ist wirklich lange her, seitdem ich zuletzt über meine Familie gesprochen habe“, erwiderte Amara und tat das Thema damit ab.
Sie eilten weiter durch eine Halle voller Menschen, die an langen Tafeln saßen und frühstückten. Es waren die unterschiedlichsten Gestalten: Unter ihnen einige Reiter und Magier, aber auch viele normale Menschen, die der König zur Flucht gezwungen hatte.
Im Vorbeigehen erkannte sie den Gedankenleser vom gestrigen Tag. Bowen müsste sein Name gewesen sein, überlegte Amara kurz. Und dann fiel ihr Blick auf Kieran.
Er saß mit einigen anderen zusammen, an einem Tisch in einer Ecke des Saals. Mit der Hand strich er sich gerade eine verirrte Strähne seines dunkelbraunen Haares aus dem Gesicht. Kieran hatte seine Rüstung vom Vortag gegen eine lockere dunkle Tunika gewechselt. In diesem Moment lachte er über etwas, was der junge Mann neben ihm gesagt hatte. Ihr Blick blieb einen Augenblick auf seinem Gesicht liegen – er hatte ein wirklich hübsches Lächeln. *„Wäre er nur nicht so ein arroganter Arsch!“*
Als hätte er ihren Blick gespürt, wandte sein Blick sich

in ihre Richtung. Amara sah schnell wieder nach vorne und lief weiter.
„Hoffentlich denkt er jetzt nicht, dass ich ihn beobachtet habe!", dachte sie und merkte, wie ihr das Blut ins Gesicht stieg. Amara holte Lynn, die einige Schritte weiter auf sie gewartet hatte, schnell wieder ein. Diese sah sie mit hochgezogener Augenbraue fragend an, sagte aber zu ihrer Erleichterung nichts.
Am Ende der Halle befand sich eine schlichte Holztür, auf die sie jetzt zusteuerten. Mit schnellen Schritten durchquerten sie die riesige Halle und traten durch die Tür, welche sich von allein öffnete, als Amara und Lynn die letzten Schritte auf sie zu taten.
Hinter der Tür erkannte sie einen kleinen holzgetäfelten Raum, in dessen Zentrum ein großer Schreibtisch stand, der einen Großteil der Fläche ausfüllte. Die Wände waren mit Regalen vollgestellt, in denen sich die Bücher bis zur Decke hochstapelten. Amara sah aber auch die ein oder andere Waffe in den Regalen oder an der Wand.
„Ich warte draußen auf dich", sagte Lynn und zeigte auf einen Tisch am Rand der Halle.

***

Die Tür fiel ins Schloss und sie war allein. Amara sah sich um und wollte gerade ein Buch aus dem Regal vor ihr ziehen, als ihr Blick auf das Fenster haften blieb. Der Ausblick war atemberaubend schön. Die Sonne war noch nicht ganz aufgegangen und strahlte in sanften rot und orange Tönen über dem See. Selbst die Berge waren in ein sanftes Licht getaucht. Der Schnee auf ihren

Spitzen reflektierten das Farbspiel des Himmels, wie ein Meer winziger Diamanten.
Die Landschaft war friedlich, nicht einmal die Wasseroberfläche zeigte eine Bewegung. Ihr Herz machte einen Sprung bei dem Anblick, der sich ihr bot.
„Wunderschön, nicht wahr?“ Die Stimme riss Amara aus ihren Gedanken und sie zuckte leicht zusammen. Ohne, dass sie es gemerkt hatte, war Tirion in den Raum getreten.
„Es tut mir leid, wenn ich dich erschreckt habe“, entschuldigte sich der ältere Drachenreiter.
„Ist schon in Ordnung. Ich war nur gerade in Gedanken vertieft und habe die Tür nicht gehört“, antwortete sie und hätte sich ohrfeigen können, für ihre Unaufmerksamkeit. *„Ich bin nachlässig geworden! Dieser Moment hätte gerecht, um ein Messer in den Rücken zu bekommen“,* dachte sie ärgerlich.
„Wie ich sehe, hast du dein Messer noch“, sagte er mit einem Nicken in Richtung ihres Gürtels. Erst jetzt merkte Amara, dass sie unbewusst an dem polierten Holzgriff des kleinen Wurfmessers herumspielte. Dies war ihr in den letzten Jahren eine kleine Angewohnheit geworden. Sie spielte immer mit den Messern, wenn sie nervös war, und das war sie definitiv.
„Es hat mir immer gute Dienste geleistet, vor allem in den letzten Jahren“, antwortete Amara und löste die Finger von dem Griff des Messers.
„Das hoffe ich doch! Schließlich muss es sich ja gelohnt haben, dass deine Mutter mich am liebsten umgebracht

hätte. Dabei warst du schon damals sehr gut im Umgang mit dem Schwert“, erinnerte sich Tirion schmunzelnd.
„Ich war Sieben! Irgendwie kann ich mittlerweile etwas verstehen, warum sie ein Messer nicht gerade für ein geeignetes Geburtstagsgeschenk gehalten hat“, stieß Amara hervor und konnte sich bei der Erinnerung ein Lächeln nicht verkneifen.
Ihr Vater war zu der Zeit in Anruin stationiert gewesen, weswegen sie hauptsächlich auf der Burg gelebt hatten. Amara war damals so stolz gewesen, ihre eigene Waffe zu besitzen. Doch ihre Mutter war nicht ganz so begeistert darüber gewesen, dass Tirion ihr solch ein gefährliches Geschenk gemacht hatte. Ihre Mutter hatte befürchtet, dass sie sich damit versehentlich selbst verletzen könnte.
„Warum sind wir hier?“, fragte Amara daraufhin und schob die Erinnerungen wieder weit von sich fort.
„Du hast vermutlich jemand anderes erwartet. Eigentlich kümmert Astoria sich hauptsächlich um die Ausbildung neuer Reiter. Schließlich hat sie, wie du vielleicht noch weißt, die Akademie geleitet. Doch sie musste leider zu einem wichtigen Termin und hat mich mit der Aufgabe betraut, dir das ganze hier zu erklären. Wie dir vermutlich bereits aufgefallen ist, hat sich einiges geändert. Also setz dich doch bitte.“ Er machte eine auffordernde Handbewegung in Richtung der Stühle an dem Schreibtisch. Amara nickte und machte es sich in einem Stuhl vor dem Schreibtisch bequem. Tirion setzte sich ihr gegenüber in den Sessel und lehnte den Stock, auf den er sich beim Gehen stütze, an die Wand hinter ihm.

„Die Akademie wurde mit der Machtübernahme leider von den Verrätern zerstört, weswegen wir die Ausbildung neuer Reiter hierher verlegen mussten. Es ist nicht ideal, aber besser als nichts“, erklärte Tirion. Sein Blick huschte kurz zum Fenster, als ob etwas seine Aufmerksamkeit erregt hätte. Der Gedanke machte sie traurig, Amara hatte immer davon geträumt eines Tages an der Akademie der Drachenreiter zu studieren. Die Akademie war neben Anruin, als Hauptstützpunkt, das Fundament des Ordens gewesen.

Ihre Aufmerksamkeit richtete sich jetzt wieder auf die Gegenwart, als Tirion fortfuhr: „Ich gehe davon aus, dass du viele Fragen hast. Und ehrlich gesagt, haben wir auch einige an dich.“

„Und die wären?“, fragte sie herausfordernd. Amara durchaus war darauf vorbereitet gewesen, ausgefragt zu werden. Also wieso Zeit mit Höflichkeiten vergeuden. Tirion lächelte, als ob er ihre Taktik durchschauen würde und fuhr fort.

„Zu erstmal, wie hast du es geschafft zu entkommen? Wie du sicher weißt, sind wir die letzten zehn Jahre davon ausgegangen, dass es keine Überlebenden gegeben hat“, fragte er ernst.

„Was würde es jetzt noch nutzen zu lügen?“, dachte Amara und begann, ihre Geschichte zu erzählen.

Sie hatte noch alles kristallklar vor Augen. Jene Nacht vor zehn Jahren, die sie wohl nie loslassen würde. Wie ihre Mutter sie damals mitten in der Nacht überstürzt geweckt hatte und sie durch die Finsternis einer sternenlosen Nacht geritten waren, solange bis sie am Haus

ihrer Tante angelangt waren. Sie erzählte davon, wie ihre Mutter daraufhin umgekehrt war. Von ihrer Hoffnung, dass ihr Vater zurückkehren würde und wie sie nach ein paar Wochen verstanden hatte, dass ihre Eltern nie mehr kommen würden, um sie abzuholen. Zu dem Zeitpunkt war sie gerade mal elf Jahre alt gewesen, erinnerte sich Amara. Dennoch schmerzte die Erinnerung sie noch wie am ersten Tag.
Sie berichtete Tirion ebenfalls davon, wie sie auf dem Hof ihrer Tante, versteckt vor den Schergen des Königs, aufgewachsen war. Und dann, als sie versehentlich im Zorn eine Tasse auf magische Weise in die Luft gejagt hat und letztendlich realisiert hatte, dass sie tatsächlich wie ihre Eltern magische Kräfte besaß, die möglicherweise über das normale Maß hinausgingen.
Vieles behielt Amara jedoch für sich, doch es fühlte sich gut an, sich nicht länger verstellen zu müssen, sondern einfach sie selbst sein zu dürfen. Endlich konnte sie ihre Geschichte erzählen. Es war das erste Mal, seit sie das Haus ihrer Tante verlassen hatte, dass sie keinen anderen Namen benutzt hatte. Endlich brauchte sie keine Angst haben, an den König verraten zu werden. Sie beendete ihren Monolog und wischte sich eine Träne aus dem Augenwinkel. Die Erinnerungen brannten in ihrem Herzen, wie heiße Steine. Still beobachtete sie, wie Tirion das Erzählte verarbeitete.
Es dauerte einen Moment, dann sagte er: „Es tut mir leid, was dir widerfahren ist. Wir haben alle Drachen und Reiter, die noch in der Lage waren, ausgesandt, um vor der aufkommenden Gefahr zu warnen. Doch nach dem

Putsch waren nur noch wenig von uns übrig. Die meisten Außenposten sind zur selben Zeit gefallen wie Anruin oder sogar noch eher. Warren ist mit seinem Drachen zu eurem Hof geflogen, aber als er dort angekommen war, fand er nur noch Trümmer vor. Wir mussten davon ausgehen, dass wir zu spät waren“, erklärte er heiser und sie sah ihre eigene Trauer in seinen Augen widergespiegelt.

„Mein Vater hat uns vor der Schlacht gewarnt. Er hat telepathisch Kontakt zu meiner Mutter aufgenommen. So konnten wir fliehen, bevor die Attentäter da waren“, erklärte Amara.

„Das sieht Benedict ähnlich“, schmunzelte Tirion kopfschüttelnd, doch die Trauer, in seiner Stimme war noch immer klar zu hören.

„Es ärgert mich, dass ich diese Möglichkeit nicht bedacht habe! Eine wirklich erstaunliche Wendung der Ereignisse“, erklärte er und räusperte sich, bevor er fortfuhr: „Ich bin gespannt, wann wir dich auf einem Drachen sehen, deine Ankunft auf Kaida mal abgesehen. Deine Magie ist stark genug für eine Verbindung mit einem Drachen und wie du weißt, kann das nicht jeder Magier von sich behaupten.“ Der Themenwechsel war eindeutig beabsichtig gewesen, aber er kam ihr durchaus gelegen.

„Ich bin noch immer mehr als erstaunt über meine Ankunft hier. Kaida war, sagen wir mal, nicht gerade begeistert davon, mich mitzunehmen“, gab sie zu und musste bei der Erinnerung ein Schaudern unterdrücken.

„Und das war vermutlich noch eine Untertreibung.“

„Das kann ich mir gut vorstellen“, sagte Tirion nachdenklich. „Kaida ist ein wirklich mächtiger Drache, vielleicht einer der Mächtigsten der noch existiert, seit wir Dorchadas verloren haben. Doch ebenso wie ihr Gefährte es war, ist sie oft stur und unberechenbar. Dass der Junge sie überzeugen konnte, einen Umweg zu riskieren und einen Passagier mitzunehmen, hat selbst mich erstaunt. Dementsprechend musss sie etwas in dir gesehen haben.“ Er machte eine bedeutungsvolle Pause und Amra verzog die Lippen zu einem leichten Schmunzeln, darüber, dass er Kieran als `Junge´ betitelt hatte. Natürlich waren Kieran und sie im Gegensatz zu den meisten Drachenreitern jung. Viele von ihnen waren wahrscheinlich schon Jahrhunderte alt, doch trotzdem kam es ihr irgendwie seltsam vor.
„Wie alt ist Tirion eigentlich?“, fragte Amara sich und musste zu ihrer Unzufriedenheit einsehen, dass sie sich nicht mehr erinnerte. *„Er müsste ungefähr im selben Alter, wie meine Eltern gewesen sein. Also ist er jetzt vermutlich schon weit über hundert“*, grübelte sie. Bei einem Drachenreiter und auch bei den meisten anderen Magiern, war das Alter schwer vorherzusagen. Schließlich alterten sie durch die Magie viel langsamer als normale Menschen.
„Das du genug Magie besitzt, um einem vorbeifliegenden Drachen auf dich aufmerksam zu machen, wissen wir ja bereits. Doch die Frage, die sich mir stellt ist, ob du diese Gabe auch kontrollieren kannst“, erläuterte Tirion und sah sie an, als ob er eine Antwort von ihr erwarten würde. Amara verlagerte nervös ihr Gewicht auf dem Stuhl, bevor sie wahrheitsgemäß antwortete: „Ich

schaffe es nicht mal, ein Runenlicht richtig heraufzubeschwören, geschweige denn irgendeinen wirklich nützlichen Zauber. Der Drache muss sich geirrt haben, oder ein anderer Magier war vielleicht zufällig in der Nähe. Ich besitze weder außerordentlich mächtige Magie noch Kontrolle“, gab sie leicht niedergeschlagen zu.

„Ich glaub du unterschätzt dich. Deine Eltern waren beide außergewöhnlich mächtige Magier. Es würde mich sehr wundern, wenn du diese Gabe nicht von ihnen geerbt hast! Und Kaida irrt sich nicht. Oh, und eine Sache solltest du dir merken, wenn du dich hier aufhältst. Drachen irren sich nicht und sind sehr schnell beleidigt, vor allem eine bestimme Drachendame, die du bereits kennengelernt hast. Also solltest du diesen Satz besser nicht wiederholen, zumindest nicht in ihrer Gegenwart, wenn wir dein Leben lieb ist. Und nur, weil die Magie sich dir nicht offenbart hat, heißt das nicht, dass sie nicht da ist. Aber das, werden wir vermutlich noch herausfinden“, erläuterte er und legte einen Zettel auf dem Tisch.

„Ich werde es mir merken“, erwiderte Amara mit einem entschuldigenden Lächeln, doch wirklich glauben konnte sie es nicht. *„Warum sollte ich irgendwelche große Macht haben, wenn ich nicht mal die einfachsten Zauber hinbekomme?“*

Die schwere Holztür des Büros flog wie von Zauberhand knarzend auf und helles Licht fiel von der Halle hinein. Es war ein komischer Gedanke, dass Tirion wie die alten Drachenreiter unterrichtete und nicht mehr selbst auf Einsätze flog. Natürlich machte es Sinn,

trotzdem konnte Amara ihn sich nicht vor einer Klasse junger Magier vorstellen.
Als sie in die Halle trat, suchten ihre Augen nach Lynn. Sie entdeckte sie auf einer Bank zwischen den übrigen Personen in ihrem Alter beim Frühstücken. Lynn hob die Hand und wirkte sie zu sich herüber, als sie sah, dass Amara wieder zurückgekehrt war. Ihre Schritte hallten unangenehm laut auf dem Steinboden der hohen Halle, als sie zu der kleinen Menschengruppe hinüberging.
„Setz dich zu uns", sagte Lynn fröhlich und klopfte auf den freien Platz neben sich. Noch bevor Amara sich ganz hingesetzt hatte, fing Lynn aufgeregt an, die Anderen vorzustellen. Die junge Frau neben Lynn stellte sich als Ilaria vor und gab ihr mit einem strahlenden Lächeln die Hand. Ihre glatten goldfarbenen Haare fielen ihr wie ein Wasserfall über die Schultern und sie sah Amara unverhohlen neugierig an.
Im Gegensatz zu den Anderen, die eher dunkle und gedeckte Farben trugen, stach sie mit ihrer leuchtend grünen Tunika hervor – wie ein Paradiesvogel.
Auf Lynns anderer Seite saß Elaena und gegenüber von ihr saßen Ethan und dessen Bruder Adrian. Ethan war, so wie Lynn, schon von einem Drachen auserwählt worden und somit ein richtiger Reiter. An ihrem Tisch waren sie die Einzigen.
Ilaria und Elaena würden kommendes Frühjahr die Chance bekommen, ausgewählt zu werden. Adrian musste noch bis zu seinem zwanzigsten Geburtstag im nächsten Jahr warten. Vorrausetzung für die Teilnahme

an der Aufnahme war nicht nur die nötige Magie, sondern auch die Volljährigkeit.
Sie sprachen durcheinander und fielen sich immer wieder gegenseitig ins Wort, so dass es Amara schwerfiel, der Unterhaltung zu folgen. Sie lauschte konzentriert den Erklärungen, bemüht sich alles zu merken. Auch wenn sie wusste, dass sie die Hälfte bis zum Mittag vermutlich wieder vergessen hatte und aß beim Zuhören das Brot und Obst auf ihrem Teller. Eine Sache machte sie aber neugierig genug, um die Vorstellungsrunde kurz zu unterbrechen.
„Wartet kurz“, unterbrach Amara sie.
„Wenn Lynn und Ethan schon Reiter sind, habt ihr dann auch Kräfte? Also so richtige wie Eis, Feuer oder sowas?“ Lynn lächelte sie an und schmunzelte.
„Ich habe mich schon gefragt, wann du danach fragst.“ Ihre Augen funkelten strahlend hell, ein eindeutiges Zeichen dafür, dass sie gerade Magie gebrauchte. Als sie eine kurze Bewegung mit ihrer linken Hand machte, zog mit einem Mal eine leichte Böe durch die Halle und verebbte gleichzeitig mit dem Leuchten in ihren Augen. Lynn lächelte stolz und deutete eine kleine Verbeugung an.
Amara sah sie erstaunt an. Natürlich war ihr klar, dass jeder Reiter eine spezielle Kraft hatte, doch es zu sehen war nochmal etwas völlig anderes, als davon zuhören oder zu lesen.
„Du bist eine Luftbändigerin!“, stellte sie begeistert fest, „das ist ja der Wahnsinn!“

Ihr Blick wanderte erwartungsvoll zu Ethan. Er sah sie an und sagte schulterzuckend: „Für meine Kräfte müssen wir rausgehen. Sonst gibt es wieder Ärger." Verwundert sah sie ihn an und Ilaria drehte sich zu ihr und flüsterte: „Er kann Stein kontrollieren. Nachdem seine Kräfte zum ersten Mal zum Vorschein gekommen sind, brauchten wir fast eine Woche, um sie abzutragen."

Amara sah sie verwirrt an und fragte: „Was meinst du mit ‚abtragen'?"

„Es sind Felsen aus dem Boden geschossen, hier in diesem Saal", sagte Ilaria und streckte die Arme aus wie um eine Explosion oder in diesem Fall wachsende Felsen darzustellen.

„Sprichst du gerade über mich?", fragte Ethan von der anderen Seite des Tisches. Ilaria zuckte mit den Schultern und sagte: „Ja, wenn du selbst so ein Geheimnis draus machst." Ungerührt fing sie an ihr Frühstück weiter zu essen.

Er sah Ilaria gespielt entrüstet an und sagte: „Na toll, jetzt hast du den Wow-Effekt zerstört."

Sein Versuch ein schelmisches Lächeln zu unterdrücken gelang nicht und die Beiden sahen sich kurz an, bevor Ilaria den Blick leicht errötend abwandte und sich eine Strähne ihres goldenen Haares aus dem Gesicht strich.

„Die Anderen nehmen dich gleich mit. Wir müssen los, zum Flugtraining. Die Drachen und die Crawford warten nicht gerne", sagte Lynn entschuldigend und Ethan fügt leise hinzu: „Ich weiß ehrlich gesagt nicht wer von Beiden schlimmer ist."

Sie verabschiedeten sich kurze Zeit später mit einem Blick auf die Uhr und durchquerten die Halle, zusammen mit weiteren Reitern, die Amara nicht kannte. Trotzdem war die Halle immer noch dicht gefüllt mit Menschen.

„Sind das etwas schon alle Reiter?“, fragte Amara etwas verwundert, ohne sich explizit an Jemanden zu wenden. Sie blickte der kleinen Truppe, die jetzt den Raum verließ, irritiert hinterher. Ilaria legte ihr Brot zu Seite und schaute sie ernst an.

„Oh nein, das sind zum Glück nicht alle. Es gibt ein paar Außenposten, die von älteren Reitern bewacht werden und abgesehen davon sind hier im Saal auch noch ein paar weitere. Abgesehen von Astoria, Tirion und den anderen Ausbildern hier, sind die meisten Reiter jedoch noch jung und in der Ausbildung. Die erfahrenen Drachenreiter verteilen sich auf einige Außenposten in den Bergen. Lynn und Ethan hatten nur das Pech, morgens das erste Training des Tages zu müssen. Da hinten, die an dem Tisch –“, sie zeigte auf eine Gruppe von drei Frauen in ungefähr ihrem Alter. „das sind auch Reiter, aber sie müssen erst später auf´s Flugfeld.“

Ihr Blick folgte Ilarias Finger. Die junge Frau in der Mitte sah feindselig zu ihnen hinüber, als sie ihren Blick bemerkte. Sie saßen aufrecht und stolz an dem Tisch. Neben ihnen war jeweils ein Platz frei, als ob die übrigen Bewohner der Burg Abstand zu ihnen wahren würden.

„Die in der Mitte scheint die Anführerin der Gruppe zu sein“, überlegte Amara und musste feststellen, dass sie ihr unsympathisch erschien. Die junge Frau strahlte eine

natürliche Autorität aus. Doch ebenso so sehr ging von ihre eine Kälte aus, die Amara nicht beschreiben konnte. Ihr mahagonibraunes Haar, welches sie schulterlang trug, war zusammengebunden und glänzte im Morgenlicht. Unter der Tunika zeichneten sich Muskeln ab, vermutlich vom jahrelangen Training. Trotz dessen wirkte sie elegant und hoheitlich. Sie sprach grade zu den zwei Frauen und als ihre dunklen braunen Augen, die ihren trafen, lief Amara ein kalter Schauer über den Rücken. Der Blick, der sie traf, hatte nichts Freundliches in sich. Schnell wandte sie den Kopf ab und sah sich am Tisch um.

„Was ist denn mit denen los?“, fragte Amara leise und nickte in die Richtung des Trios.

„Ach, die halten sich nur für was Besseres, weil sie von höherer Geburt sind. Adelige. Ignorier es einfach“, antwortete Elaena und verdrehte dabei die Augen.

„Die in der Mitte, Daciana, ist die Tochter irgendeines mächtigen Lords. Er hat sie hierhergeschickt, als ihre Magie zum Vorschein kam und unterstützt die Rebellion seither im Geheimen, sagt man. Und seit Kieran sich im letzten Jahr von ihr getrennt hat, ist sie noch unerträglicher als zuvor. Halt dich besser von ihr fern, sie ist eine Wasserbändigerin und eine Mächtige noch dazu!“, fügte Elaena hinzu.

Ilaria stieß ihr leicht den Ellenbogen in die Rippen. „Sei nicht so gemein, das war bestimmt nicht leicht für sie“, sagte Ilaria mit einem nachdenklichen Blick in Dacianas Richtung.

„Ach komm schon, die Eisprinzessin hat doch nie auch nur ein einziges freundliches Wort mit uns gewechselt!", sagte Elaena und verdrehte die Augen über Ilarias Bemerkung.

6

Ilaria, Adrian und Elaena führten sie durch die verwinkelten Flure. Dieser Teil der Burg kam ihr nicht bekannt vor und Amara war sich einhundert Prozent sicher, dass sie sich allein hier hoffnungslos verlaufen hätte.

Der Ostflügel der Burg, in dem die ursprünglichen Quartiere, der in Anruin ansässigen Reiter gewesen waren, war ihr aus ihren Kindertagen bekannt. Doch dieser lag noch immer zum Teil in Trümmern.

Der Westflügel hingegen war weitestgehend verschont geblieben. Zumindest, soweit sie es gestern bei ihrer Ankunft hatte beurteilen können. Die Festung schmiegte sich im Westen an den Berg, sodass hauptsächlich die Ostseite den Angriffen ausgesetzt gewesen war.

Der Raum, in den sie kamen, war an den Wänden mit Holz getäfelt und wurde von magischen Lampen erleuchtet, wodurch der Raum in ein angenehm warmes Licht getaucht wurde. Auch dieser ehemalige Ratsraum war zweckentfremdet worden, um hier zu unterrichten. Wie in einem Klassenraum waren überall Stühle und Tisch verteilt. Die Wand war zudem mit einer dunkelgrünen Kreidetafel bedeckt. Die Stühle und Tisch waren alle etwas verschieden, stellte Amara fest. Vermutlich hatte man sie aus der gesamten Festung

zusammengesucht, um dieses Ensemble zu erstellen. Diesen Teil der Burg hatte sie definitiv noch nie zuvor betreten, so viel stand fest.
Einige Leute waren schon da, ihre Unterhaltungen endeten allerdings abrupt, als Amara den Raum betrat. Eine Gruppe von Fünf saß in der hinteren Reihe, weitere Leute saßen vereinzelt in den Reihen davor. Ilaria winkte ihnen freundlich zu.
„Kommen noch mehr?“, fragte Amara verwundert. Der große Raum war für deutlich mehr Menschen ausgelegt, als sich jetzt hier befanden. Es hätten bestimmt vierzig bis fünfzig Personen hier Platz gefunden, wenn man genügend Stühle finden würde. Es war eine sonderbare Atmosphäre, so einsam in dem riesigen Raum.
„Nein, es sind alle da. Mit dir sind wir jetzt schon eine Person mehr als sonst. Natürlich ist der Raum für mehr Personen ausgelegt, wie dir vermutlich aufgefallen ist. Doch so viele Anwärter, gibt es nicht und die Ratssitzungen werden mittlerweile auch woanders abgehalten. Wir sind ja zudem nur die Novizen, die noch nicht von einem Drachen ausgewählt worden sind“, erklärte Ilaria. Amara zählte im Kopf die Personen im Raum und kam auf siebzehn mit ihr – wirklich nicht viele!
„*Wie viele Drachenreiter es hier wohl gibt und wie viele sind es noch an anderen Stützpunkten der Rebellen?*“, überlegte sie gerade – ihre Überlegungen wurden jedoch durch das Klappern von Holz auf dem Steinboden unterbrochen. Nun wusste sie, wer dieses Fach unterrichtete. Eigentlich hätte es ihr klar sein müssen, Tirion war schon früher einer der mächtigsten Magier seiner Zeit gewesen.

Seine Gabe, die Telekinese, war zwar eine der Weiterverbreitesten und auch sein Drache, Eryndor, war nicht sonderlich groß oder mächtig – doch mit Fleiß und Geschick hatten sie sich einen Platz unter den mächtigsten Kämpfern ihrer Zeit bestritten. Er beherrschte die kleinen Künste, wie kein Zweiter. Die Beiden hatten dadurch selbst mit den mächtigen Drachenreiterpaaren mithalten können und sich ihren Platz in der Führungsriege erarbeitet.

Es machte nur Sinn, dass er die angehenden Reiter in der Magie schulte. Zu ihrer Erleichterung sah er davon ab, Amara als `die Neue´ vorzustellen und ging direkt zum Unterricht über.

Wie Ilaria erklärte, waren die zwei Stunden in Theorie und Praxis aufgeteilt. Die Theorie der Magie und Naturgesetze waren ihr beinahe unbekannt, stellte Amara frustriert fest und notierte sich so viel wie möglich auf dem Papier, dass Elaena ihr gegeben hatte. Mit geschwungenen Buchstaben schrieb sie das heutige Datum auf die obere Seite des Blattes und in die Mitte *`Quellen der Magie´*.

„Wie ihr vermutlich wisst, wird die Fähigkeit Magie auszuüben in vielen Fällen vererbt. Ohne diese grundlegende Fähigkeit ist es nicht möglich das magische Band einzugehen, welches uns mit einem Drachen verbindet. Welche Quellen der Magie gibt es noch, außer den Drachen?“, fragte Tirion in die Runde. Es herrschte kurz ein betretendes Schweigen, dann sagte Adrian: „Man kann Magie aus Objekten ziehen, die vorher damit aufgeladen wurden. Besonders gut funktionieren Edelsteine.“

Es kamen nach und nach immer mehr Vorschläge auf und nach einer Stunde war, ihr Papier zum Großteil vollgeschrieben. Tirions Blick ruhte erwartungsvoll auf ihr und Amara wusste sofort, worauf er hinauswollte. Sie versuchte so zu tun, als ob es ihr nicht auffiel, doch vergebens.

„Mindestens eine Magiequelle wurde noch nicht genannt", sagte er und sah Amara dabei direkt in die Augen. Jetzt bemerkte auch der Rest seinen Blick und sie wurde von einigen Augenpaaren angestarrt.

„Hexen sind als Einzige dazu im Stande die Magie aus der Natur selbst zuziehen. Dafür brauchen sie direkten Körperkontakt zur Erde. Sie können alle Elemente – bis auf Feuer – kontrollieren. Das Einzige, was sie dabei einschränkt, sind die Grenzen ihres eigenen Körpers", erklärte Amara resignierend und sah das Tirion mit ihrer Antwort zufrieden war. Er erläuterte ihre Ausführung noch weiter und ging auf weitere Arten ein, Einfluss auf die Magie zu nehmen.

Amaras Kopf rauchte nach kurzer Zeit, vor Informationen und auch der zweite Teil der Stunde wurde nicht besser für sie.

Tirion trug ihnen auf, einen Stein schweben zulassen. Der Quarz, der vor ihr auf dem Tisch lag, bewegte sich keinen Millimeter. Egal, wie konzentriert sie ihn anstarrte. Jede Pore des rundlichen Kristalls war klar vor ihren Augen, doch wie sehr sie sich auch konzentrierte, es passierte nichts. *„Mist!"*

Mit einem Blick durch den Raum stellte sie fest, dass sie nicht alleine war. Einem jungen Mann in einer der hinteren Reihe lief das Gesicht vor Konzentration rot an und dennoch tat sich auch bei ihm nichts. Ilaria hingegen fiel es augenscheinlich recht leicht, den Stein vor sich in der Luft schweben zu lassen. Frustriert steckte Amara den Quarzbrocken in ihre Tasche und folgte Ilaria und den Anderen nach draußen.

Sie verabschiedete sich von ihnen, als sie wieder an der großen Halle rauskamen und Amara ihre Orientierung zurückhatte.

„Pass auf, dass du nicht zu spät zum Kampftraining kommst! Marlowe versteht, was das angeht, echt keinen Spaß!", rief Adrian zum Abschied, als Amara die Halle durchquerte und die Wege sie immer tiefer in die Burg führten. Sie folgte ihnen so lange, bis sie vor dem schmalen Durchgang stand, den sie gesucht hatte.

Die steinerne Wendeltreppe wurde nur noch von magischen Lichtern beleuchtet, denn das Tageslicht drang nicht bis hierher vor. Amara musste kurz blinzeln, bis sich ihre Augen an die veränderten Lichtverhältnisse gewöhnt hatten.

Sie hatte die Bibliothek erreicht – einen Ort, den sie schon immer geliebt hatte. Hier gab es die perfekte Vorrausetzung für die alten und seltenen Bücher Anruins – wenig Tageslicht und geschützt vor den Drachen. Feuer und Papier vertragen sich logischerweise nicht sonderlich gut.

Die Erbauer der Burg hatten dies schon vor Jahrhunderten bedacht und die Bibliothek bewusst unterirdisch angelegt. Dieser kluge Schachzug hatte die Sammlung von Büchern und Aufzeichnungen schon einige Male vor der Vernichtung gerettet. Den Brand während der Schlacht vor zehn Jahren, hätten die Bücher ansonsten vermutlich nicht überlebt. So wären Jahrhunderte von Wissen verloren gegangen. So nahe am Drekafjall waren Angriffe und Brände nicht ungewöhnlich, nur die dicken Steinmauern schützten vor der Vielzahl an Gefahren.

Amara durchquerte den Flur und stand vor einem massiven hölzernen Pult, welches den Eingang der Bibliothek markierte. Sie sah sich um, doch es war keine Menschenseele in Sicht. Der kleine Schreibtisch war, zu ihrem Erstaunen, über und über mit Zetteln und Büchern bedeckt.

„Wer soll denn bei diesem Chaos was finden?“, dachte sie kopfschüttelnd. Amara rief einmal, zweimal – und ihre Stimme hallte in den riesigen Katakomben der Bibliothek wider.

Einen Moment lang geschah nichts und sie wollte schon wieder gehen. Doch dann hörte sie plötzlich Schritte zwischen den unzähligen Regalen. Erst leise, dann wurden die polternden Geräusche immer lauter und näher.

„Bin schon unterwegs!“, rief eine ärgerliche Stimme und kurze Zeit später kam Darius, der Schriftgelehrte und Hüter der Bücher, zwischen den Regalen zum Vorschein. Der alte Mann klopfte sich den Staub von der Tunika und zeterte: „Nie kann man in Ruhe arbeiten. Weißt du eigentlich, wie viel Arbeit es macht alle Bücher zu entstauben? Natürlich nicht, die Jugend von heute macht sich um so etwas einfach keine Gedanken mehr. Ist dir überhaupt klar, was Staub und Dreck mit Büchern

anrichten kann?“ Der alte Mann hatte das Gesicht missmutig verzogen. Seine grauen, fast weißen Haare standen ihm zu Berge und die Stirn war in Falten gelegt, als er sie skeptisch musterte.
„Es ist auch schön dich wiederzusehen, Darius“, begrüßt sie den alten Mann und schenkte ihm ein honigsüßes Lächeln. „Und nachdem ich die letzten Monate, in einem Antiquariat mit vielen Büchern gelebt habe, weiß ich tatsächlich, wie viel Arbeit das ist.“
Darius sah sie erstaunt über die Ränder seiner Brille hinweg an, überlegte und fragte dann: „Sollte ich dich kennen? Denn offensichtlich kennst du mich.“
Er sah Amara nachdenklich an und fuhr dann ein wenig höflicher fort: „Ich bin in letzter Zeit so vergesslich! Du musst entschuldigen, wenn ich deinen Namen nicht kenne.“ Darius wartete definitiv darauf, dass sie ihn aufklärte, stellte sie fest und so tat sie ihm den Gefallen.
„Mein Name ist Amara Hawthorne. Aber du wirst dich bestimmt nicht erinnern, dafür ist es vermutlich zu lange her“, klärte Amara den alten Bibliothekar auf. Er sah sie einen Moment mit gerunzelter Stirn an, wie um die Information zu verarbeiten und murmelte: „Hawthorne. Amara?“ Dann plötzlich traf ihm die Erkenntnis. Darius sah sie mit großen Augen an.
„Natürlich! Ja, jetzt weiß ich es! Aber du warst doch gerade mal…“ Er hielt die Hand vor sich auf Brusthöhe. „So groß.“
Den Blick auf Amara gerichtet, versuchte er das kleine Mädchen von damals in ihr zu erkennen und schüttelte fassungslos den Kopf.

„Du siehst deinem Vater wirklich ähnlich“, stellte Darius erstaunt fest und fragte dann: „Was für Bücher suchst du denn?“
„Ich glaub´, ich kann jegliche Einstiegswerke gebrauchen, die es gibt“, antwortete sie wahrheitsgemäß.
„Alle werden, glaube ich, unmöglich zu tragen sein! Ich suche dir erstmal eine Auswahl raus. Wenn du damit fertig bist, kannst du ja neue holen“, sagte er und zog, vor sich hin murmelnd, los.
Es dauerte eine ganze Weile, bis der alte Mann zwischen den Regalen wieder zum Vorschein kam. Vollgepackt mit Büchern kam er zurück und legte den beachtlichen Stapel vor sich auf dem Pult ab. Zettel und Federn flogen wild durch die Gegend, als der Bücherstapel mit einem dumpfen Knall auf dem Pult landete.
„Berücksichtigt man deine Aussage von vorhin, gehe ich davon aus, dass du weißt, wie man ordentlich mit Büchern umgeht. Aber nur um Sicher zugehen: Ich möchte keine Segelohren, Flecken oder Risse sehen!“, ermahnte er Amara und schob ihr den Stapel Bücher herüber. Sie nickte und nahm die Sammlung entgegen. Bevor Amara sich umdrehte und in Richtung Treppe ging, verabschiedete sie sich von Darius und dankte ihm für die Leihgabe. Der Bibliothekar winkte ab und Amara machte sich auf den Weg zurück, in die oberen Etagen der Burg. Die Bücher unterm Arm war die Wendeltreppe nun eine echte Herausforderung für sie. Sie war kaum in der Lage, über den hohen und noch dazu wackeligen Stapel zu blicken. Wie durch ein Wunder schaffte sie es ohne Zwischenfall nach oben und trat ins Tageslicht, das durch

die großen Fenster fiel. Von der plötzlichen Helligkeit der Sonne geblendet, ging Amara um die Ecke und stieß mit etwas, oder besser gesagt, mit jemandem zusammen. Sie verlor das Gleichgewicht und riss die Arme instinktiv hoch, um sich abzufangen. Die Bücher flogen wild durch die Luft und eine starke Hand packte ihr Handgelenk, bevor sie zu Boden fiel. Von einem Moment auf den anderen wurde ihr Fall gestoppt, sie wurde zurückgeschleudert und stieß mit ihrem Retter zusammen. Erschrocken trat Amara einen Schritt zurück und sah Kieran direkt ins Gesicht.

„Wie kommt es eigentlich, dass ich dich jedes Mal retten muss, wenn wir uns treffen?“, fragte er amüsiert. „Und das, solltest du Darius lieber nicht sehen lassen“, fügte er, mit einem Blick auf die auf dem Boden verteilten Bücher, hinzu. Amara merkte, wie ihr das Blut ins Gesicht stieg und sie rot wurde. *„Macht er sich gerade wirklich über meine Situation lustig?“*, fragte sie sich erschüttert.

„Hättest du nicht im Weg gestanden, wäre das nicht passiert. Hilfst du mir jetzt, oder nicht?“, blaffte Amara ihn jetzt etwas ärgerlich an. Sein Anblick brachte sie zur Weißglut. Vor allem, wenn er sie so anlächelte wie jetzt und sie wusste nicht wieso. Amara bückte sich und fing an, die Bücher wieder einzusammeln. Kieran tat es ihr, zu ihrem Erstaunen, gleich.

Gemeinsam hatten sie kurze Zeit später alle Bücher wieder eingesammelt. Beide, mit jeweils einem kleinen Haufen Bücher in der Hand, richteten sich auf. Mit einem Mal waren eilige Schritte auf dem Steinboden zu hören.

„Kier, kommst du jetzt? Man, ich habe dich überall gesucht. Wir müssen los, die Drachen warten nicht gerne und das weißt–!“ Die Stimme verstummte plötzlich, als ihr Besitzer zum Vorschein kam. Den jungen Mann, der jetzt vor ihnen stand, hatte sie heute Morgen schon gesehen. Er hatte beim Frühstück mit Kieran an einem Tisch gesessen. Sein Mund kräuselte sich zu einem Lächeln und er öffnete ihn gerade, um etwas zu sagen, als Kieran ihn schon unterbrach.
„Egal, was du jetzt sagen willst, Aiden, tu es besser nicht!“, warnte er und Aidens Lächeln wurde noch breiter.
„Was denkst du denn von mir, mein Freund. Ich wollte mich doch nur vorstellen. Es kommt ja nicht jeden Tag vor, dass die Tochter eines Reiters hierherkommt und noch dazu eine so hübsche Magierin“, sagte er charmant und richtete sich jetzt an sie. „Aiden Mallory, es ist mir eine Ehre, deine Bekanntschaft zumachen.“
„Wie ich sehe, eilt mein Ruf mir voraus. Amara Hawthorne“, stellte sie sich vor und erwiderte sein Lächeln. Aiden war erstaunlich groß, stellte Amara verwundert fest. Er überragte Kieran um bestimmt einen Kopf. Seine haselnussbraunen Locken standen etwas wild ab, als ob er durch die halbe Burg gehetzt wäre.
„Wir müssen jetzt aber leider los, denn ich habe nicht vor, geröstet zu werden, nur weil der hier –“, sagte er mit einer Geste etwas anklagend in Kierans Richtung. „Die Zeit vergessen hat und ich ihn suchen musste. Bei unserem nächsten Treffen wird hoffentlich mehr Zeit

sein!“, erklärte er mit einem entschuldigenden Lächeln und nahm Kierans Arm.
„Geh ruhig schonmal vor, ich komm sofort“, sagte dieser aber zu ihrer Verwunderung und hielt den Bücherstapel hoch, den er immer noch in den Händen hielt.
„Astoria wartet drauf, dass du ihr mit dem Flugtraining, der Novizen hilfst!“, setzte Aiden an, brach dann aber ab und sagte schulterzuckend: „Wie du meinst. Ich habe schließlich nicht die rote Furie als Partner.“
Er wandte sich schnellen Schrittes zurück in die Richtung, aus der er gekommen war. Amara sah Kieran erstaunt an und sagte: „Ist schon in Ordnung...“
Sie wollte noch etwas hinzufügen, doch er unterbrach sie: „Was wäre ich bitte für ein Gentleman, wenn ich dich die ganzen Bücher allein tragen lassen würde. Und abgesehen davon wollen wir ja nicht, dass du noch jemanden damit über den Haufen rennst.“
Amara hatte schon eine Erwiderung auf den Lippen, verkniff es sich aber doch und ging voran. Hilfe konnte sie gerade wirklich gut gebrauchen, wenn sie ehrlich war. Und doch machte sie sich etwas Sorgen wegen der möglichen Bestrafung, für seine Verspätung. Das schlechte Gewissen übermannte sie und daher beschleunigte sie ihre Schritte.
„Die rote Furie?“, fragte sie jetzt doch neugierig geworden.
„Kaida“, erklärte Kieran und schürte die Lippen, als wenn ihm die Beschreibung nicht gefiel, auch wenn er sie nicht abstreiten konnte.

Die Treppe, die sie zu ihrem Zimmer hinaufführte, war schmal und steil. Zu ihrem Glück kam ihnen niemand entgegen, so dass sie ohne einen weiteren Vorfall ihr Zimmer erreichten. Amara öffnete die Tür und legte ihre Lektüre auf dem Schreibtisch hinter der Tür.
„Danke“, sagte sie leise und sah Kieran an.
Er lächelte und antwortete: „Habe ich gerne gemacht.“
Sie nahm ihm die Bücher aus der Hand und für einen Moment berührten sich ihre Finger. Ihr Blick flog zu seinem Gesicht hinauf und blieb dort einen Moment haften, bevor sie sich an sein Training erinnerte.
„Schaffst du es jetzt noch pünktlich ins Tal?“, fragte Amara erschrocken. *„Das kann er unmöglich schaffen!“*, stellte sie mit einem Blick auf die Uhr fest. Der Weg war viel zu weit und der Gedanke behagte ihr ganz und gar nicht.
„Mach dir keine Sorgen, ich kenn da eine Abkürzung“, erwiderte Kieran mit einer wegwerfenden Handbewegung und noch ehe sie begriff, was vor sich ging, wurden die Schatten unter seinen Füßen länger und er verschwand in einer dunklen Wolke aus Asche. Diese löste sich Sekunden später auf, wie Nebelreste, die von dem heranbahnenden Tag vertrieben wurden. Nur ein Moment war vergangen, doch Kieran war fort. Es war, als wäre er nie hier gewesen.
Amara stand allein vor ihrem Zimmer. Immer noch erstaunt darüber, was gerade passiert war trat sie vor und legte die Bücher, die er getragen hatte, in ein leeres Fach im Bücherregal. Ein erneuter Blick auf die Uhr an der Wand verriet ihr, dass sie eigentlich schon längst auf

dem Weg zum Innenhof sein sollte, wo das Kampftraining stattfand.
„Der Ausflug in die Bibliothek hat doch deutlich länger gedauert, als erwartet“, stellte Amara ärgerlich fest.
Eilig schritt sie den Flur und die Treppe hinunter, als ihr Blick auf das Fenster fiel und dort für einen Moment verweilte. Fasziniert beobachtete Amara, wie gerade einige Drachen beim Starten über das Tal schossen und mit jedem Flügelschlag an Höhe gewannen. Ein strahlendblauer Drache führte das Geschwader an.
Sie erkannte den riesigen dunkelroten Drachen sofort. Zwischen den anderen geflügelten Kreaturen stach sie nicht nur wegen ihrer schieren Größe, sondern auch wegen der weinroten Färbung ihrer Schuppen hervor. Außer Kaida befand sich noch ein kleinerer orangener Feuerdrache in der Gruppe. Den Farben nach zu urteilen, handelte es sich bei den restlichen um Wald- und Winddrachen, vielleicht war auch der ein oder andere Wasserdrache dabei. Doch diese waren selten in dieser Region, überlegte sie und beobachtete die Gruppe noch für einen Moment, bevor sie zwischen den Wolken verschwanden. Wie aus einem Traum erwacht, erinnerte Amara sich, dass sie zuvor schon spät dran war und eilte die Treppe weiter runter.

7

Endlich im Innenhof angekommen, stellte Amara erleichtert fest, dass deutlich mehr Menschen hier versammelt waren, als erwartet. Es waren nicht nur angehende Drachenreiter, sondern Menschen jeder Altersgruppe, vertreten. Sie erkannte vor allem Soldaten, Magier und Söldner der Rebellion, die ihre Fähigkeiten verbessern wollten.

Gemeinsam trainierten sie hier verbissen für die kommenden Schlachten. Jeder von ihnen schien zu wissen, wie essenziell diese Fähigkeiten für das eigene Überleben sein würden. Es herrschte eine Aura der Konzentration und nur das Klirren der Waffen war zwischen den steinernen Mauern, zu hören.

„*Vielleicht fällt meine Verspätung in der Menschenmenge gar nicht auf*“, dachte sie noch optimistisch, als der Blick des Professors jedoch direkt auf sie fiel. Schlagartig verpuffte jede Hoffnung darauf, sich ungesehen der Menge anzuschließen. Sie hatte den Mann, der das Kampftraining beaufsichtigte, noch nie gesehen. Ilaria hatte gesagt, dass er Marlowe hieß, erinnerte sich Amara und versuchte, seinem Blick standzuhalten. Seine dunkelblonden Haare waren kurz geschnitten und seine Augen starrten durch die Menge genau in ihre mit einem Ausdruck, der nichts Gutes verhieß. Mit einem süffisanten

Grinsen im Gesicht, sagte er: „Hawthorne richtig, oder? Würden Sie bitte nach vorne treten. Es ist Zeit, für eine Beurteilung Ihres Wissens.“ Und jetzt war ihr klar, was dieser Blick vorhin bedeutet hatte. Hierbei handelte es sich um eine Bestrafung, für ihr zu spätes Erscheinen. Zu ihrem Leidwesen offenbarte sich ihr kein Weg, dieses Problem zu umgehen. Egal, wie sie es drehte und wendete, Amara fiel kein Plan ein, der sie retten könnte. Sie würde vor allen hier Versammelten kämpfen müssen und vermutlich in wenigen Sekunden geschlagen sein. Mit wildschlagenden Herzen trat sie vor.

In der Mitte des Kreises, den die Menschenmenge gebildet hatten, stand ihr eine junge Frau gegenüber.

„Na toll“, dachte sie resigniert. Es musste natürlich Daciana sein. Mit einem höhnischen Grinsen sah diese an ihrem Körper hinab und Amara wurde sich ihrer Schwächen schmerzlich bewusst.

Der Professor wandte sich warnend an Daciana und sagte: „Denk dran. Keine Magie, keine Waffen.“

Die Menschen traten einige Schritte zurück und gaben die Rasenfläche in der Mitte frei. Amara versuchte mit aller Kraft sich an das zu erinnern, was ihr Vater oder auch Tirion ihr vor so vielen Jahren angefangen hatte, beizubringen. Doch kein einziger Gedanke blieb hängen, es war einfach zu lange her und sie war zu nervös. Sie war zwar eine passable Kämpferin, doch gegen eine Soldatin – eine Drachenreiterin, die jahrelanges Training hinter sich hatte, würde Amara keine Chance haben, dass wusste sie.

Ihr Herzschlag dröhnte in ihren Ohren. So laut, dass sie befürchtete ihre Gegnerin könnte ihn hören. Daciana ging entspannt in eine Angriffsposition und fing an, sie zu umkreisen. Amara tat es ihr gleich. Einen Augenblick umkreisten sie sich, beobachteten einander. Dann griff Daciana an.
Mit einer Geschwindigkeit und einer Agilität, welche ihre Erwartungen noch übertrafen, schnellte ihre Gegnerin nach vorne. Ehe Amara richtig reagieren konnte, landete Daciana einen Tritt. Ihre Rippen schmerzten von dem Aufprall und sie biss die Zähne zusammen. Daciana holte erneut zum Tritt aus, doch diesmal gelang es Amara, durch einen schnellen Sprung zu Seite auszuweichen. Für den Bruchteil einer Sekunde war die Seite ihrer Gegnerin ungeschützt und Amara schlug zu. Ihre Hand schmerzte von dem Aufprall, als sie den Kopf ihrer Gegnerin traf. Sie umkreisten sich weiter und Amara lächelte ihre Gegnerin kurz an. Mit zusammengepressten Zähnen zischte Daciana: „Das wirst du bereuen.“ Ohne sich von den Worten beirren zu lassen sprang vor Amara, setzte erneut zum Schlag an. Doch sie wurde zu Boden gerissen. Der Aufprall war heftig. Die Luft wurde aus ihren Lungen gepresst, sodass es ihr für einen Moment den Atem verschlug. Daciana war direkt über ihr, erneut bereit zum Schlag. Sie stieß das Knie in die Luft und traf ihre Gegnerin im Magen. Daciana keuchte kurz und die Tränen stiegen ihr in die Augen. Einen kurzen triumphierenden Moment lang dachte Amara, sie könnte sich doch noch aus dem Griff befreien. Doch dann traf sie die Faust mitten im Gesicht. Ein

brennender Schmerz flammte auf und alles um sie herum wurde schwarz, als ihr Kopf auf dem Rasen aufschlug.

***

Amara öffnete flatternd die Augen und für einen Moment sah sie erneut Sterne, als sie sich aufsetzte. Ihr wurde wieder schwindelig. Ihre Hand tastete zu ihrem Kopf. Mit den Fingern strich sie sich das Blut vom Gesicht, welches drohte ihr ins Auge zulaufen. Erstaunt stellte Amara fest, dass sie am Rande des Innenhofes saß. Die Steinmauer war kalt in ihrem Rücken und ein Blick über den Innenhof verriet ihr, dass das Training normal weiter gegangen war. Die Gruppe hatte sich in mehrere Kleingruppen aufgeteilt, die nun gemeinsam im Hof, trainierten. Marlowe ging währenddessen zwischen den Gruppen auf und ab und gab hier und da Tipps. Elaena kam auf Amara zu und reichte ihr ein Glas Wasser.

„Fürs erste Mal, war es gar nicht so schlimm, aber es bedarf noch einiges an Training", sagte sie und klopfte ihr aufmunternd auf die Schulter. Sie reichte ihr eine Hand und zog sie mit Schwung auf die Beine. Bei der Bewegung pochte ein dumpfer Schmerz in ihrem Schädel, doch Amara folgte Elaena, bis sie schließlich am Rande eines Trainingsfeldes standen. Dort waren gerade zwei Personen in einem Kampf verwickelt. Eine Frau, dessen lange blonde Haare in einem Zopf zusammengebunden waren, stand mit dem Rücken zu ihnen und umkreiste ihren Gegner, einen jungen Mann. Er kam ihr

nicht weiter bekannt vor. Seinen Angriff wehrte die Frau mühelos ab. Sie packte ihn und schleuderte ihn mit einer Kraft, die sie der zierlichen Kämpferin nie zugetraut hätte, auf den Boden. Einen Augenblick später war sie wieder über ihm und verpasste ihm einen Schlag. Mit einer Drehung befreite der Mann sich aus ihrem Griff und jetzt erkannte Amara, die Kämpferin vor ihr.
Ilaria kämpfte mit einer Kraft und Verbissenheit, die sie von ihr nie erwartet hätte. Erstaunt und fasziniert sah sie zu, wie Ilaria ihren viel stärkeren Gegner erneut traf. Das Ganze ging einige Runden so weiter, bis Ilaria ihre Chance für einen finalen Schlag nutzen konnte. Ihr Gegner beging den Fehler, für einen Moment seine Deckung aufzugeben, um zum Schlag auszuholen. Einen Fehler, den er bereuen sollte. Ilaria traf ihn mit der Faust im Gesicht, sodass er mit einem dumpfen Knall zu Boden ging. *„Uff, das sah schmerzhaft aus!“*, bemerkte Amara mitleidig. Der Mann klopfte mit der Faust auf den Boden. Das Zeichen, dass der Kampf beendet war. Er hatte seine Niederlage anerkannt.
Ilaria streckte ihm die Hand entgegen, um ihm hochzuhelfen. Sie näherten sich schließlich wieder der kleinen Gruppe am Rande des Trainingsfeldes und Ilaria verabschiedete sich von ihrem Gegner.
„Dem hast du es gezeigt! Ein guter rechter Hacken war das!“, jubelte eine Frau aus ihrer Gruppe und klopfte Ilaria anerkennend auf die Schulter. Elaena stellte sie jetzt den restlichen Kämpfern aus ihrer Gruppe vor und Amara gab sich die größte Mühe, sich die Namen zu

merken. Vergeblich. Bereits nach einigen Minuten war ihr mindestens die Hälfte wieder entfallen.
Kurze Zeit später trainierte Amara mit einem Jungen namens Cadoc an defensiven Techniken. Trotz dem Beginn des Herbstes und den kälteren Temperaturen hier im Norden, lief ihr der Schweiß schon bald in Strömen über das Gesicht. Es forderte all ihre Konzentration, die Techniken, die sie zuvor trainiert hatten, im Kampf anzuwenden. Cadoc war nachsichtig mit ihr und schlug nicht fest zu, wenn Amara ihn mal nicht abblocken oder ausweichen konnte. Dafür war sie ihm sehr dankbar. So trainierten sie weiter, bis es Zeit fürs Abendessen war. Jeder Muskel in ihrem Körper schmerzte. Sowohl von den Schlägen und Tritten, die sie einkassiert hatte, als auch von den ungewohnten Bewegungsabläufen und dem Kraftverbrauch.
Sie waren nach dem Training als Gruppe zur großen Halle gegangen und saßen jetzt zusammen am Tisch, als auch Lynn und Ethan wieder zu ihnen stießen.
„Wieso seid ihr so lange weg gewesen? Wir hatten euch zum Kampftraining zurückerwartet“, fragte Ilaria vorwurfsvoll. In ihrer Stimme war jedoch auch ein Hauch Neugierde zu hören.
„Mensch Ilaria, lass uns doch erstmal in Ruhe essen und durchatmen. Ich bin am Verhungern!“, antwortete Ethan etwas entrüstet über ihre Ungeduld und zog seinen vollbeladenen Teller Suppe näher.
„Wie lief überhaupt euer Training?“, fragte Lynn ausweichend in die Gruppe und sah Amara erwartungsvoll an.

„Also ich habe Morgen definitiv Muskelkater! Aber vom Training sollte lieber jemand anderes erzählen, ich war bestimmt die Hälfte der Zeit bewusstlos“, gab Amara mit einem entschuldigenden Lächeln zu. Da klinkte Adrian sich ein und erzählte den Beiden, die nicht dabei gewesen waren, vom Training und er ließ keine Details aus.
„Marlowe hat ausgerechnet Daciana gegen sie in den Ring geschickt“, begann er seine Ausführung und fügte leise hinzu: „Ich glaub, dass war Absicht wegen der Verspätung.“ Adrian wollte gerade weiterreden, da legte Lynn den Löffel energisch zur Seite und unterbrach ihn.
„Ich habe euch doch gesagt, dass ihr sie mitnehmen sollt!“, schimpfte Lynn empört und sah entgeistert in die Runde.
„Schon gut, ich bin selbst schuld! Ich war in der Bibliothek und war nicht rechtzeitig zurück“, erklärte Amara und hoffte, dass es keinen Streit deswegen geben würde. Adrian, der versuchte, das Gespräch wieder in die ursprüngliche Richtung zu lenken sagte: „Aber sie hat auf jeden Fall länger bis zum K.O. durchgehalten als Ethan bei seinem ersten Kampf. Und jetzt erzählt uns endlich, wo ihr gewesen seid!“
Lynn seufzte und fing an zu erzählen: „Kurz nachdem wir aufgebrochen sind, teilte Aesira mir mit, dass Aeryn, Astorias Drache“, sagte sie mit einem Seitenblick auf Amara. „Eine Nachricht von einem Außenposten bekommen hat. Also sind wir dorthin aufgebrochen“, erklärte Lynn knapp und wollte wieder zum Essen übergehen, als Cadoc sie von der anderen Seite des Tisches

neugierig ansah und fragte: „Und worum ging es denn jetzt? Ihr könnt uns doch nicht so auf die Folter spannen.“

„Tut mir leid, aber mehr darf ich nicht erzählen“, sagte Lynn und zuckte entschuldigend mit den Schultern.

Amara nahm einen Löffel von der Kürbissuppe aus ihrem Teller und lauschte den Gesprächen, während die Müdigkeit immer weiter Besitz von ihr ergriff. Die warme leicht süßliche Suppe tat ihren müden Knochen gut und ein wohliges Gefühl breitete sich in ihr aus.

***

In ihrem Zimmer angelangt, murmelte Lynn etwas von einem anstrengenden Tag und legte sich bald drauf schlafen. Amara jedoch bekämpfte ihre Müdigkeit und zog eins der Bibliotheksbücher aus dem Regal. Es handelte von den verschiedenen Drachenarten. Sie suchte eine Packung Streichhölzer und zündete damit eine Kerze an. Sie verfluchte ihre unzulänglichen magischen Fähigkeiten, und begann zu lesen.

Es gab vier bekannte Drachenarten, welche sich in Kraft und Erscheinung unterschieden, so viel wusste sie.

Das Drekafjallgebirge beheimatete den größten Clan unter den Drachen, in dem außerdem die vier Drachenarten zusammenlebten. Innerhalb der Arten gab es wiederum Unterschiede, die sich stark auf die Macht des jeweiligen Drachen auswirkten. Auch das wusste sie bereits, bemerkte Amara und blätterte weiter. Sie fing an, ein Schema mit unterschiedlichen Kategorien zu skizzieren, eine für die Kräfte der jeweiligen Reiter, eine für das

äußere Erscheinungsbild und die Charakteristika des Drachen.
„*Prinzipiell kann man sagen, je mächtiger der Drache, desto dunkler seine Schuppen*“, schrieb sie in ihr Notizbuch unter dem Punkt Erscheinungsbild und las weiter.
Der Walddrachen ist der kleinste der vier Drachenarten. Seine Schuppen erscheinen in den unterschiedlichsten Grün- und Brauntönen, las Amara interessiert. Der Walddrache ist bekannt für seine Wendigkeit und Fähigkeit sich zu tarnen, was die Fähigkeiten seiner Reiter auch widerspiegeln. Zu diesen Fähigkeiten gehörten unter anderem Teleportation, Schattenmanipulation, Telekinese oder auch Pflanzenmanipulation. „*Die Fähigkeit Pflanzen zu manipulieren und wie Lassos oder ähnlich im Kampf zu nutzen, könnte eine rechtnützliche Gabe sein*“, überlegte Amara und blätterte weiter.
Im darauffolgenden Kapitel angelangt stachen ihr die Bilder sofort ins Auge. Drachen in verschiedenen Blautönen bis hin zu dunklen Grautönen zierten die Seiten. Der Winddrache war neben dem Feuerdrachen einer der größten Drachenarten, las sie in den ersten Zeilen. Ihre Finger strichen sanft über die Zeichnung eines dunkelblauen Drachens. Die Farbe strahlte, trotz des augenscheinlichen Alters des Buches, in einem kräftigen Indigoblau. Der Drache ihres Vaters, Skasyn, war ein Winddrache gewesen, und der Anblick der strahlendblauen Drachen weckte alte Erinnerungen. Amara strich etwas wehmütig mit den Fingern über die Illustrationen, und ein bitteres Lächeln schlich sich auf ihre Lippen. Zurück in Anruin zu sein, hatte alte Erinnerungen und Gefühle

wieder aufleben lassen, die sie die letzten Jahre tief in ihrem Herzen vergraben hatte.
„Ob sie wohl stolz sind über den Weg, den ich eingeschlagen habe?", fragte Amara sich. Ein Gefühl tief in ihrem Herzen sagte ihr jedoch, dass sie die richtige Wahl getroffen hatte. Es war ihr immer vorherbestimmt gewesen, eine Drachenreiterin zu sein. Doch nach dem Fall der Drachenreiter hatte sie nicht mehr damit gerechnet diese Rolle erfüllen zu dürfen. Sie schob den Gedanken wieder zur Seite und versuchte sich zu konzentrieren.
Der Winddrache war in der Lage seinem Reiter Fähigkeiten, wie die Teleportation, das Luftbändigen, außerordentliche Schnelligkeit und am seltensten, die Kontrolle über das Wetter, zu verleihen. Jene Reiter, die das Wetter befehligten, besaßen die Macht, Stürme entstehen zulassen oder Gewitter loszubrechen. Mit dieser Kraft war es ihnen sogar möglich Drachen zu töten!
„Ein gut gezielter Blitzschlag, und selbst das mächtigste Wesen fällt tot vom Himmel", dachte sie schaudernd. Soweit sie wusste, gab es zu diesem Zeitpunkt nur noch einen Reiter mit der Macht, das Wetter in dieser Form zu manipulieren, und dieser hatte seine Macht genutzt, um sich gegen seine eigenen Leute zu wenden.
Kagans Winddrache Kyrell war damit einer der mächtigsten Drachen des Reiches. Der Gedanke an den Drachen des Königs jagte ihr einen Schauer über den Rücken. Sie hatte Kyrell als Kind einmal selbst zu Gesicht bekommen. Das war einige Jahre vor dem Verrat gewesen, und Amara erinnerte sich noch lebhaft an den hellgrauen Winddrachen. Seine Schuppen hatten damals wie

flüssiges Silber gewirkt. Sie hatte das Bild immer noch klar vor Augen.

Das Gefühl von Kälte noch immer im Herzen, versuchte Amara das Bild aus ihren Gedanken zu verbannen.

Sie streckte sich und sah aus dem Fenster, es war mittlerweile finster draußen und die Müdigkeit stahl sich unweigerlich ihren Geist. Gähnend strich Amara sich über die Augen und starrte in die Dunkelheit des Drekafjalls. Das Buch hatte sie dermaßen gefesselt, dass sie ganz vergessen hatte, wie müde sie eigentlich gewesen war. Sie unterdrückte nur schwer ein erneutes Gähnen.

„*Ein Kapitel noch!*“, ermahnte sie sich ehrgeizig. Mit seinen wunderbaren Illustrationen hatte sie das Buch einfach in seinen Bann gezogen und abgesehen davon, konnten jegliche Informationen für ihr Überleben essenziell sein, rief Amara sich ins Gedächtnis und blätterte weiter.

Ihre Finger strichen über das raue Papier, als sie ein neues Kapitel aufschlug und eine Farbenpracht aus roten und orangenen Tönen ihr ins Auge sprangen.

„*Der Feuerdrache ist nicht nur die größte bekannte Drachenart, sondern auch die mächtigste.*“ Die Feststellung verwunderte sie nicht gerade. Jeder Drache spie Feuer, doch nur Feuerdrachen beherrschten es. Sie waren die älteste der Drachenarten, und unter ihnen waren einige direkte Nachkommen der riesigen und mächtigen Drachen, die vor Jahrtausenden diese Welt bevölkert hatten.

Ihr Blick fiel erneut auf die wundervollen Illustrationen in den verschiedensten Rot- und Orangetönen, aber

auch der ein oder andere Schwarze war dazwischen zu finden. Eines dieser Bilder zeigte sogar einen Drachen in Flammen, denn Feuerdrachen besaßen die Fähigkeit, ihre Schuppen in Brand zu stecken. Sie gaben ihren Reitern unter anderem Fähigkeiten wie Aschemanipulation, Immunität gegen Feuer, aber auch das Feuerbändigen.
„*Kaida, der Drache Kierans, war ein Feuerdrache und der Größe und Färbung der Schuppen nach zu urteilen ein verdammt mächtiger. Möglicherweise ist sie sogar ein Nachkomme der alten Drachen*“, grübelte Amara und der Gedanke kam ihr nicht abwegig vor. Die Drachendame war riesig gewesen, wenn ihre Furcht sie an dem Tag nicht getäuscht hatte. Sie unterdrückte ein Gähnen. So langsam übermannte sie doch der Schlaf, erkannte Amara. Sie legte widerwillig das Buch ins Regal und ging zu Bett. Das Kapitel der Wasserdrachen musste auf einen anderen Tag warten.
„*Und da sie hier die seltensten der Drachenarten sind, ist es eh unwahrscheinlich einem die nächsten Tage zu begegnen*“, überlegte sie und zog erschöpft die Decke unters Kinn.
Der Schlaf übermannte sie schnell. Es war schon lange her, dass sie ruhig schlafen konnte, ohne sich Sorgen über Angriffe oder die Notwendigkeit einer schnellen Flucht machen zu müssen und Amara schätzte dieses Privileg sehr. Sie wusste natürlich, dass sie auch hier nicht wahrhaft sicher war, doch die Burg war sicherer als alle anderen Orte in Averion. Es war eine Zuflucht für Magier und alle Anderen, die vor dem König auf der Flucht waren.

8

In den folgenden Tagen gewöhnte Amara sich so langsam an ihren neuen Tagesablauf. Ihre Konzentration war voll und ganz auf die durchsichtig schimmernde Mauer gerichtet, die ihren Geist und die Magie voneinander trennte. Sie konnte ihre Kraft durch das Flimmern der Mauer erkennen! Doch sie kam partout nicht an sie heran. Frustriert öffnete Amara die Augen und blinzelte in die Sonne. Das Licht, dass durch die großen Fenster fiel, blendete sie kurze Zeit, bis sie sich an die Helligkeit gewöhnt hatte. Amara hatte ihr ganzes Leben damit verbracht, ihre Kräfte zu unterdrücken und zu verbergen. Doch jetzt musste sie lernen, wieder loszulassen und das war einfacher gesagt als getan.

„*Es ist so nah und doch unerreichbar!*“, dachte Amara zerknirscht und es ärgerte sie wahnsinnig.

„Es ist aussichtslos!“, schimpfte sie enttäuscht und ließ frustriert die Hände sinken.

„Ist es nicht! Du musst nur diese Blockade überwinden“, ermutigte Lynn sie und beharrte: „Probiere es nochmal!“

Amara seufzte, tat aber wie geheißen. Sie wusste, wie wenig Freizeit Lynn hatte und war dankbar für ihre Unterstützung. Sie atmete tief durch und bündelte ihre Konzentration, wie Tirion es ihr einst beigebracht hatte.

Im Geist griff sie mit festem Willen nach der Energie und diesmal gab die Mauer etwas nach. Schnell wirkte Amara den Zauber und es funktionierte!
Der Stein in ihrer Hand flog hoch und schwebte einige Zentimeter über ihrer Handfläche. Doch ein Flackern am Waldrand, zog ihre Aufmerksamkeit auf sich und der Zauber versiegte, als ihre Konzentration nachließ. *„Mist!“,* fluchte sie innerlich, über diese unbewusste Ablenkung.
„Du hast es geschafft!“, jubelte Lynn und unterbrach ihre frustrierten Gedanken. Amara musste unweigerlich lächeln. Sie hatte es geschafft! Das Gefühl war noch immer surreal. Ihr Blick zuckte erneut zu der Stelle. Sie hätte schwören können, etwas gesehen zu haben! Lynn trat neben sie und folgte verwirrt ihrem Blick.
„Alles gut?“, fragte sie und Amara nickte abwesend.
„Ich dachte nur, da wäre etwas gewesen. Ich muss mich geirrt haben“, gab sie zu, ohne den Blick von der Stelle abzuwenden. Die Sonne stand noch tief über den Bergen und warf ein schummeriges Dämmerlicht über die Szene hinter dem Fensterglas. *„Vielleicht habe ich mich wirklich geirrt“*, überlegte Amara und wandte sich vom Fenster ab. Doch das Gefühl beobachtet zu werden blieb. Das Kribbeln in ihrem Nacken hörte nicht auf. Gedankenverloren blickte sie auf die Uhr.
„So spät schon!“, stieß sie überrascht hervor. Der Zauberkunde-Unterricht wartete auf sie. Sie verabschiedete sich hastig von Lynn und dankte ihr, bevor sie los eilte.

***

„Magie ist überall. Sie umgibt uns zu jeder Zeit!“, erklärte Tirion mit einer ausladenden Handbewegung durch den Raum. „Die Kunst ist es, sie aufzuspüren und zu kanalisieren, den dafür braucht es Konzentration und Geschick. Voraussetzung ist jedoch, dass man für derlei Kräfte empfänglich ist.“

Amara lehnte sich in ihrem Stuhl zurück, die Informationen waren für sie nicht neu. Sie wusste, wo ihre Schwächen lagen.

„Aber woher stammt die Magie?“ Die Frage kam von einem jungen Mann, der wenige Meter von ihr entfernt saß. Er war vermutlich einige Jahre jünger als sie, etwa in Adrians Alter, schätzte Amara. Doch sie wurde bei seiner Frage hellhörig. Sie hatte noch nie darüber nachgedacht, woher die Magie stammte. Er hatte Recht. Neugierig lehnte sie sich unbewusst weiter nach vorne.

„Das ist eine sehr gute Frage!“, antwortete Tirion begeistert und sein Blick hellte sich auf als er erklärte: „Genau wissen wir es nicht, aber die Magie ist die Lebensader dieser Welt. Sie umgibt und durchströmt alles. Dadurch gibt sie uns die Möglichkeit, alles mit ihr zu manipulieren. Und Drachen… sie sind Magie. Die Magie steckt in ihren Knochen, sie fließt in ihrem Blut. Es gibt Orte, wie den Drekafjall, an dem die Magie stärker ist. Es könnte an den Drachen liegen, da sie, soviel wissen wir, die Magie verstärken. Andere Theorien besagen hingegen, dass die Drachen sich hier vor Jahrtausenden niedergelassen haben, eben weil die Magie hier so stark ist. Doch dieses Geheimnis, werden sie uns vermutlich nie verraten, wenn sie es überhaupt selbst wissen“, erklärte der alte Drachenreiter nachdenklich und Amara gab sich die größte Mühe, so viel wie möglich, von dem Gesagten zu behalten. Ihr Stift kratzte gerade so angestrengt über das Papier, dass ihr Handrücken schon ganz schwarz von der Kohle war, als ihr plötzlich ein Gedanke kam.

„Wenn die Magie alles umgibt, warum ist es uns dann nur möglich, einen Bruchteil ihrer Stärke zu nutzen?", fragte sie nachdenklich. Alle Köpfe drehten sich in ihre Richtung, als Tirion die Frage an die versammelten Menschen weitergab.

Für einige Sekunden beherrschte das anhaltende Schweigen den Raum, bevor Tirion sich erbarmte und das Schweigen brach.

„Die Möglichkeiten eines Magiers werden durch seine körperliche und geistige Stärke beschränkt. Durch Training ist es möglich, diese so zu erweitern, dass man in der Lage ist, immer mehr Magie zu kanalisieren. Doch lasst euch gewarnt sein, greift ihr nach mehr Macht, als ihr in der Lage seid zu kontrollieren, tötet sie euch! Tut euch also bitte selbst den Gefallen, und reizt eure Grenzen nicht allzu sehr aus", beantwortete Tirion ihre Frage mit einem warnenden Unterton.

Nur die Geräusche sich bewegender Stifte durchbrachen noch die Stille, als Tirion mit seiner Erklärung geendet hatte. Amara musste noch länger über seine Worte nachdenken. Doch dann verstand sie, warum die Verbindung zu einem Drachen einen schwächeren Magier umbringen konnte. Sie hatte zwar immer von diesem Risiko gewusst, doch bisher hatte sie nie verstanden wieso.

„Es ist nicht die Verbindung selbst, die den Magier tötet, sondern die Magie des Drachen, die zu stark für den Körper des Magiers ist! Genau, wie unter den Menschen, gibt es auch bei den Drachen Unterschiede“, überlegte sie und schlussfolgerte dann: *„Also braucht ein starker Drache einen ebenso starken Reiter, anderenfalls tötet die Drachenmagie den Reiter!*“ Amara musste schlucken, als sie den Gedanken weiterführte. *„Aber woher wissen die Drachen, welche Reiter stark genug sind?*“ Amara schob den Gedanken schnell zur Seite, bevor sie weiter darüber nachdenken konnte. Sie konnte es sich nicht leisten, jetzt den Mut zu verlieren! Sie war aus einem Grund hier und sie würde sich ihre Pläne nicht durchkreuzen lassen, nicht einmal von ihrem eigenen Geist.

9

Die ersten zwei Monaten ihrer Ausbildung hatten Amara an die Grenzen ihrer körperlichen und geistigen Kräfte gebracht, doch das Training machte sich bezahlt. Ihr Kampfstil hatte sich deutlich verbessert und so langsam verstand sie die in ihr wohnenden Kräfte. Doch noch immer konnte Amara sie nicht wirklich beherrschen. Gerade stand sie in dem großen Innenhof der Burg und unterdrückte ein Gähnen. Ihr nächster Trainingskampf stand kurz bevor. Der lange Holzstab, mit dem sie gerade trainierte, wurde immer schwerer in ihren Händen, ihre Muskeln zitterten bereits vor Anstrengung. Amara hatte jede freie Minute genutzt, um ihr Wissen über Magie, die Reiter und am wichtigsten, über die Drachen zu verbessern. Und da freie Minuten rar gesät waren, nutzte sie meistens die späten Abende, oder oft sogar die Nächte zum Lesen.

„Die kurzen Nächte fangen langsam an sich zu rächen“, bemerkte sie frustriert. Amara strich sich mit dem Ärmel den Schweiß aus dem Gesicht, als sie erneut eine Kombination von Schlägen und Schrittfolgen durchging, die Marlowe ihr vor wenigen Tagen gezeigt hatte. Ihre Muskeln brannten vor Anstrengung, doch sie schob die Empfindung bei Seite und konzentrierte sich wieder auf die Waffe in ihren Händen.

„Lust auf eine Herausforderung?“ Die Stimme kam aus dem Nichts und so plötzlich, dass sie zusammenzuckte. Als Amara sich umdrehte, stand Bowen ihr gegenüber.
„Natürlich.“, antwortete sie, ohne zu zögern. Sein Anblick erfreute sie. In der vergangenen Zeit hatte sie oftmals mit ihm zusammen trainiert. Im Gegensatz zu einigen der anderen, schlug er nicht ganz so fest zu, wenn sie nicht rechtzeitig ausweichen konnte. Zudem beschwerte Bowen sich nicht über ihre langen Trainingseinheiten. Der große Reiter schenkte ihr ein herzliches Lächeln, als er ihr ein hölzernes Trainingsschwert zuwarf. Eine verirrte Strähne seines kurzen flachsblondes Haares nachhinten streichend, nahm er ihr gegenüber eine Angriffsposition ein.
„Ist das nicht etwas klein für dich?“, fragte Amara schmunzelnd und zeigte auf das Schwert in seiner Hand. Wie gewohnt begann sie seine Bewegungen zu spiegeln, darauf bedacht bei einem Fehler sofort loszuschlagen. Das Breitschwert, mit dem er normalerweise kämpfte, war bestimmt doppelt so massiv wie dieses. Das Trainingsschwert erinnerte in seinen Pranken eher an einen Holzsplitter als an eine Waffe.
„Es wäre wohl kaum fair, wenn ich dich mit meinem gewohnten Langschwert angreifen würde. Du hättest keine Chance.“ Mit leicht arrogantem Lächeln musterte er sie kurz und zwinkerte ihr danach schelmisch zu.
„Und dir einen Zweihänder zu geben, würde auch nichts bringen“, lachte er sie an. „Den würdest du eh nicht lange genug oben halten.“ Achselzuckend wandte er sich um und setzte zum ersten Schlag an.

Bowen war schnell, doch es gelang ihr mit knapper Not auszuweichen, und seinen Schlag zu parieren. Seine Kraft und Schnelligkeit übertrafen die eines normalen Menschen bei weitem und überraschten Amara nicht weiter. Die Verbindung mit einem Drachen brachte so einige Vorteile mit sich. Sie verstärkten die magischen Fähigkeiten ihrer Reiter nicht nur um ein Vielfaches, sie gaben ihnen sogar ihre besonderen Fähigkeiten und stärkten auch ihre körperliche Kraft, ihre Schnelligkeit und verlangsamte das Altern. Die meisten der Reiter konnten mehrere Jahrhunderte hinter sich bringen, wenn sie nicht im Kampf starben.
Bowen zeigte keine Rücksicht und nutzte jede Möglichkeit, einen Schlag zu treffen. Doch das machte ihr nichts aus. Im Gegenteil, genau das schätzte sie an ihm. Bowen machte es ihr nie leicht oder gab ihr herablassende Vorteile, die sie sonst nicht erringen würde. Es folgte ein stetiger Schlagaustausch und zu ihrer beider Verblüffen schaffte Amara es einige Male trotz der Drachenverbindung aus der Defensive heraus und trieb Bowen einige Schritt nach hinten.
Doch Bowen befreite sich schnell wieder aus seiner Misere. Er drängte Amara seinerseits mit einer komplizierten Kombination aus gezielten Finten und Schlägen zurück. Ihre gesamte Konzentration galt ihrem Gegner und den Schwertern, die mit lauten Knallen aufeinander prasselten. Bei einem weiteren Schritt zurück stieß ihr Fuß unvermittelt gegen etwas Hartes und sie verlor das Gleichgewicht. Mit rudernden Armen, um sich doch noch abzufangen, fiel sie.

Unsanft landete Amara auf ihrem Hintern, das Schwert immer noch in der Hand. Bowen sah zu ihr hinunter und versuchte vergebens ein Lachen zu unterdrücken.
„Wenn das ein Ablenkungsmanöver sein sollte, ist es gelungen“, prustete er los und reichte ihr seine Hand. Mit einem kräftigen Ruck zog er Amara wieder auf die Beine.
„Neuer Versuch?“, fragte er das schelmische Grinsen noch immer im Gesicht. Sie unterdrückte kopfschüttelnd ein Augenrollen und nahm erneut die Angriffshaltung ein.

***

Sie trainierten noch einige Runden, die Bowen weiterhin mit Leichtigkeit gewann. Doch das störte Amara nicht weiter. Der Ausgang war sowieso vorhersehbar. Durch seine Erfahrung und übersteigerte Kraft blieb ihr einfach keine Chance. Dennoch konnte sie durch die Kämpfe nur dazu Lernen. Sie waren gerade mit dem Training fertig, als sie sich schon wieder auf den Weg zur Bibliothek machen wollte. Jede Sekunde ihres Lebens galt der Vorbereitung – zu viel Zeit hatte sie in den vergangenen Jahren vertan. Jede neue Information konnte über ihr Überleben entscheiden, doch Bowen fing sie ab.
„Warte kurz“, rief er ihr hastig hinterher. Irritiert drehte sie sich um, und sah, wie er die Distanz zwischen ihnen mit schnellen Schritten überwand.

„Hast du heute noch was vor?“, fragte er, beinahe schüchtern. Überrascht sah sie ihn. „*Was hatte er vor?*“, dachte sie mit einem dumpfen Gefühl im Magen.

„Ich wollte noch runter in die Bibliothek und mir dort neue Bücher ausleihen. Möchtest du mitkommen?“, antwortete sie wahrheitsgemäß und wartete auf seine Reaktion. Zu ihrer Verwunderung willigte er sofort ein, sie zu begleiten. Und so machten sie sich nur wenige Augenblicke später gemeinsam auf den Weg in den unteren Teil der Burganlage.

„Hast du immer noch Probleme, deine Magie zu beherrschen?“, fragte Bowen unbestimmt, als sie durch die Flure der Burg entlang schritten.

„Ehrlich gesagt, ja. Ich weiß gar nicht, wie ich die Auswahlzeremonie bestehen soll“, antwortete Amara ihm zerknirscht und lauschte gedankenverloren auf die Schritte ihrer schweren Stiefel auf dem Steinboden.

„Dir ist schon klar, dass du noch fast ein halbes Jahr bis dahin hast, oder?“, entgegnete er kopfschüttelnd und sah Amara mit hochgezogener Augenbraue an, bevor er einwarf: „Der Winter ist gerade mal angebrochen und du denkst schon an das Frühjahr? Du könntest natürlich auch immer noch ein Jahr aussetzen und im nächsten Jahr teilnehmen. Es sind eh immer mehr Kandidaten, als Drachen, die bereit sind eine Verbindung einzugehen.“ Doch seine Einwände stachelten ihren Ehrgeiz nur noch mehr an.

„Das sagst du so einfach, sieh dich doch mal an! Du bist ein Reiter, Träger einer mächtigen Gabe und nebenbei auch noch verdammt gut im Schwertkampf“, sagte sie

mit Frustration im Unterton und warf ihm unweigerlich einen Seitenblick zu.
„Ich habe im ersten Jahr keinen Drachen gefunden, der mich wollte, und musste ein weiteres Jahr warten. Und meine Magie war noch kläglicher als deine. Also mach dir nicht so viel Stress. Wenn du es weniger zerdenkst, fällt dir das Zaubern auch leichter“, erwiderte Bowen daraufhin kopfschüttelnd.
„Hmm…, vielleicht hast du recht“, gab Amara widerwillig zu und bog um eine Kurve. Sie hatten mittlerweile die Wendeltreppe erreicht, die sie tiefer in die Burg führte. Schweigend gingen sie einen Moment schweigend nebeneinanderher. Ihre Augen mussten sich unweigerlich erst an das schummerige Licht der kleinen magischen Laternen gewöhnen, die an den Mauerwänden hingen.
In der Bibliothek angekommen, stieg Amara sofort der vertraute Duft, der alten Bücher in die Nase. Der Geruch hatte eine beruhigende Wirkung auf sie, er symbolisierte für sie Heimat. Es war einer der Gründe, warum sie schon während ihrer Flucht immer wieder Buchhandlungen und Bibliotheken aufgesucht hatte.
Sie sah sich um, doch Darius war nirgendwo zu sehen. Schulterzuckend machte Amara sich selbst an die Arbeit und begann, einige Bücher aus den gigantischen Regalen herauszuziehen. Mit Erstaunen stellte sie fest, dass Bowen dasselbe tat. Sie suchten sich gemeinsam einen Tisch und entzündeten eine Öllampe, um die Lettern auf den alten Papierseiten besser lesen zu können.

„Hier, das solltest du lesen." Bowen reichte ihr ein altes Manuskript, welches er nur wenige Minuten zuvor aus dem Regal gezogen hatte. Neugierig nahm sie es entgegen und betrachtete den Einband. Es handelte sich um ein Register von bekannten Drachen.
„Warum ausgerechnet das?", fragte sie, neugierig geworden.
„Wenn du schon überzeugt bist, dich so schnell wie möglich, den Drachen zu stellen, solltest du zumindest wissen, wer vor dir steht." Mit diesen Worten ließ er sich neben ihr auf dem Stuhl nieder. *„Er hat nicht ganz unrecht"*, dachte Amara und schob ihr buntes Sammelsurium von Büchern vorerst zur Seite.
„Irgendwelche Empfehlungen?", fragte sie und sah das Leuchten in Bowens Augen, als sie das Buch zu sich herüberzog. Als ob er auf die Frage gewartet hätte, schlug er das Buch auf.
„Wir haben zwar so gut wie kein Mitspracherecht, welche Drachen uns erwählen, doch trotzdem sollte man auf alles vorbereitet sein", erklärte er. Die Seite, die Bowen aufgeschlagen hatte, zeigte die Zeichnung eines orangenen Drachen.
„Das ist deiner, oder?", vermutete Amara, nach dem ein Blick ins Reiterregister ihr nicht weitergeholfen hatte.
„Ganz genau. Svarog hat mich vorletztes Jahr erwählt. Das Register ist an einigen Stellen noch nicht auf dem neusten Stand. Aber es schadet nicht, die Meisten zu kennen. Das hier ist der neuste Band", antwortete er nickend. Vorsichtig klopfte er auf das Buch und blätterte dann weiter.

„Es ist zwar schon einige Jahrhunderte alt, wurde aber regelmäßig aktualisiert. Das heißt, dir könnte, bis auf einige Ausnahmen, jeder dieser Drachen begegnen. Daher solltest du zumindest schonmal von ihnen gehört haben“, erklärte er und Amara musste unweigerlich lächeln. Die Faszination in seiner Stimme, als er über die Drachen sprach, spiegelte ihren eigenen Wissensdurst wider.

„Welchen Drachen würdest du gerne mal mit eigenen Augen sehen?“, fragte sie daher. Seine Begeisterung für Geschichte überraschte Amara etwas. Sie hatte Bowen nicht für einen Historiker gehalten, doch es war eine erfrischende Entdeckung.

Er überlegte kurz und fing an, durch die alten Seiten zu blättern. Schließlich deutete er mit der Hand auf einen langen Eintrag. Die Biografie schien mehrere Seiten zu umfassen, wie Amara erstaunt feststellte.

Dorchadas – der schwarze Tod.

Der Name sagte ihr etwas, doch sie wusste nicht mehr woher. Laut der Beschreibung handelte es sich, um den mächtigsten Kriegsdrache in der Geschichte der Reiter. Den Aufzeichnungen nach musste der Drache einige Jahrhunderte alt sein. Und er war riesig. Unter seinen Reitern befanden sich fast ausschließlich Anführer, Generäle und andere mächtige Persönlichkeiten.

Etwas verdutzt stellte Amara fest, dass die Angaben zum Drachen selbst eher spärlich waren. Es fehlten viele Angaben, die bei den meisten anderen Drachen schon wie beiläufig gewirkt hatten. Es war nichts zu seiner Herkunft, seinem Alter und gar der Abstammung gelistet. Es schien fasst, als ob dieser Drache vor Jahrhunderten aus dem Nichts aufgetaucht wäre. Nichts destotrotz war seine Biografie mehr als beeindruckend. Sie las die Passage erneut und sah Bowen mit großen Augen an.

„Die Biografie ist erstaunlich. Er hat wirklich im ersten Drachenkrieg gekämpft. Stell dir vor, das war vor über 400 Jahren!“, stellte sie ehrfürchtig fest „Ich weiß ja nicht, wie es dir geht, aber ich hätte eine Höllenangst, diesem Drachen zu begegnen.“ Insgeheim hoffte sie, einem Drachen solchen Ausmaßes niemals auf dem Schlachtfeld zu begegnen.

„Kommt drauf an, auf wessen Seite er kämpft“, gab Bowen lakonisch zurück. „Ein weiterer legendärer Drache auf unserer Seite, wäre eine willkommene Abwechslung. Aber auf der gegnerischen Seite, das möchte ich mir, glaub ich gar nicht erst vorstellen.“ Seine Augen zogen sich nachdenklich zusammen. „Unter den Drachen ist Dorchadas als ihr General bekannt. Seine Strategien und Angriffe sollen dutzende Kriege entschieden haben!“ Das Funkeln der Begeisterung in Bowens Blick ließ sie kurz schmunzeln. Nie hätte sie damit gerechnet, dass er so für Geschichte brennen würde.

„Gut, dass wir uns darüber keine Sorgen mehr machen müssen.“ Kierans Stimme kam aus dem Nichts. Erschrocken fuhr Amara zusammen und drehte sich auf ihrem Stuhl um. Im Augenwinkel sah sie, dass Bowen dasselbe tat.

„Du kannst dich doch nicht so an uns anschleichen!“, rief sie und funkelte ihn an. Er zuckte nur die Schultern und grinste sie an.
„Wenn ihr nur ein bisschen aufmerksamer gewesen wärt, hätte ich mich gar nicht anschleichen können. Ich war zufällig hier, habe euer Gespräch mitbekommen und dachte, ich tue euch heute mal den Gefallen, euch ein bisschen Überlegungsarbeit abzunehmen.“ Amara verdrehte die Augen. *„War klar.“*
„Na dann, hau raus. Was weißt du, was wir nicht wissen?“, gab sie herausfordernd zurück.
„Ich weiß, dass Dorchadas auf keiner Seite mehr kämpfen wird. Oder soll ich besser sagen kann? Er ist tot! Und das schon seit mehr als zehn Jahren, Kyrell und Kagan höchstpersönlich haben dafür gesorgt. Das Register ist nicht gerade aktuell. Aber du hast recht, er hätte auf dem Schlachtfeld das Blatt für uns wenden können“, erklärte er sachlich und Amara überlegte erneut, ob er am Tag der Schlacht vor Ort gewesen war. Natürlich nicht als Reiter, dafür war er zu jung. Sie hatte sich das schon öfter gefragt, doch sie hatte sich nie getraut, ihn darauf anzusprechen.
Plötzlich schoss ihr ein anderer Gedanke durch den Kopf.
„Warte mal…“, sie las einen Abschnitt der Biografie erneut, um sicher zu gehen. „Das kann so nicht stimmen. Wie kann es sein, das Kaida noch lebt, wenn ihr Gefährte tot ist? Ich dachte immer, wenn einer stirbt, folgt der Andere ihm unweigerlich in den Tod? Und hier steht

doch klar und deutlich niedergeschrieben, dass Kaida und Dorchadas Gefährten sind."
Das Gespräch hatte, wie sie ungerne zugab, eine interessante Wendung genommen. Auch wenn Kieran mit seiner herablassenden und undurchschaubaren Art kräftig an ihren Nerven zehrte, interessierte seine Erklärung sie brennend. Da meldete Bowen sich wieder zu Wort.
„Tatsächlich ist es möglich, dass ein Drache allein weiterlebt, wenn sein Gefährte stirbt. Es kommt aber nicht oft vor. Manchmal gibt es Gründe, die so zwingend sind, dass sich selbst die stärkste Verbindung brechen lässt, wenn der Gefährte im Sterben liegt. Küken oder Eier können ein Grund dafür sein. Es ist zwar extrem selten, soll aber vorkommen", wandte er ein.
„Er hat recht", bestätigte Kieran Bowens Vermutung. „Doch in ihrem Fall ist der Beweggrund anders, viel simpler: Rache. Wie dem auch sei, ich muss weiter." Ohne eine Antwort abzuwarten, verschwand er aus der Bibliothek.
„Was war das denn?!", fragte Amara an Bowen gewandt und sah ihn verwirrt an.
„Ich habe keine Ahnung", erwiderte dieser nach kurzem Überlegen.
„Wenn ich es nicht besser wüsste, hat er nur einen Grund gesucht, um mit dir zu reden – und deine Reaktion hat ihn sofort verschreckt", murmelte Bowen und warf ihr einen vielsagenden Blick zu. Amara verdrehte die Augen und fixierte ihn jetzt direkt.
„Das glaubst du doch selbst nicht", gab sie zurück und klopfte ihm herausfordernd auf den Arm.

10

Amara hatte oft mit Albträumen zu kämpfen, nicht mehr so schlimm wie als Kind. Die Albträume hielten sie nicht mehr jede Nacht wach, doch ab und an weckten sie sie noch immer. Natürlich wusste sie, wie kindisch es war, sich von so etwas aus der Ruhe bringen zu lassen.

„*Die Toten können dir nichts anhaben. Es sind die Lebenden, vor denen man sich in Acht nehmen sollte*“, rief sie sich ins Gedächtnis und zwang ihren Atem ruhiger zu werden. Doch die Unruhe, die sich in ihre Knochen geschlichen hatte, ließ sich nicht mehr abschütteln. Also packte sie sich Stiefel und eine Jacke und schlich leise aus dem Zimmer, um Lynn nicht zu wecken.

Ein Umhang war für das, was sie vorhatte, nicht geeignet – auch wenn er wärmer gewesen wäre, dachte sie, während sie kurz durch die Festung wanderte. Dann kam ihr ein Gedanke. Zielsicher durchquerte Amara die große Halle und erreichte die unscheinbare Tür am Ende des Ganges, nach der sie gesucht hatte. Vorsichtig, um kein verräterisches Geräusch zu verursachen, schob Amara die alte Holztür auf und trat hinein. Wie erwartet, war die Kammer noch immer bis obenhin mit den verschiedensten Alltagsgegenständen vollgestopft. Regale säumten die Wände und in der Ecke lehnten einige

Besen. Es kostet sie Mühe, überhaupt etwas in dem Chaos zu erkennen – und das auch noch im Dunkeln. Doch schon kurze Zeit später hatte sie gefunden, was sie gesucht hatte, und zog triumphierend ein paar alte Schlittschuhe aus dem Regal.
Leise schlich sie durch das Hauptportal und stapfte den Weg hinunter zum See. Bei jedem Atemzug bildeten sich kleine Wölkchen vor ihrem Gesicht. Es war eiskalt hier draußen, bemerkte sie fröstelnd. Welche Magie auch immer die Burg warm hielt, sie funktionierte perfekt!
Die letzten Meter kämpfte sie sich durch knöcheltiefen Schnee. *„Zum Glück liegt nicht noch mehr Schnee"*, dachte Amara erleichtert. In den Bergen konnte es wochenlang ununterbrochen schneien, sodass man danach fast bis zur Hüfte im Schnee versank. Zum Glück war der Winter noch nicht so weit fortgeschritten, und sie erreichte problemlos das Seeufer. Dort angekommen löste Amara die Schnürung ihrer Stiefel und schlüpfte in die Schlittschuhe. Das Leder war eiskalt an ihren Füßen und ein Schauer lief ihr über den Rücken. Ohne weiter über die Kälte in ihren Gliedern nachzudenken, stieß sie sich vorsichtig ab und schwang sich wackelig, auf das Eis des zugefrorenen Sees.
Heute Mittag hatte sie beobachtet, wie einige Drachen den See als Landbahn genutzt hatten, also brauchte sie sich keine Sorgen ums Einbrechen zu machen. Langsam zog sie einige Runden, während sich das Leder der Schlittschuhe allmählich an ihre Füße schmiegte und ihr Gleichgewicht besser wurde. Gedankenverloren glitt

Amara über das pechschwarze Wasser und genoss die Stille der Nacht.
Es war viele Jahre her, dass sie das letzte Mal auf Eis gestanden hatte. Doch nach ein paar Minuten fühlte es sich wieder wie selbstverständlich an. Jeder Gedanke an die schicksalhafte Nacht vor nun genau elf Jahren war weit von ihr geschoben.
Mit jeder Minute wurde Amara selbstsicherer und wagte sich nun sogar an ein paar leichte Drehungen. Plötzlich riss ein heftiger Windstoß sie aus ihren Gedanken. Erschrocken drehte sie sich um und erblickte eine riesige Gestalt, die auf den See zuhielt. Trotz der Dunkelheit erkannte sie sofort: Es war ein Drache im Landeflug.
„Wer ist denn um diese Uhrzeit noch unterwegs?", flüsterte sie erschrocken und spürte, wie ihr Herz schneller schlug. Der nächste Flügelschlag riss Amara fast von den Füßen. Als die Gestalt immer näherkam, erkannte sie endlich, wen sie vor sich hatte: Kaidas weinrote Schuppen waren unverkennbar.
„Großartig! Genau das hat mir gerade noch gefehlt!" Sie verkniff sich ein Augenverdrehen, während sie zusah, wie der riesige Drache wenige Meter entfernt auf dem Eis landete. *„Aber was zur Hölle machen sie um diese Uhrzeit hier?"*, fragte sie sich erneut, neugierig und vorsichtig zugleich.
Kaida hatte sie längst bemerkt, der große Drache fixierte sie bereits mit goldenen Augen. Amara wagte keinen Schritt. Sie war sich nicht sicher, ob der Drache sie erkannt hatte und selbst wenn, war das keine Garantie, dass sie Amara unversehrt lassen würde. Sie hatte das

Gefühl, dass die Drachendame sie nicht sonderlich gut leiden konnte. Ihr Blick folgte dem Reiter, der vom Rücken des Drachen sprang und direkt auf sie zuhielt.
„Wieso überrascht es mich nicht, ausgerechnet dich um diese Uhrzeit hier anzutreffen, Amara?“, rief er ihr mit einem schiefen Grinsen entgegen.
„Also hat Kaida mich tatsächlich erkannt“, entgegnete sie trocken. „Aber sag mal, was treibt ihr hier mitten in der Nacht?“ Sie warf Kaida einen Seitenblick zu, als diese ihre Flügel raschelnd enger an den Körper zog. Amara hätte schwören können den Schalk in den Augen der Drachendame glitzern zu sehen, als Kaida es sich auf dem Eis bequem machte, und ihren verdutzten Reiter amüsiert anfunkelte. Kieran blinzelte seinen Drachen kurz fragend an, wandte sich dann aber wieder ihr zu.
„Dieselbe Frage könnte ich dir auch stellen, Prinzessin. Vielleicht bist du ja doch eine Spionin und hast dich gerade mit einem Informanten getroffen.“ Seine Stimme klang neckisch, fast spöttisch.
„Nenn mich nicht so! Und könnte dasselbe nicht auch auf dich zutreffen? Woher soll ich wissen, dass du kein Spion bist?“, fauchte Amara und verschränkte die Arme vor der Brust, den Blick herausfordernd auf ihn gerichtet.
Kieran grinste nur arrogant – „Also, der beste Beweis dafür steht hinter mir.“ Er deutete mit einer lässigen Handbewegung auf den riesigen dunkelroten Drachen. Kaida saß noch immer unbewegt auf dem zugefrorenen See und ließ die Beiden keine Sekunden aus den Augen. Amara spürte das Gewicht dieses Blickes fast körperlich.

Kieran drehte sich ein weiteres Stück zu seiner Partnerin um. Sofort wusste Amara, was vor sich ging: die stumme Unterhaltung zwischen Reiter und Drache. Selbst der Wind schien in diesem Moment die Luft anzuhalten, soviel Spannung lang in der Luft. Dann stieß Kaida ein kleines beleidigtes Rauchwölkchen aus und flog kurz drauf, mit erhobenem Haupt, davon.
„Neugierige Echse!“, murmelte Kieran ärgerlich und blickte dem Drachen nach. Nur wenige Sekunden später war die tiefrote Gestalt im Dunkeln der Nacht verschwunden.
„Und jetzt im Ernst“, fuhr Kieran sie ernst an und konzentrierte seine Aufmerksamkeit vollends auf Amara. „Wieso bist du zu so später Stunde allein hier draußen? Dir sollte doch klar sein, wie gefährlich es hier sein.“ Seine Augen ruhten durchdringend auf ihr.
Amara hob eine Braue und verzog spöttisch das Gesicht.
„Was ist denn da los? Das klingt ja fast so, als würdest du dir Sorgen um mich machen.“ Ihre Stimme klang neckisch, doch ein unsicheres Gefühl breitete sich in ihrem Magen aus.
„Vielleicht habe ich mir ja tatsächlich Sorgen gemacht.“ Er klang ernst, zu ernst, als das er einen Scherz machen würde. Und noch immer wartete er auf ihre Erklärung. Amara wich dem Druck seines Blickes jedoch nicht aus. Schon fast unbewusst hob sie, wie zur Verteidigung die Hände.
„Ich musste einfach nur den Kopf ein wenig frei bekommen. Keine Spionage, keine Geheimtreffen, nur ich und

die wohltuende Ruhe der Nacht." Ihre Worte hingen in der Luft, bevor sie abwehrend eine Antwort von ihm einforderte. „Und was ist deine Ausrede nachts durch die Gegend zu fliegen? Ich gehe mal davon aus, dass du einen triftigen Grund für den Regelverstoß hast."
„Spionage", erwiderte er trocken.
„So, und jetzt im Ernst?", fragte Amara kopfschüttelnd und boxte ihm spielerisch auf den Arm. Kieran zuckte nicht mal mit der Wimper.
„Das ist mein Ernst. Natürlich für unsere Seite! Vor allem nachts kann ich mich unbemerkt bewegen und es gibt Fragen, auf die wir dringend antworten brauchen. Also besorge ich sie", erklärte Kieran, als ob es das logischste der Welt wäre. Seine Stimme war dabei so nüchtern, kein Fünkchen Stolz oder Prahlerei war in diesem Moment seiner Stimme zu entnehmen. Es war einfach, wie es war. Amara blinzelte überrascht.
Mit zwei Dingen hatte sie nicht gerechnet: mit dieser Antwort und mit der Offenheit, mit der Kieran sie aussprach. Für einen Augenblick fehlten ihr die Worte. Sie verließen das Eis. Schnell schlüpfte Amara wieder in ihre Stiefel und zuckte zusammen, als Kälte ihre Füße umschloss. Das Leder der Schuhe war bitterkalt von den Stunden, die sie im Schnee gestanden hatten. Schmerzhaft drückte die Kälte sich durch die Wollsocken an die Haut.
„Ich schwöre, ich verliere gleich alle Zehen", murmelte sie, während sie sich aufrichtete.
Kieran musterte sie amüsiert. „Dann solltest du dich beeilen."

„Sehr hilfreich", gab sie fröstelnd zurück und zog die Jacke enger um sich. „Ich kann es kaum erwarten, ins Warme zu kommen."

Schweigend machten sie sich auf den Weg zurück zur Festung. Nach einigen Minuten wich das Gefühl der Kälte einem warmen Kribbeln. Fast erleichtert hob Amara den Blick. Die Burg thronte vor ihnen. Inmitten der wunderschönen Winterlandschaft wirkte sie fast märchenhaft: der Schnee glitzerte im Licht der Sterne und die Steine der Burg glänzten im Licht des Vollmondes. Der Anblick hielt sie kurz gefangen – so viel Schönheit im Schatten von so viel rauer Gefahr.

Die Stille zwischen ihnen war nicht unangenehm. Ganz im Gegenteil sie hatte sogar etwas Behagliches, bemerkte Amara. Seine Anwesenheit beruhigte ihren Puls und tröstete sie auf ungewöhnliche Weise. Und das gefiel ihr nicht, überhaupt nicht.

Amara wollte, nein, sie konnte ihre Zeit und Energie nicht darauf verwenden, sich um ihre Gefühle zu sorgen. Sie hatte Wichtigeres zu tun! Ihr Leben stand beständig auf dem Spiel, auch wenn es momentan weniger den Anschein machte. Sie war zwar nicht mehr auf der Flucht, doch sie machte sich keine Illusionen: Ihr Leben würde immer bedroht sein. Daran würde sich so schnell nichts ändern. Wegen ihrer Magie, ihrer Familie und wegen der Tatsache, dass sie eine Drachenreiterin sein würde. Also fasste Amara einen Entschluss und zerriss die Stille, die sich auf sie gelegt hatte.

„Wieso seid ihr nicht einfach vor der Burg gelandet, statt hier draußen am See?", fragte sie unvermittelt und

Kieran blinzelte sie kurz an, sichtlich verwirrt über die plötzliche Frage.
„Naja, hätte ganz Anruin von dem Vorhaben erfahren sollen, hätten wir das natürlich durchaus so machen können", lamentierte er trocken.
„Das hätte mir dann in jedem Fall die kalten Füße erspart. Aber da so eine Mission bestenfalls geheim bleiben sollte, wollte ich halt gerade nicht die ganze Burg wecken", erklärte er schulterzuckend.
„Das ergibt wohl Sinn", erwiderte Amara tonlos und schritt weiter vor sich hin, die Schlittschuhe über die Schulter geworfen.
„Willst du mir jetzt ehrlich verraten, was dich mitten in der Nacht hier heraus getrieben hat?", versuchte Kieran es vorsichtig. Die Dunkelheit legte ein Gefühl der Vertrautheit über die Nacht und entrang ihr, zu ihrem eigenen Erstaunen eine wahrheitsgemäße Antwort.
„Die Vergangenheit hat mich im Traum heimgesucht." Schon im nächsten Moment ärgerte sie sich über ihre eigene Offenheit. *„Bestimmt findet er es kindisch, dass mich sowas banales wie Träume so aus der Fassung bringen können?"* Aber Kieran nickte nur nachdenklich. „Morgen sind es elf Jahre. Egal, wie lange es her ist, der Schmerz wird nicht weniger." Und auf einmal frage sie sich, ob die Rastlosigkeit nicht nur sie allein hinaus in die Kälte getrieben hatte.
„So wie es aussieht, haben wir beide unsere eigenen Strategien, um mit den Erinnerungen umzugehen", sagte Kieran und zeigte auf die Schlittschuhe in ihrer Hand.

11

Amara beschloss am nächsten Tag, sich stärker auf die Auswahlzeremonie im Frühjahr vorzubereiten – ihre gesamte Konzentration würde nur noch darauf zielen. Ihr blieben nur noch vier Monate für das Training. Bis dahin würde sie ihre mangelnden Fähigkeiten so gut wie möglich verbessern. Auch wenn eine leise Stimme ihr sagte, dass es so gut, wie unmöglich war. Sie würde verdammt noch mal ihr Bestes geben und nicht einfach nur faul herumsitzen.

Ilaria und die Anderen waren dabei im Innenhof ihre Kampffähigkeiten zu trainieren, doch Amara hatte es an diesem Morgen in die Bibliothek getrieben. Theoretisches Wissen hatte ihr schon immer geholfen Probleme zu lösen. *„Warum sollte das nicht auch in der Magie funktionieren?“*, überlegte sie und zog das dicke Buch, in dem sie gerade geblättert hatte, zu sich.

Das Buch zur Zauberkunde hatte sie wortlos von Darius in die Hand gedrückt bekommen. Amara hatte ihm ihr Problem geschildert, woraufhin er ihr nur kurz viel Glück zu gebrummt hatte. Wenig später war er aber überraschend wieder an ihrem Lesepult vorbeigekommen. In den Händen – ein ganzer Stapel alter Schriften zur angewandten Magiekontrolle! Sie war wirklich dankbar für seine Unterstützung, doch beim Anblick der

Höhe stellten sich ihr die Nackenhaare auf. *„Wie soll ich das alles aufarbeiten?"*, fragte sie sich verzweifelt.
Amara schlug den Buchdeckel auf und blätterte durch die vergilbten Seiten. Doch die Worte ergaben keinen Sinn, immer wieder glitten ihre Gedanken zu der vergangenen Nacht – zu Kieran. Diese Verbundenheit zu ihm, die sie in dieser kalten, stillen Winternacht auf dem Eis gespürt hatte, ließ sie nicht los. Aber warum? Amara konnte sich selbst nicht verstehen. Was war nur mit ihr los?
„Ach verdammt! Er ist eine Ablenkung, die ich mir nicht leisten kann! Nicht jetzt, wo ich so kurz davor bin mein Ziel zu erreichen!", ermahnte sie sich ärgerlich, schob den Gedanken zur Seite und versuchte sich wieder, auf die Schriften vor ihr zu konzentrieren. Doch desto mehr sie auf das Buch starrte, desto mehr verschwammen die Buchstaben vor ihren Augen. Ihr Blick schweifte rastlos über die Tische der Bibliothek. Die meisten von ihnen waren leer. Es waren deutlich weniger Menschen unterwegs als normalerweise. Stirnrunzelnd widmete sie sich erneut ihrem Absatz.
„Hast du mal drüber nachgedacht, dass die Lösung zu deinem Problem vielleicht loslassen ist und nichts mit noch mehr Kontrolle?", hörte sie Kierans Stimme hinter sich. Sie zog den Atem ein und drehte sich um.
„Das hat mir gerade noch gefehlt!", dachte Amara und wusste nur zu gut, dass sie nun vollends den Kampf gegen ihren Kopf verloren hatte.
„Du solltest es mittlerweile besser wissen, als mich beim Lesen zu stören", konterte sie und legte, wie zur

stummen Warnung eines ihrer Wurfmesser auf den Tisch. Zugegeben ein Schmunzeln konnte sie dennoch nicht unterdrücken.

„Und doch bin ich hier, um dir zu helfen“, sagte Kieran mit einem lässigen Achselzucken. Er zog einen Stuhl heran und setzte sich, die Drohung ignorierend, neben sie.

„Die Anderen sind auf Patrouille geflogen. Tirion hat mir verboten mitzufliegen, weil wir die letzten Nächte schon unterwegs waren. Wir sollen uns ausruhen meinte er“, erklärte Kieran verdrossen und ehe sie sich versah, war das kleine Wurfmesser in einer kleinen Aschewolke in seine Hand geflogen.

„Ey! Warum tust du dann nicht was dir gesagt wurde und lässt mich in Ruhe lernen?“, fragte Amara herausfordernd und hob das Buch wieder vor das Gesicht.

„Vielleicht, wollte ich ja einfach nur einer Freundin helfen. Aber gut…“, sagte Kieran und zuckte mit den Schultern, als er eine kleine Pause in dem Satz machte „wenn du meine Hilfe nicht möchtest.“ Er ließ das Messer wieder klappernd auf den Tisch fallen und wollte aufstehen.

„Warte“, unterbrach Amara ihn seufzend und blickte nun doch von den Seiten vor ihr auf. Das unterdrückte Grinsen auf seinem Gesicht war offensichtlich, als er sich wieder zu ihr umdrehte und auf den Stuhl setzte. Kieran war einer der mächtigsten Magier, den sie kannte. Sein Ansatz konnte möglicherweise hilfreich sein.

„Woher wusstest du eigentlich, wo du mich findest?“ Die Worte waren ihr schneller über die Lippen gekommen, als beabsichtig und doch hatte Amara bereits einen vagen Verdacht.
„Lynn hat es mir verraten, bevor sie losgeflogen sind“, gab er zu und es erstaunte Amara nicht, dass ihre Freundin es ihm verraten hatte.
„Abgesehen davon, war das auch ohne Hilfe nicht schwer zu erraten“, fügte er abwesend murmelnd hinzu. Gemeinsam gingen sie die Grundlagen der Magiekontrolle, die sie in Tirions Unterricht gelernt hatte, erneut durch. Amara war dankbar, dass er sie trotzdem unterstützte und seine Methoden mit ihr teilte, wenn gleich er immer wieder anmerkte, dass es mehr als Theorie bedürfen würde. Sie schloss die Augen und sah die gläserne Mauer, die ihren Geist von der Magie trennte.
„Das ist wirklich bemerkenswert! Die meisten untrainierten Magier, sind nicht in der Lage ihren Geist zu verschließen“, bemerkte Kieran erstaunt, als sie ihn nach kurzer Überzeugung widerwillig in ihren Geist gelassen hatte.
„Jetzt ergibt es Sinn, warum du dich so lange vor unseren Magiern und denen des Königs verstecken konntest“, sagte er mehr zu sich selbst als zu ihr.
„Hast du es als Kind gelernt? Ich habe wirklich noch nie von einem Magier gehört, der seinen Geist ohne Training so vehement verteidigen kann“, sinnierte Kieran fasziniert.
„Meine Mutter hat es mir als Kind beigebracht. Wenn man in einer Familie von Reitern, Magiern und Hexen

aufwächst, ist es unabdingbar seinen Geist verschließen zu können", erklärte Amara schulterzuckend auf Kierans fragenden Blick und fügte erklärend hinzu: „Meine Mutter war eine Hexe, sie hat die Magie von meiner Großmutter geerbt und hat den Zirkel verlassen, als sie meinen Vater kennengelernt hat." Sie streckte die Handfläche aus und versuchte ein Runenlicht heraufzubeschwören.

„Ich habe früh gelernt meinen Geist abzuschotten. Diese Fähigkeit hat mich in den letzten Jahren am Leben gehalten. Es ist nur so verdammt schwer, diese Kontrolle jetzt wieder aufzugeben." Nachdenklich schwebte ihr Blick in der Luft und ging ins Leere, gefangen in einer Erinnerung. Die geistige Wand schwankte einen Moment und Amara riss sich los und griff erneut entschlossen nach der ihr innewohnenden Macht.

„Und bei dir? Warst du der erste Magier in deiner Familie?", fragte sie vorsichtig. Sie wollte dringend mehr über ihn erfahren. Kieran war die meiste Zeit wie ein verschlossenes Buch, seine Offenheit in den letzten Tagen verwunderte sie sehr. Eigentlichen war es wie ein stummes Abkommen zwischen ihnen gewesen, dass sie nicht über die Vergangenheit sprachen. Diese neue, noch ungewohnte Vertrautheit machte sie unsicher. Sie bewegten sich auf dünnem Eis, ein falsches Wort, könnte das zwischen ihnen aufkeimende Vertrauen wieder zerstören.

„Nein, nicht der erste. Aber der erste nach mehreren Generationen." Kieran wirkte ebenso überrascht wie sie, diese Worte zu hören. Amara nahm ihre

Konzentration wieder zusammen und griff erneut nach der Magie.
Das Runenlicht funkelte zaghaft auf ihrer Handfläche. Ein Lächeln stahl sich auf ihre Lippen, als sie die kleine leuchtende Lichtkugel betrachtete, die einige Zentimeter über ihrer Handfläche zitternd schwebte.
„Es funktioniert!", jubelte Amara begeistert. Als sie die Augen wieder von der Lichtkugeln nahm, fiel ihr zum ersten Mal auf, wie nah sie einander waren. Das Licht flackerte und erlosch schließlich, als ihre Konzentration schlagartig nachließ. Kieran hatte sich auf dem Stuhl in ihre Richtung gedreht, sodass sich ihre Knie nun fast berührten. Als sie hochsah und sich ihre Blicke trafen, war jede Härte aus seinem Blick gewichen und eine Sanftheit, die Amara nie an ihm gesehen hatte, spiegelte sich in seinen Zügen wider.

12

Ihr Blick flog zu Lynn, die routiniert die klimpernden Messer und Dolche fortlegte und neben ihr Schwert an die Mauer lehnte. Amara hatte den gesamten Tag dem Magiestudium gewidmet, daher war das körperliche Training jetzt eine willkommene Abwechslung. Ihr Puls hämmerte laut in ihren Ohren, als Amara noch ein paar neue Aufwärmübungen durchging, die sie beim letzten Nahkampftraining gelernt hatte.

Es war mittlerweile wie zu einem Ritual geworden – fast jeden Abend vor dem Schlafen führte sie die Kräfte zehrenden Übungen durch. Sie hatte sich in den letzten Wochen und Monaten verbessert. Allmählich waren die Bewegungen ihr in Fleisch und Blut übergegangen. Amara biss die Zähne zusammen und dehnte sich ein wenig zum Aufwärmen. Trotz des eisigen Luftzugs bildeten sich bereits einzelne Schweißtropfen auf ihrer Stirn und das Gefühl von angenehmer Ermattung ergriff so langsam von ihr besitz. Leichter Nieselregen hatte eingesetzt und begleitete seit der letzten Stunde ihr Training.

Noch vor ein paar Wochen hätte sie nie gedacht, dass so kleine Bewegungen so anstrengend sein könnten! Lynn trat zu ihr auf die Rasenfläche des Innenhofes und begann ebenfalls mit leichten Dehnübungen zum Aufwärmen.

„Ich habe gehört, dass du den ganzen Morgen mit Kieran in der Bibliothek verbracht hast – zum Lernen", sagte Lynn gedehnt und warf ihrer Freundin einen vielsagenden Blick zu.
„Ja und? Wir sind Freunde", presste Amara während einer besonders schweren Übung etwas schnell hervor. Lynns Augenbrauen rutschten noch höher – wenn das überhaupt möglich war.
„Nur Freunde, ist klar. Ich habe gesehen, wie du ihn ansiehst. Ich hoffe wirklich für dich, dass seine wahnsinnige Ex-Freundin nicht Wind davon bekommt. Daciana wird dir das Leben ansonsten ziemlich schwer machen", seufzte Lynn abschließend und ihre Worte kamen nicht überraschend.
„Die Beiden sind seit Monaten getrennt! Abgesehen davon, kann Daciana mich eh nicht ausstehen. Das würde wirklich keinen Unterschied mehr machen", winkte Amara mit einer wegwerfenden Handbewegung ab.
„Das musst du, mir nicht sagen. Wenn sie dich also demnächst irgendwo festfrieren lässt, erinnere dich an meine Worte", antwortete Lynn schulterzuckend.
„Wir sind wirklich nur Freunde!", schimpfte Amara pikiert, nachdem Lynn wieder anfing von Kieran zu schwärmen. Doch ihre Freundin zwinkerte ihr nur ironisch zu und schüttelte den Kopf.
Schweigend folgten sie eine Weile ihren Übungen, bevor sie in einen leichten Zweikampf übergingen.
Amara nahm eine Angriffsposition an. Ihr Blick folgte jeder einzelnen Bewegung von Lynn, während sie einander mit langsamen, bedächtigen Schritten umkreisten.

Einige Haare hatten sich im Eifer des Gefechts bereits großzügig aus ihrem Zopf gelöst und fielen Amara nun über die Schulter.
Sie strich sich eine Strähne aus dem Gesicht, die an ihrer Nase kitzelte und klemmte diese hinter ihr Ohr. Eine unbedachte Handlung, die Lynn sofort nutzte. Abgelenkt registrierte Amara fast zu spät, wie Lynn hervorschnellte.
Reflexartig hob sie die Hände zurück in eine defensive Stellung und duckte sich im letzten Moment unter dem Schlag ihrer Kontrahentin hinweg und rammte Lynn ihrerseits ihre Schulter in den Magen. Nicht stark genug, um sie zu Boden zu zwingen und dennoch mit genügend Schwung, um sie einige Schritte von sich wegzustoßen. Überraschung lag für einen kurzen Augenblick in Lynns Zügen. Amara nutzte diese Sekunde, um die Distanz zwischen ihnen erneut zu überwinden und anzugreifen. Mit einer plumpen jedoch effektiven Schlagkombination zwang sie Lynn in die Defensive. Diese blockte gekonnt und landete einen kurzen Treffer an ihren Rippen. Amara blendete den Schmerz aus und setzte zu einem Tritt an. In dem Moment, in dem sie ausholte, erkannte sie ihren Fehler.
Lynn trat ihr das Standbein unterm Körper weg und mit einem lautstarken Fluchen flog sie ungebremst mit dem Gesicht voraus auf die Erde. Ihr Atem ging schnell, das Herz raste und doch rappelte sie sich bereits wieder auf, als Lynn nähertrat und ihr mit ausgestrecktem Arm die Hand hinhielt. Dankend nahm Amara das Angebot an und Lynn zog sie wieder auf die Beine.

„Du musst mehr auf deine Beine achten! Der Angriff war nicht schlecht, wirklich! Aber ohne einen sicheren Stand, ist es ein leichtes dich zu Fall zu bringen“, bemerkte Lynn, als sie vom Rasen traten und am Rande des Hofes, vor einer Wand mit den unterschiedlichsten Waffen stehen blieben.
Neben Schwertern und Messern aus Holz oder stumpfen Metall standen allerlei andere Waffen zur Auswahl. Eine Vielzahl hatte Amara zuvor noch nie gesehen. Neugierig betrachtete sie einen Stab der links von ihr an der Wand hing. Er bestand aus Holz und an seinem Ende befand sich eine breite gebogene Klinge, das andere Ende war mit einer Spitze versehen, wie die eines Speers oder einer Pike. Sie nahm ihn von der Wand und hielt ihn interessiert empor.
„Ist der neu?“, rief sie Lynn zu, die gerade darauf konzentriert war mehrere Trainingsschwerter miteinander zu vergleichen und zwei passende, für sich und Amara zu finden. Lynn hob den Kopf und sah zu ihr herüber.
„Was ist los? – Oh, der!“, rief Lynn, als sie die Waffe erkannte. „Das ist ein Runka, eine traditionelle Waffe der Normadenstämme der Wüste Fásach. Der ist, soweit ich weiß, ziemlich neu in der Sammlung. Mich wundert es, dass er hier steht und nicht in der Waffenkammer. Vermutlich hat ihn irgendein Idiot zum Trainieren mitgenommen und vergessen. Marlowe wird nicht begeistert sein, dass die Waffe hier draußen liegt“, sprach Lynn trocken aus und reichte ihr das Schwert, welches sie für Amara ausgesucht hatte. Es war ein abgestumpfter Einhänder aus Stahl, etwas unter einem Meter lang und

seiner Länge entsprechend schwer. Amara wog das Schwert in der Hand und führte ein paar leichte Kombinationen aus um sich mit der Waffe vertraut zu machen.
„Woher weißt du das alles eigentlich?“, löcherte sie Lynn weiter, während sie versuchte, sich an die Waffe zu gewöhnen.
„Ich stamme aus einer Händlerfamilie aus Osaias. Mitglieder der verschiedenen Stämme kamen auf ihren Reisen zum Handel durch die Stadt. Da habe ich einiges aufschnappen können. Ich spreche sogar ein wenig Tungumál“, erklärte Lynn, während sie sich ebenfalls an die Übungswaffe gewöhnte.
„Beeindruckend“, bemerkte Amara anerkennend. „Dann weiß ich ja, wen ich zum Übersetzen mitnehme, wenn ich mich mal in der Fásach Wüste verlaufe.“ Sie richtete das Schwert in Lynns Richtung und verkündete dann: „Wollen wir jetzt endlich kämpfen, oder weiter quatschen?“
„Soll das etwa eine Herausforderung sein?“, sagte Lynn und erwiderte ihr Grinsen.
Sie traten sich wieder gegenüber und das Lachen wich, von ihren Gesichtern. Zurückblieb nur noch eisige Entschlossenheit und schon kreuzten die Beiden ihre Schwerter.
Zunächst waren sie gleich auf und parierten die Schläge der jeweiligen Gegnerin mit Leichtigkeit. Doch langsam, aber sicher stieg die Müdigkeit in Amaras Knochen und ließ sie langsamer, träger werden. Es gelang ihr nicht die Müdigkeit auszublenden und kurz darauf strauchelte sie

bei einer heftigen Schlagabfolge, die Lynn und sie sich leisteten. Diese Schwäche blieb nicht unentdeckt und Lynn nutzte den Augenblick geschickt – sie stieß Amara mit einem gezielten Tritt aus dem Gleichgewicht. Amara stürzte fluchend und verlor dabei das Schwert. Lynn war schon zur Stelle, schneller als Amara sich wegdrehen konnte, um nach dem Schwert zu tasten, hielt Lynn ihr die Klinge an die Kehle.

„Gewonnen!“, rief Lynn mit einem triumphierenden Aufschrei und zog die Klinge fort, um ihr die Hand zu reichen. Amara nahm das Angebot gerne an und ließ sich von Lynn erneut zurück auf die Beine ziehen. In diesem Moment beneidete sie ihre Freundin noch mehr um ihre gesteigerte Kraft und Schnelligkeit, die durch die Drachenverbindung kamen.

„Das gibt bestimmt ein paar ordentliche blaue Flecke“, murmelte sie und klopfte sich den Dreck von den Anziehsachen. Durch ihre ungewollten Kuscheleinheiten mit dem Fußboden war sie von oben bis unten mit Erde und winzigen Steinen bedeckt gewesen.

„Mach dir nichts draus! Du hast mich auch einige Mal erwischt, so langsam bist du nicht mehr die Einzige mit blauen Flecken“, versuchte Lynn sie zu trösten und streckte die Hand aus, um das Schwert vom Boden aufzuheben. Doch Amara war schneller und Lynn verstand.

„Wenn du noch trainieren möchtest, von mir aus“, erklärte Lynn und zuckte mit den Achseln. Ihre Freundin ging dabei zum Waffenständer, um das Schwert wegzuhängen und sagte dann: „Also ich geh jetzt ins Bett.

Aesira und ich fliegen morgen früh kurz vor Sonnenaufgang die erste Patrouille."

Die beiden Freundinnen verabschiedeten sich und Lynn verließ den Innenhof mit eiligen Schritten in Richtung der Wohnräume. Im Türrahmen machte sie kurz kehrt und drehte sich noch einmal zu Amara herum.

„Wenn du mich bei deiner Rückkehr später weckst, werfe ich dich morgen früh den Drachen zum Fraß vor!", zischte Lynn ihr halbernst zu.

Amara grinste und erwiderte gespielt entrüstet: „Das war doch nur einmal! Woher hätte ich wissen sollen, dass der Stuhl so weitdraußen steht, dass ich drüber falle und den halben Schreibtisch gleich mitreiße?"

„Ja ja, um Ausreden nie verlegen", erwiderte Lynn neckisch, um dann in einem ernsteren Tonfall fortzufahren. „Aber trainiere nicht zu lange. Ich meine es ernst, das tut den Muskeln auch nicht gut, wenn du es übertreibst." Damit wandte sie sich wieder zum Gehen und Amara stand allein im Innenhof.

Eine Bewegung über ihr, lenkte ihren Blick auf den kalten Nachthimmel, der zwischen den Dächern der Burg zusehen war. Sie hätte schwören können, dass sie eine Gestalt im Augenwinkel über das Schwarz des Nachthimmels hatte huschen sehen. Doch als sie nun hinaufblickte, war der Himmel klar wie zuvor. Amara wandte sich wieder von den Sternen ab. Was auch immer sie gesehen hatte, war fort – weiter gezogen zu einem Ziel, das ihr unbekannt war.

Sie ließ das Schwert in ihrer Hand durch die Luft wirbeln und die Klinge beschrieb einen Bogen. Ihr unsichtbarer

Gegner ging zu Boden. Amara ging einige Schlagfolgen durch und huschte dabei, so schnell wie ihre müden Füße es zuließen, über den Rasen. Akribisch achtete sie dabei auf die richtige Ausführung ihrer Schläge und vernachlässigte nicht eine Sekunde die korrekte Platzierung ihrer Füße. Jede Ungereimtheit konnte ihr Gleichgewicht stören und sie im Kampf zu Fall bringen, wie sie schmerzlich in den letzten Wochen und Monaten gelernt hatte. Die Sekunden wurden zu Minuten, bis ihre Muskeln ächzten und die Müdigkeit sich schließlich auch körperlich bemerkbar machte. Einige Male stolperte sie, bis sie nach einem schwungvollem Angriff fast gestürzt wäre und nur noch knapp taumelnd zum Stehen kam. Frustriert beschloss Amara daher das Training doch zu beenden.

***

Gedankenverloren durchquerte sie den Flur und achtete darauf, so leise wie möglich zu sein, um Niemanden zu so einer späten Stunde, zu stören. Zielsicher bewegte Amara sich auf die Eingangshalle zu, um dort die nächste Wendeltreppe zum Obergeschoß zunehmen. Ihre Füße hoben sich vor Anstrengung zitternd kaum über den Steinboden der Burg und es fiel ihr schwer die Augen offen zu halten. Sie war einfach zu müde.

Als sie gerade die große Halle betreten wollte, ließ sie ein plötzliches Geräusch innehalten. Instinktiv blieb sie wie versteinert stehen. Zu dieser späten Stunde war sie nicht darauf vorbereitet gewesen, Jemandem zu begegnen und ein Gefühl sagte ihr, dass sie nicht hier sein sollte.

Vorsichtig schlich Amara langsam wenige Schritte zurück und wollte nun doch den langen Weg gehen. Doch da hörte sie zufällig ein Wort, welches ihre Aufmerksamkeit erregte: „Skrim…“
Die Erwähnung der uralten albtraumartigen Kreaturen ließ Amara aufhorchen und sie erkannte Bowens Stimme. Neugierig geworden, blieb sie stehen und lauschte.
„Bist du sicher?!“, klang jetzt eine zweite Stimme zu ihr herüber. Es war Astoria. Die Stimme der alten Reiterin klang erschreckend aufgewühlt. Amara schob das schlechte Gewissen bei Seite, ihre Neugierde hatte gewonnen. Vorsichtig trat sie einen Schritt näher, um besser lauschen zu können.
Ihr Herz klopfte wie wild und sie versuchte so leise, wie nur irgend möglich, zu atmen.
„Ich bin mir sicher! Sie haben den Wald verlassen! Die Menschen in Rothnia berichten von alten Schrecken, die das umliegende Land heimsuchen, und sich immer weiter östlich bewegen“, zischte Bowen aufgeregt flüsternd.
„Aber solche Berichte hören wir doch ständig! Es –“, setzte Astoria an, doch Bowen fiel ihr ungehalten ins Wort.
„Nein!“, zischte er und fuhr nun bemüht respektvoller fort: „Es ist diesmal anders. Das Land ist in Aufruhe. Ich habe von mehreren meiner Quellen erfahren, dass die Schattenwesen sich formieren und in Rudeln angreifen. Warg, Wendigos, Harpyien und andere Wesen sollen zusammen jagen, Astoria. Rothnias Bewohner konnten sich nur noch hinter den Mauern der Stadt schützen.

Svarog und ich haben die Zerstörung auf dem Heimflug selbst gesehen! Sie bewegen sich in unsere Richtung! In wenigen Tagen werden sie in Elsum sein und danach trennt sie nur noch der Drekafjall von Anruin."

„Sie bewegen sich auf meine Heimat zu!", wurde Amara schlagartig bewusst. Ihr Puls schloss in die Höhe und kalter Angstschweiß benetzte ihre Finger, bei dem Gedanken. Angespannt drückte sie sich gegen die Wand, um Astorias Antwort noch besser hören zu können.

„Das klingt in der Tat ernster, als vermutet. Begib dich nun zur Ruhe, es war eine lange Reise. Oh, und erzähle niemanden etwas von dieser Vermutung! Der Rat muss über die weitere Vorgehensweise entscheiden", forderte ihn die ältere Reiterin besorgt auf.

„Aber, was ist mit Elsum? Die Stadt ist ahnungslos und hat keine Mauern, die ihre Einwohner schützt!", erwiderte Bowen hilflos.

„Das muss der Rat entscheiden! Wir werden sehen, was wir tun können." Astorias Tonfall zeigte eine Härte, welche signalisierte, dass das Gespräch für sie beendet war. Amara hörte, wie Schritte in ihre Richtung kamen.

„Mist!" Angestrengt überlegte sie, was sie nun tun sollte. Ihr blieben nur wenige Sekunden, bis sie entdeckt werden würde. Panisch streifte ihr Blick durch den Raum, bis er auf die Waffenkammer fiel – nur ein Stück den Gang hinunter. Ohne einen weiteren Augenblick zu verschwenden, stürmte Amara los, so leise wie möglich packte sie die Tür der Waffenkammer. Zu ihrem Glück war sie nicht verriegelt und so stürzte sie eilig in den Raum und zog die Tür leise ins Schloss.

Eine ganze Weile verharrte sie dort wie erstarrt – außerstande sich zubewegen. Die Müdigkeit, welche sie zuvor noch heimgesucht hatte, war wie weggeblasen. Ihre Gedanken überschlugen sich. Wieso rotten sich die Schattenwesen zusammen? Amara wurde übel bei dem Gedanken. Soweit sie wusste, war so etwas in der langen Geschichte Averions noch nie vorgekommen.
„*Sie sollten nicht zusammenarbeiten, und schon gar nicht gezielt einen Kurs verfolgen! Das ist unnatürlich. Sie jagen sich doch eigentlich gegenseitig genau so sehr, wie sie uns Menschen jagen und fressen wollen.*“ Ihre Gedanken machten einen Sprung. Amara lehnte sich entsetzt gegen die Tür, als die Erkenntnis sie traf. Eine kalter Schauer lief ihr über den Rücken, als sie an die albtraumhaften Monster mit den fledermausähnlichen Flügeln dachte. Sie hatte nur einmal in ihrem Leben einen Skrim gesehen, doch diese Erfahrung hatte sie nachträglich beeindruckt. Damals war sie noch ein Kind gewesen, als eines dieser Wesen, zu nahe an den Hof ihrer Eltern geschlichen war. Das leise Keckern ihrer Kehlen und der hungrige Blick aus den tintenschwarzen Augen hatte sie noch Jahre später, in ihren Träumen verfolgt. Skasyn hatte damals kurzen Prozess mit dem Wesen gemacht und es unbarmherzig verbrannt. Der blaue Winddrache war ihren Gegnern gegenüber nicht gerade zimperlich gewesen.
„*Elsum! Jemand muss sie warnen oder der ganze Ort wird vernichtet. Bis der Rat eine Entscheidung getroffen hat, könnte es schon zu spät sein!*“, erkannte Amara niedergeschlagen und die Erinnerung an den Ort ihrer Kindheit und ihre Tante, trafen sie mit erneuter Härte.

„*Ich muss sie warnen!*" Ihre Zielstrebigkeit erstaunte sie selbst, doch es war die einzige Möglichkeit, die ihr in den Sinn kam, um das zu retten, was von ihrer Familie noch übriggeblieben war. Nicht noch einmal würden die Monster gewinnen. Egal was die, die dieses Land beherrschten, auch tun würden! Ihr Entschluss war getroffen – sie würde Anruin verlassen, auch wenn dies bedeuten würde ihren Wunsch, Drachenreiterin zu werden, aufzugeben. Sie konnte einfach nicht tatenlos hier herumsitzen und warten, bis Andere diesen Kampf austragen würden!
Mit neuer Kraft stand Amara auf und streckte vorsichtig den Kopf aus der Tür. Als sie keine weiteren Geräusche hörte, trat sie auf den Gang und nahm dem schnellsten Weg zu ihrem Zimmer. Mit klopfendem Herzen eilte sie durch die dunklen Flure der Burg.
„*Wenn der Plan gelingen soll, darf mich niemand sehen!*" Und so schlich sie auf leisen Sohlen in den Raum, um Lynn nicht versehentlich zu wecken. Zu ihrer Erleichterung schlief ihre Zimmergenossin fest und der Plan in ihrem Kopf nahm weiter Gestalt an. Ihr Verschwinden dürfte erst so spät wie möglich auffallen! Mit zitternden Herzen öffnete Amara langsam ihren Schrank. Die Tür knarzte leise und sie sah mit aufgerissen Augen zu Lynn, aber diese schlief glücklicherweise ungerührt weiter. Erleichtert atmete Amara auf und griff nach ihrem Rucksack. Sie stopfte alles, was ihr nützlich vorkam, hinein. Zum Schluss nahm sie ihren dicken Wollumhang vom Haken und warf sich ein Schaffell zum Schutz gegen die Kälte über die Schultern, bevor sie mit einem letzten Blick zu

ihrer schlafenden Zimmergenossin aus dem Raum trat. Diese Burg und ihre Bewohner waren für sie in den letzten Monaten erneut zu einem Zuhause geworden, dass sie schmerzlich vermissen würde. Die Erkenntnis traf Amara wie ein Schlag, jetzt wo sie dabei war, erneut allem den Rücken zuzukehren.

13

Amara schlich auf dem Weg zum Ausgang vorsichtig durch die dunklen Gänge der Burg. Das Mondlicht fiel durch die hohen Fenster. Es zeichnete die gesamte Burg in einem Schattenspiel aus Grau- und Schwarztönen, die es ihr schwer machten, herannahende Personen zu erkennen.

Hinter jeder Ecke erwartete sie, erwischt zu werden – das und die Anspannung vor der nahenden Gefahr, gingen ihr durch Mark und Bein. Jeder neue Schatten, ließ sie zusammenzucken. Nicht zuletzt wegen der Erwartung einem gewissen Aschebändiger über den Weg zu laufen, der erfahrungsgemäß nur allzu gern, die Schatten als Tarnung nutzte.

In der jetzigen Situation wollte sie sich nicht vorstellen, wie Kieran reagieren würde, wenn er erfahren würde, dass sie sich in aller Heimlichkeit davonschlich.

Die Freundschaft, die sich in den letzten Monaten zwischen ihnen entwickelt hatte, würde sie schmerzlich vermissen! Amara kannte Niemanden, der sie so gut im Kern ihres Wesens verstand. Was sie zugegebenermaßen selbst etwas wunderte: Kieran schien sie und den Konflikt, der in ihr tobte zu verstehen, auch wenn Amara es manchmal gerne geleugnet hätte. Es schmerzte sie zu gehen, ohne sich zu verabschieden.

Aber das Risiko war zu groß, dass man sie aufhalten würde. Nichts destotrotz hätte sie sich gerne von Kieran, Lynn und ihren Freunden, verabschiedet.
Amara öffnete entschlossen das große Eingangsportal der Burg und strich ein letztes Mal über die ins Holz geschnitzten Drachenköpfe, die die riesigen Flügeltüren der Burg zierten und trat ins Freie.
Der kalte Wind, der ihr entgegenwehte, verschlug ihr für einen Moment den Atem und Amara schlang ihren Umhang eng um ihren Körper, als sie den Burghof durchquerte und den Pfad zum Ufer des Sees einschlug.
Der Anblick, der sich vor ihr ausbreitete, war atemberaubend – der zugefrorene See lag still im Tal. Die riesige weiße Fläche wurde nur von einzelnen immergrünen Büschen unterbrochen, die das kalte Klima und die brutalen Wetterbedingungen der Berge überlebt hatten. Hinter dieser Szenerie ragten die riesigen weißen Enden des Drekafjallgebirges wie Reißzähne aus der Erde und kratzten an ihren höchsten Stellen an dem wolkenverhangenen Himmel.
Es gab zwei Möglichkeiten – das Gebirge umgehen oder es überqueren.
„Ich muss wirklich verrückt sein, dieses Gebirge überqueren zu wollen!", kam ihr der Gedanke, *„und das auch noch im Winter."* Doch Zweifel hatten keinen Platz in ihrem Herzen. Die Zeit war so schon knapp! Wenn sie wirklich schnell genug sein wollte, um etwas ausrichten zu können, gab es nur einen Weg und der führte sie direkt durch die gefährlichsten Berge des Landes. Es waren nicht nur die Höhen selbst, die die Überquerung so gefährlich

machten, sondern vor allem dessen Bewohner, die sich in dem Tunnelsystem im Herzen des Berges verbargen und die unangenehme Angewohnheit hatten, Eindringlinge anzuzünden.

„Ich bin allein, und ziehe weniger Aufmerksamkeit auf mich als eine Gruppe. Abgesehen davon, sind Drachen in der Kälte weniger aktiv und kommen selten freiwillig aus ihren Höhlen. Ich kann es schaffen. Ich muss es schaffen!", versuchte sie sich Mut zu zusprechen. Amara wog ihre Chancen ab und schritt weiter durch das Tal, am Ufer entlang in Richtung der Ausläufer der Berge.

„Ich kann es schaffen!", sagte sie sich erneut und war entschlossen das Gebirge zu bezwingen. Hier am Rande des Sees, waren die Berghänge weniger bewaldet und so gelang es ihr schneller voranzukommen. Amara zog den kleinen bronzenen Kompass aus ihrer Tasche und kontrollierte, ob sie auch wirklich die richtige Richtung eingeschlagen hatte und machte sich an den Aufstieg.

Nach kurzer Suche und einer gehörigen Portion Glück fand sie einen Pfad, der sich in etwa in die Richtung bewegte, die sie brauchte. Ihre Finger strichen über die Gravur des verwitterten Kompasses in ihrer Tasche und verfolgten die filigranen Ranken, die sich um den Rand schlangen. Das vertraute Gefühl hatte etwas Tröstliches. Es erinnerte Amara an die schönen Zeiten ihrer Kindheit, vor dem Fall der Reiter. Ihre Füße sackten bei jedem Schritt fast knöcheltief in den Schnee, was das Vorankommen noch schwieriger gestaltete, als es eh schon war. Bald klebten ihre Haare verschwitzt an der Stirn.

So kämpfte Amara sich immer weiter den Berg hinauf und legte nur eine Pause ein, wenn es absolut notwendig war. Vor ihr erstreckte sich der schier endlos erscheinende Anstieg des Gebirges und gaben ihr mit dieser Monotonie den Eindruck nicht vorwärtszukommen. Seufzend senkte Amara den Blick auf den Pfad vor sich und schleppte sich weiter.

Lediglich die Sonne tauchte den Himmel in rotschillerndes Licht und verriet den Anbeginn eines neuen Tages.

„Meine Abwesenheit müsste in Anruin vermutlich mittlerweile aufgefallen sein.“ Das schlechte Gewissen nagte weiter an ihr. Amara war erneut einfach verschwunden, nachdem man sie aufgenommen und freundlich behandelt hatte. Es war eigentlich nicht ihre Art, sich davon zu schleichen und doch zwang das Schicksal sie immer wieder zu dieser Entscheidung.

Sie legte eine kurze Pause ein, um einen Schluck aus ihrer Feldflasche zu trinken und zuckte zusammen. Ein Schlag, wie von einem Stein, der weggestoßen wurde, hallte durch das Tal. Instinktiv drehte sie sich um und blickte auf den Pfad hinter ihr. Doch sie konnte nichts erkennen.

„Ich hätte schwören können, dass da etwas gewesen ist.“ Sie blickte sich weiter suchend um. Ihre Spuren waren von dem erneuten Schneefall, der vor ein paar Stunden eingesetzt hatte, verweht worden und der Schnee machten es ihr schwer etwas zu erkennen. Das ungute Gefühl beobachtet zu werden, machte sich in ihr breit. Von der Unruhe gepackt, stand Amara auf und ging weiter. Doch das Kribbeln im Nacken und das Gefühl verfolgt zu

werden, blieb bestehen. Sie war jetzt schon etliche Stunden unterwegs.

„*Es ist unmöglich, dass mir jemand gefolgt ist.*“ Irritiert versuchte sie sich selbst zu beruhigen. Ihr Blick flog instinktiv, rechts neben sich, auf den Abhang mit dem darunter liegendem Tal. Der Fluss Xanth war nur noch eine schmale dunkle Linie, die sich wie eine endlose Schlange durch den Schnee wandte. Schaudernd blickte sie wieder hinauf und trat vorsichtig einen Schritt vom Abhang weg. Wenn sie nun herunterfiel, würde es bestimmt Minuten dauern, bis sie auf dem Boden aufschlagen würde. Die Überlebenschance bei so einen Aufprall war gleich null, stellte Amara fest und versuchte, den Gedanken zu verdrängen. Sie war nun mehr denn je auf ihre Schritte bedacht und blickte konzentriert auf den Weg vor sich.

Amara zuckte zusammen, da waren doch Schritte! Erschrocken fuhr sie erneut herum und lauschte angestrengt in den Wind. Einen Augenblick hörte sie nichts, als das pfeifende Rauschen des Windes. Doch dann erkannte sie es.

„*Da war es wieder! Stimmen!*“ Ungläubig blieb sie wie erstarrt stehen. Amara konnte ganz klar Stimmen erkennen. Über den Wind hinweg erkannte sie zwar keine Worte, doch es waren eindeutig menschliche Stimmen!

„*Das sollte unmöglich sein!*“, dachte sie erstaunt. Keiner hatte sie aufbrechen sehen, da war sie sich sicher! Und wer wäre schon verrückt genug ihr zu Fuß ins Drekafjall zu folgen? Wenn überhaupt, dann nur mit Hilfe eines Drachen. Wer auch immer es war, sie wollte es nicht herausfinden. Schnell beschleunigte Amara ihre Schritte. Doch die Ausweichmöglichkeiten auf dem Bergpass waren begrenzt. Wollte sie ihren Verfolgern wirklich aus dem Weg gehen, blieb ihr keine andere Möglichkeit, als in einem der Höhleneingänge Schutz zu suchen. *„Großartig!“*

Genau das hatte Amara unter allen Umständen vermeiden wollen, dass Risiko, einem Drachen zu begegnen, war einfach zu groß. Sie würden ein Eindringen in ihr Revier nicht gut aufnehmen, wusste sie und Angst schnürte ihr die Kehle zu.

Doch einen Kampf unter diesen Verhältnissen gegen mehrere unbekannte Gegner zu führen, war genauso fatal. Und die Wahrscheinlichkeit dabei zu sterben war genauso hoch, wie bei lebendigem Leib verkohlt und oder gefressen zu werden.

Mit klopfendem Herzen und größter Vorsicht blickte sie in das schwarze Loch des Höhleneingangs, welches sich vor ihr auftat. Es fiel ihr schwer, in der Dunkelheit der Höhle etwas zu erkennen. Sie konnte nur wenige Meter weit sehen, bevor das Grau der Steinwände mit dem Schwarz der Schatten verschmolz. Doch zu ihrer Erleichterung war die Höhle, wenigstens soweit sie sehen konnte, leer. Sie konnte zwar nicht sagen, wie weit sie in den Berg reichte, doch die Eingangshalle war wie ausgestorben, bis auf…

Ihr Blick streifte erneut durch die Höhle und traf auf drei große und auffällig bunte Steine, die nebeneinander in der Mitte der Höhle lagen. Amara brauchte einen

Moment, um zu realisieren, was sie sah. Ihr Atem erstarb, als sie erkannte, um was es sich handelte.
Vor ihr lagen Dracheneier! Die Gewissheit traf Amara wie ein Schlag. Die Eier waren unterschiedlich groß und alle funkelten im wenigen Sonnenlicht in den unterschiedlichsten Farben. Ihre Schale war gemasert und erinnerte ein wenig an die Schuppen eines ausgewachsenen Exemplars.
Ihr Blick streifte panisch durch die Höhle.
„Wieso sind sie allein?", fragte sie sich verwundert. Soweit sie wusste, schützten Drachen ihre Eier und Jungen erbittert. Sie waren selten und wurden von den Ihren bis aufs Blut verteidigt. Amara wollte gerade den Rücktritt antreten, als sie hinter sich wieder die Stimmen vernahm.
„Ich bring Aldwin um, wenn er uns erneut hier hochschickt!" Die raue Stimme des Mannes war zu nah, viel zu nah.
„Aldwin – den Namen kenn´ ich doch!", überlegte Amara und dann traf sie die Erkenntnis: *„Oh nein!"*
Erinnerungen ergriffen sie: Aldwin war der Reiter, der sie in Whitebridge angegriffen hatte. Doch es blieb keine Zeit, um näher darüber nachzudenken.
Die Stimmen waren deutlich näher, als noch vor einigen Minuten und jetzt erkannte sie, dass sie zu mehreren Männern gehören mussten.
„Ich sitz´ in der Falle!" Ihr Herz schnürte sich zusammen bei dem Gedanken.

„Sie arbeiten für den König!" Die Feststellung erschütterte sie noch mehr und ein weiterer Verdacht keimte in ihr auf: *„Wenn sie nicht wegen mir hier sind, weswegen dann?"*
Ihr Blick flog zu den Eiern und eine Gewissheit überkam sie, mit eiskalter Klarheit.
In der Hoffnung, dass die Männer einfach weiterziehen würden, ohne sie oder das Nest zu bemerken, drückte Amara sich in die Schatten am Rande der Höhle. Angestrengt lauschte sie auf die Geräusche außerhalb der Brutstätte und einige Momente vernahm sie nichts außer ihrem panischen Herzschlag und ihrem eigenen Atem, der unangenehm laut in der Stille war.
Amara dachte schon, dass sie vielleicht weitergezogen waren, als sie die Schritte wieder hörte. Sie waren näher!
„Verdammt!" Das hatte ihr gerade noch gefehlt.
„Hier drüben!", schallte ein Ruf zu ihr herüber und Amara unterdrückte einen Fluch, als sie die Schritte von mindestens vier Menschen in der Höhle widerhallen hörte.
„So ein Mist!", dachte sie und Panik kroch ihr die Kehle hinauf. Amara schob sich noch weiter in den Schatten, hinter einen Stalagmit und zog so leise wie möglich einen Dolch aus der Scheide an ihrem Gürtel. Ein Blick an dem Steingebilde vorbei verriet ihr, dass es, wie vermutet, tatsächlich vier Männer waren. Sie bahnten sich jetzt einen Weg durch die Höhle. Sie waren mit Schwertern bewaffnet und zwei von ihnen trugen zusätzlich eine Armbrust. Wenn sie noch ein wenig weiter gingen, wäre der Weg frei und sie konnte vielleicht unbemerkt ins Freie schlüpfen.

In diesem Moment fiel ihr Blick wieder auf die Eier und Amara begann zu hadern. Sie waren schutzlos und es war weit und breit keine Hilfe in Sicht. Ihr Blick streifte erneut hilfesuchend durch die Höhle, doch es war keiner in Sicht.

„Also jetzt wäre ein Drache in der Nähe praktisch.“ Resigniert wollte Amara sich abwenden, bevor sie realisierte, dass die kleinen Wesen dort drinnen ihren Dieben dann schutzlos ausgeliefert wären. *„Verdammt nochmal!“*

Mit einem letzten wehmütigen Blick auf den Ausgang, umfasste Amara den mit Draht umwickelten Griff ihres Dolches fest und zog eine weitere Klinge aus ihrem Gürtel. Sie drehte sich um, vom Ausgang weg – hin zum Kampf.

Mit wenigen langen Schritten durchquerte sie die Höhle und nutzte den Überraschungseffekt. Sie stach dem Mann, der ihr am nächsten war, den Dolch von unten zwischen die Rippen. Der Mann hatte keine Zeit mehr für eine Reaktion. Er starrte sie nur fassungslos an, seine Hand versuchte noch fahrig nach ihr zu greifen. Doch die Waffe streifte die unterste Rippe und drang mit einem schabenden Geräusch ein. Amara fühlte, wie sich die Muskeln des Mannes unter ihren Fingern erst versteiften und dann einen Augenblick später schlagartig erschlafften. Eine Gänsehaut lief ihr über den Rücken. Sie hasste den Teil, der jetzt folgte! Amara zog die Waffe zurück, bevor der Mann vor ihr zusammenbrach und das Blut, welches aus der Wunde gespritzt war, befleckte ihre Kleidung und lief warm und schleimig ihre Hand hinunter, bevor es in dunklen Tropfen zu Boden fiel.

Mit einem lauten Knallen prallte erst die Armbrust auf dem Boden auf und dann ihr Träger.
Die verbliebenen Drei wandten sich schlagartig zu ihrem gefallenen Kameraden um und Amara nutzte die Verwirrung, um sich zwischen die Dracheneier und den Angreifern zu positionieren und erneut zum Angriff anzusetzen. Doch die bewaffneten Soldaten waren jetzt im Vorteil. Ihre Überzahl und die Länge ihrer Schwerter machten es Amara unmöglich, nennenswerte Treffer zu landen. Mehrmals traf sie die Männer und fügte ihnen kleinere Schnittwunden zu. Doch es reichte nicht, um sich einen nennenswerten Vorteil zu verschaffen oder gar die Oberhand zugewinnen.
Amara setzte zu einer Finte an und warf das Messer aus ihrer linken Hand. Die Klinge verfehlte ihr Ziel nur um einige wenige Zentimeter, und traf den Mann rechts von ihr lediglich in der Schulter, statt in der Brust. Dennoch jaulte er vor Schmerz auf und presste die linke Hand auf die Wunde, aus der jetzt Blut sickerte. Er hob die Armbrust und sein Blick war von Schmerz und Wut erfüllt.
„Dafür wirst du bezahlen!“, zischte er und richtete die geladene Waffe in ihre Richtung.
„Bist du doof!? Die Eier!“, rief der Mann in der Mitte aus und schlug seinem Verbündeten die Armbrust unerwartet aus der Hand. Der Bolzen schoss durch die Luft, traf die Höhlendecke, prallte an einem Stalaktit ab und flog gegen die Höhlenwand rechts von ihr.
„Lange halte ich das nicht mehr aus!“ Der Gedanke trat sie mit erdrückender Klarheit.

Sie duckte sich, parierte und wich einem Hieb nach dem anderen aus. Blut lief aus mehreren Wunden und der Schweiß lief ihr übers Gesicht, als sie immer weiter nach hinten gedrängt wurde.

Ihre Niederlange war nur eine Frage der Zeit, dass wusste sie. Da fiel ihr Blick auf die Decke über ihnen. Besser gesagt auf die Stalaktiten, die in unregelmäßigen Abständen von der Decke hingen. Noch genauer gesagt, auf die gesplitterte Kerbe, die der Armbrustbolzen einem der Steingebilde zugefügt hatte, und ihr kam eine Idee.

Amara machte einen Ausfallschritt zur rechten Seite und ihre Angreifer spiegelten ihre Bewegung gefasst auf eine Attacke. Doch anstatt anzugreifen, holte sie aus und schleuderte den Dolch, ihre letzte Waffe, mit aller Kraft. Die Klinge flog durch die Luft und ähnlich wie der Armbrustbolzen zuvor, prallte sie gegen den Stalaktit an der Decke und blieb jetzt in dem Spalt stecken.

„Daneben." Mit einem wölfischen Grinsen starrte der Anführer des Soldatentrupps triumphierend zu ihr hinüber und Hohn glänzte in seinen Augen. Doch sein Lächeln erstarb, als der Stalaktit zitterte und mit ihm die gesamte Höhle zu beben begann. Doch nicht von dem Aufprall der Klinge, wie Amara zunächst gedacht hatte. Etwas anderes hatte den Berg zum Erbeben gebracht – etwas Großes!

Der Stein brach ab. Die Männer stoben in Panik auseinander. Dabei wurde einer von ihnen zur Seite gestoßen und landete genau im Radius des herabstürzenden Brockens. Ein ohrenbetäubender Lärm erfüllte die Höhle,

als der Stalaktit aufprallte und den Mann halb unter sich begrub. Schockiert sah Amara, wie das Blut begann, sich in einer dunkelrot glänzenden Pfütze um den zerquetschten Körper zu bilden.
„*Runter!*“ Eine Stimme klang in ihrem Kopf und riss Amara aus ihrem Schock. Es war nicht ihre eigene, wie sie zu ihrer Verwunderung feststellte. Es war eine dunkle, tiefe und eindeutig männliche Stimme. Kurz darauf grollte ein Knurren durch die Höhle. Laut genug, um die Decke erneut zum Erzittern zu bringen. Wie eingefroren starrte sie noch immer auf die Männer, die jetzt panisch die Flucht ergriffen.
„*Jetzt!*“ Der Tonfall ließ keinen Raum für Diskussionen zu und ohne weiter darüber nachzudenken, gehorchte sie und warf sich gerade noch rechtzeitig auf den harten, kalten Steinboden.
Hitze brannte in der Luft und die Helligkeit war selbst durch ihre geschlossenen Augenlider unerträglich, als ein kraftvoller Feuerschwall über ihrem Kopf hinweg flog. Das tosende Inferno vernichtete alles, was ihm zu nahekam. Über das Rauschen der Flammen hörte Amara die gedämpften Schreie der Männer und der Geruch von verkohltem Fleisch und Rauch stieg ihr in die Nase. Ihr Magen verkrampfte sich, als die verschiedenen Eindrücke auf sie einprasselten und gerade, als sie dachte der Flammensturm würde nie enden, erstarb das Feuer über ihr plötzlich.
Keuchend schnappte sie nach Luft und kam zitternd wieder auf die Füße. Der Rauch lag immer noch dicht in der Luft und biss ihr in die Lunge. Amara drehte sich

langsam um und ihr Herz schlug so schnell, dass sie dachte es würde ihr gleich aus der Brust springen.
„Das ist mein Ende!“, dachte Amara schockiert, denn sie wusste ganz genau, was hinter ihr stand! Oder besser wer!
Aus der Dunkelheit der Höhle, starrte sie ein riesiges silbernes Auge an, die schlitzförmige Pupille war genau auf sie gerichtet. Sie brauchte einen Moment, um den Rest des Drachen in dem wenigen Licht zu erkennen, denn seine Schuppen waren schwarz – wie die Dunkelheit selbst.
„Oh, verdammt!“, hauchte sie und Amara beschlich eine leise Ahnung, wen genau sie gerade vor sich hatte.
„Das kann nicht sein!“ Der Gedanke hallte in ihrem Kopf wider und doch stand sie dem größten Drachen, den sie je gesehen hatte, sprichwörtlich Auge um Auge gegenüber.
„Oh verdammt! Jetzt bloß nicht wegrennen“, ermahnte Amara sich und starrte panisch den schwarzen Drachen an, der vor ihr stand.
Er war so riesig, dass er nicht in der Lage war, richtig aufrecht in der großen Höhle zu stehen. Doch das wahre Ausmaß seiner Größe wurde ihr erst bewusst, als er sich aus der Dunkelheit löste und auf sie zu schritt.
Der Drache ließ Amara keinen Moment aus den Augen und kleine Flammen begannen, auf seinen Schuppen zu tanzen, als er sie musterte. Die gigantischen ledrigen Flügel waren eng an den Körper gepresst, um nicht an der Wand lang zu schrappen. Der Kopf des riesigen Wesens schwebte nur wenige Meter von ihr entfernt, als er

vor ihr stehen blieb. Er drehte ihn etwas zur Seite, um sie aus einer der gigantischen silbernen Pupillen zu betrachten. Einen Moment lang starrten sie sich an und es kam ihr vor, als würde der Drache direkt in ihre Seele blicken.

Amara stockte der Atem. Dann wandte er den Kopf ab und die Flammen auf seinen Schuppen erloschen, als er sich schüttelte. Sie atmete vorsichtig auf und deutete dies als ein gutes Zeichen.

„*Vielleicht wird er mich ja doch nicht fressen*", stellte sie erleichtert fest, und versuchte, ihren Herzschlag zu beruhigen.

„*Fressen?*", die dunkle Stimme des Drachen klang amüsiert in ihrem Kopf wider und Amara zuckte erschrocken zusammen.

„*Wieso sollte ich dich fressen? Ein Drache, der seinen Reiter frisst. Das wäre mir auch noch nicht untergekommen*", verkündete er beinahe belustigt und Amara starrte den Drachen fassungslos an. Doch bevor sie etwas erwidern konnte, wurde er wieder ernster.

„*Mein Name ist Dorkas und ich habe dich, als meine nächste Reiterin auserwählt*", erklärte das schwarze Ungetüm mit fester Stimme. Der Raum um sie herum schien sich für einen Moment zu drehen. Was passierte hier gerade nur.

„*Das kann nicht sein!*", dachte sie und blickte schockiert wieder zu dem Drachen hinauf.

„*Du bist doch eine Reiterin, Amara?*", fragte Dorkas ruhig und die Frage hallte in ihren Gedanken wider – war sie eine Reiterin?

Sie hatte die nötige Magie, wenn gleich sie diese noch nicht richtig beherrschen konnte. Ihr ganzes Leben lang hatte sie von diesem Augenblick geträumt – in ihrer Vorstellung war es nur irgendwie weniger blutig gewesen. Amara straffte die Schultern, drückte den Rücken gerade durch und blickte erneut zu dem schwarzen Drachen empor.

„Ich bin eine Reiterin." Ruhig und entschlossen klang ihre Stimme – die Antwort kam prompt.

„*Dann ist ja gut*", entgegnete Dorkas zufrieden. Erst jetzt fiel ihr der raue Akzent des Drache auf. Sie hatte in den letzten Jahren der Flucht viele Dialekte, Sprachen und Akzente aufgenommen, doch dieser war ihr fremd.

Ein Geräusch am Ende des Tunnels zog ihre Aufmerksamkeit auf sich. Wenn sie es richtig einordnete, war es das Kratzen der riesigen Krallen eines Drachen auf Stein. Noch klang es weiter entfernt, doch das konnte sich schnell ändern.

„*Wir sollten aufbrechen.*"Ohne auf sie zu warten, ging Dorkas auf den Ausgang der Höhle zu.

„Wohin?", fragte Amara unsicher und sah sich irritiert um.

„*Ich bring dich zurück nach Anruin*", antwortete Dorkas.

„Ich kann nicht zurück", stellte Amara mit Bedauern fest, ihr Entschluss Elsum vor den Skrim zu warnen, stand weiterhin. Doch der Drache beachtete ihren Einwand gar nicht erst, und schritt aus der Höhle.

„*Wir sollten uns beeilen, bevor noch andere auf dich aufmerksam werden. Sie wittern vermutlich schon das Schaf und so ein*

Leckerbissen, wird den ein oder anderen trotz der Kälte aus den Höhlen locken", erklärte er und Amara hielt verwirrt inne. „*Welches Schaf?"*, fragte sie sich und wollte den Gedanken gerade laut aussprechen, da übermittelte der Drache ihr einen Schwall von Sinneseindrücken und sie verstand. Ihre Hand strich über den Besatz aus Schafsfell an ihrem Umhang. Der Geruch des Fells war vermutlich beinahe wie ein Einladung zum Festmahl für alle Jäger des Gebirges.

„*Verdammt, daran hätte ich vorher denken müssen!"*, ärgerte sie sich und hätte sich für diesen Fehler am liebsten selbst geohrfeigt. Sie atmete tief durch und folgte dem Drachen aus der Höhle, als ein neuer Gedanke ihr in den Sinn kam: „*Was ist mit den Eiern? Wenn wir gehen, sind sie ungeschützt."* Sie blickte zurück zu den blau, grün und rot schimmernden Eiern, die nur noch durch ihren Glanz, zu erkennen waren.

„*Mach´ dir keine Sorgen, es ist schon jemand auf dem Weg, um meine Wache zu übernehmen. Noch ein Grund dich so schnell wie möglich von dem Berg zu bringen"*, merkte Dorkas an und Amara zuckte kurz zusammen. Sie hatte nicht damit gerechnet, dass der Drache ihre Gedanken hören würde.

Im Freien angekommen streckte er die riesigen Flügel kurz aus. Mit großen Augen starrte Amara zu dem Drachen hinauf. Er war gigantisch! Im Licht der Sonne schimmerten seine Schuppen wie polierter Obsidian und ihr Blick fiel auf die lange Narbe, die sich von unterhalb des linken Unterkiefers, den halben Hals des Drachen hinunter erstreckte. Die Schuppen, über die sie verlief, waren nicht schwarz wie der Rest, sondern

verblassten in ein silbriges Grau. Sie glänzten nicht so sehr, wie das restliche Schuppenkleid des Drachen. Dorkas drehte den Kopf in ihre Richtung.
„*Kommst du?*“, fragte er und ein anderer Gedanke kam ihr in den Sinn.
„*Wie zur Hölle soll ich da rauf kommen?*“, fragte Amara sich ratlos und legte den Kopf in den Nacken, um zu dem Drachen hinaufzublicken.
„*Mit Anlauf*“, beantwortete Dorkas die Frage trocken.
„Bitte was?!“ Ungläubig starrte sie ihn mit hochgezogener Augenbraue an – meinte er das wirklich ernst?
Er war deutlich größer als jeder Drache, den sie bisher gesehen hatte und überragte selbst Kaida noch um ein gutes Stück.
„*Du hast schon richtig gehört, aus dem Stand wirst du es ohne Magie wohl kaum schaffen.*“ Da ihr nichts anderes übrigblieb, trat Amara ein paar Schritte zurück.
„Weißt du was, du hast recht!“, stimmte sie Dorkas zu und nahm Anlauf.
„*Das habe ich immer*“, bestätigte dieser ungerührt. Amara ignorierte den Kommentar, rannte die wenigen Meter und sprang – ins Leere.
Sie schaffte es nicht sich auf den Rücken hochzuziehen verlor an Schwung und prallte unglücklich am Bein des Drachen ab.
Mit einem dumpfen Aufprall landete sie unsanft auf dem kalten Stein und rappelte sich wortlos wieder auf – bereit für den zweiten Versuch. Die Zeit war knapp, das wusste sie! Sobald einer der anderen Drachen auftauchen würde, könnte es schnell zu ernsthaften

Schwierigkeiten kommen. Amara versuchte es noch zwei Mal und war gerade erneut gnadenlos gescheitert gerade, als Dorkas sich mit einem lauten Seufzer auf dem Boden fallen ließ.

„*Das solltest du wirklich noch üben*", brummte der schwarze Riese und stieß eine kleine Rauchwolke aus. Dankbar und erleichtert zugleich ließ Amara die Bemerkung unkommentiert – sie wusste, dass er recht hatte. Noch einmal nahm sie Anlauf und diesmal gelang es ihr tatsächlich sich auf seinen Rücken hochzuziehen. Zwischen den Rückenzacken des Drachen balancierend ließ sie sich hinter dem Widerrist, kurz hinter den Schultern, nieder.

Als sie endlich Platz genommen hatte, erhob Dorkas sich und breitete die Flügel aus. Die Haut seiner riesigen Flügel schimmerte im hellen Licht der Mittagssonne – nicht schwarz wie seine mächtigen Schuppen, sondern dunkelgrau, beinahe anthrazit. Sie waren von den Spuren vieler Schlachten gezeichnet. Unzählige Narben ließen, je nach Größe, auf Verletzungen durch Pfeile oder Armbrustbolzen schließen. Ihre Enden waren an einigen Stellen etwas ausgefranst und angerissen, wie durch Bisspuren. „*Das sind bestimmt zwanzig Meter*", versuchte Amara ehrfürchtig die Flügelspannweite zu schätzen. Doch in dem Moment stieß Dorkas sich vom Boden ab und erhob sich in die Lüfte.

Sie wurde von der Wucht des Abhebens nachhinten gerissen und klammerte sich mit aller Kraft an dem Zacken vor sich fest, um nicht herunterzufallen. Die Welt um sie herum kippte und einen Moment lang, wusste

Amara nicht mehr, wo der Himmel aufhörte, und die Erde wieder begann.
Panik und die Wucht des Windes pressten ihr die Luft aus der Lunge und Tränen stiegen ihr in die Augen, als ihr der Gegenwind ins Gesicht peitschte. Dorkas streckte die Flügel aus und ging in einen ruhigen Gleitflug über. Schlagartig geriet die Welt wieder zurück in ihre Fugen und Amara atmete keuchend ein. Erst einige schnelle Atemzüge, als würde sie sich gerade vor dem Ertrinken retten können, dann beruhigte sich ihre Atmung langsam und sie wagte einen Blick auf die Welt unter ihr.
Durch die schiere Größe des Drachen, sah sie nicht viel. Was sie erblickte, waren jedoch die schneebedeckten Bergspitzen, die auf einer Höhe mit ihnen waren. Viele hundert Meter weiter unten lag das Tal. Der Fluss Xanth war nur noch eine winzige schmale Linie in der weißen Landschaft. Zu beiden Seiten erstreckten sich die Steilhänge des Gebirges. Sie flogen durch die Wolken, die tief über dem Tal hingen. Schlagartig bemerkte Amara die Veränderung der Luft, als sie eine Wolke durchflogen. Das watteartige Gebilde zerstob unter den mächtigen Flügelschlägen und ein nasser Film legte sich auf ihre Haut.
Angestrengt versuchte Amara sich zu erinnern, was sie über den schwarzen Drachen wusste. Sie hatte, in einem der unzähligen Bücher, die sie in den letzten Monaten gelesen hatte, seine Biografie studiert, soviel sie wusste. Doch ihre Erinnerungen ließen sie jetzt kläglich im Stich.

„Dorkas ist einer der größten und mächtigsten Drachen im Drekafjall. Sein letzter Reiter Ronan, war bis zu deren Sturz Anführer der Drachenreiter. Er und sein Drache sollen eigentlich in der Schlacht von Anruin gefallen sein. Doch das entspricht anscheinend nicht so ganz der Wahrheit, wie sich gerade herausgestellt hat", überlegte Amara. Sie musste unbedingt in den kommenden Tagen erneut das Buch heraussuchen. Denn das Gefühl, das ein oder andere wichtige Detail vergessen zu haben blieb. Dorkas flog eine leichte Kurve und ließ sich aus der Wolkendecke sinken. Schlagartig vergas sie ihre Überlegungen.
Mit einem Schlag lag die Welt klar vor ihr – riesig, wild und wunderbar. Amara sah über das Tal hinweg die weiten Wälder und Berghänge lagen, weit ab von jeglicher Zivilisation.
Das einzige menschliche Bauwerk in dieser wilden Landschaft des Drekafjalls, war die uralte Festung Anruin, auf die sie zusteuerten. Die Burg lag stur, allen Widrigkeiten zum Trotz seit Jahrhunderten an den Berg gelehnt. Mit seinen etwas windschiefen Türmen und dem noch nicht wieder aufgebauten Ostflügel, wirkte sie einsam und wenig einladend, doch Amara konnte sich keinen willkommeneren Anblick vorstellen – Zuhause.
Der Drache kreiste einmal um die Festung und breitete dann die riesigen Flügel aus, um seine Geschwindigkeit zu bremsen. Dorkas landete anmutig auf dem Hof vor dem großen Eingangsportal der Burg und der Aufprall der Landung schleuderte Amara nach vorne. Sie fing sich noch gerade rechtzeitig ab, um nicht auf einer großen Rückenzacken des Drachen aufgespießt zu werden.

Sofort fiel ihr ins Auge, dass der Hof anders als erwartet, nicht leer war.
Eine Traube von Menschen hatte sich auf der gepflasterten Fläche versammelt – unter ihnen einige bekannte Gesichter. Das Adrenalin in ihren Köper verebbte langsam und sie ließ sich zitternd und mit wackeligen Beinen, die letzten paar Meter vom Rücken des Drachen fallen. Der Aufprall ging ihr durch Mark und Bein und beinahe wäre sie in die Knie gegangen. Mit einem großen Ausfallschritt fing sie sich gerade eben noch ab. Amara hob ihren Blick und schaute in die Menge. Die Gesichter, die sie anstarrten, waren bleich vor Erstaunen und Schrecken.
Dann hörte sie eine bekannte Stimme über die Menge hinweghallen, fluchend damit beschäftigt sich einen Weg durch die Menschen zu bahnen. Und schon trat Astoria Crawford aus der Menge hervor – auf ihrem Gesicht lag ein Ausdruck des Erstaunens, jedoch ohne Angst. Einige ihrer graumelierten Haarsträhnen hatten sich aus ihrem Zopf gelöst und vielen ihr jetzt lose über die Schultern. Es wirkte, als sei sie durch die halbe Festung gehetzt. Vermutlich war es genauso gewesen.
„Alle zurück auf ihre Positionen!“, rief sie und ihr Befehl hallte von den Steinwänden der Mauern wider. Die Menschenmenge stob mit lautem Gemurmel auseinander. Bedächtigen Schrittes trat sie bis auf einige Schritt an Amara heran und blickte dann erst zu dem Drachen hoch. Als ob sie sichergehen wollte, dass ihre Gegenwart geduldet werden würde. Dorkas hob den Kopf leicht, ein Zeichen des Respekts und der Erlaubnis, worauf die

ältere Frau gewartet zu haben schien. Schon überwand sie die letzten Meter mit langen Schritten. Wie erstarrt stand Amara an der Stelle, auf der sie gelandet waren und versuchte das Zittern zu unterdrücken. Astoria nahm ihre Hand und sie zuckte unweigerlich zurück.
Sie war noch immer zu überwältigt von den Geschehnissen der letzten Stunden, um zu sprechen. Ihre Gedanken wirbelten verwirrt durcheinander und sie kam einfach nicht hinterher. Astoria führte sie zu einer der steinernen Bänke, die am Rande der Burg standen und Amara folgte der älteren Reiterin ohne Widerspruch. Ihre Füße schliffen über den Steinboden und ihre Beine fühlten sich beim Laufen seltsam taub an. Astoria bedeutete ihr sich hinzusetzen und sah sie sorgenvoll an. Amara wurde schwindelig, als sie sich auf die Bank fallen ließ.
„Der Blutverlust hat mir doch mehr zugesetzt, als erwartet“, stellte sie beklommen fest, als das Adrenalin langsam nachließ.
„Ein Heiler ist schon auf dem Weg. Wir müssen die Blutungen stillen. Wie schlimm bist du verletzt?“, fragte die alte Frau sie ruhig, doch Amara konnte die Sorge in ihren Augen sehen. Astoria ließ sie keinen Moment aus den Augen. Da realisierte Amara langsam, was für einen schrecklichen Anblick sie abgeben musste. Bleich, mit Asche und Blut bedeckt. *„Das ist sehr viel Blut“*, stellte Amara mit einem Blick auf ihr fleckiges durchweichtes Oberteil fest.
„Mir geht es gut“, versicherte sie Astoria tonlos. „Es sind nur Kratzer und kleinere Schnitte, das meiste Blut

stammt nicht einmal von mir. Der Flug hierher hat mich mehr fertig gemacht als der Kampf." Sie schenkte der alten Reiterin ein müdes Lächeln. Darauf bedacht, die andere Frau ein wenig zu beruhigen. Sie hatte Astoria noch nie so aufgewühlt erlebt und der Anblick beunruhigte Amara.

„*Du solltest ihr von deiner Sorge erzählen. Sie ist vertrauenswürdig*", meldete sich Dorkas in diesem Moment zu Wort. Sie zuckte zusammen und sah zu dem Drachen hinüber der nun auf dem Platz saß. Ähnlich wie eine Katze hatte er den Schwanz dabei um die Tatzen geschlungen und fixierte sie weiterhin aus großen silbernen Augen.

„*Daran werde ich mich, vermutlich nie gewöhnen können*", stellte sie müde fest. Astoria sah zu ihr herüber, als sie die Bewegung wahrnahm.

„*Sprich sie auf Elsum und die Skrim an!*", drängte der Drache weiter. „*Du wirst sonst keine Ruhe finden.*"

Amara verdrehte die Augen. Auch wenn er vermutlich recht hatte, gefiel es ihr absolut nicht, herumkommandiert zu werden.

„*Warte mal, woher weißt du davon?*" Verwirrt schaute sie zu ihm herüber.

„*Ich bin in deinem Kopf.*" Amara konnte sein Augenrollen förmlich spüren.

„Elsum…", setzte sie an und Astoria, die sie die ganze Zeit nicht aus den Augen gelassen hatte, sah jetzt irritiert aus.

„Habt ihr die Bewohner von Elsum vor den Skrim gewarnt?", fing Amara den Satz erneut an und die ältere Reiterin verstand.

„Das kann ich dir leider nicht…“, versuchte Astoria abzuwiegeln, doch Dorkas unterbrach sie mit einem leisen Knurren.
„*Sag es ihr*“, schaltete er sich ein. Erstaunt stellte Amara fest, dass er sich direkt an Astoria gewandt hatte und sie nun eine stumme Diskussion ausfochten. Ihr Blick flog zwischen dem Drachen und der Frau vor ihr hin und her, und ihr Respekt vor der älteren Reiterin wuchs noch mehr.
Es war eine riskante und gefährliche Angelegenheit, sich mit einem fremden Drachen in Kontakt zu setzen und wurde nur sehr selten getan. Es wird von vielen Drachen als respektloser Affront betrachtet, der nicht auf die leichte Schulter genommen wurde. Sie fröstelte als ein Schauer über ihre Haut lief und zog den Umhang enger um den Körper. Astoria warf Dorkas einen bösen Blick zu, bevor sie sich schließlich wieder Amara zu wandte.
„Na gut“, seufzte Astoria und fing dann an zu erzählen. „Wir haben noch gestern Nacht einen Reiter nach Elsum und das umliegende Land gesandt, um die Bevölkerung zu warnen. Du musst wissen, dass es sehr riskant ist, Reiter auszuschicken! Kagans Spione lauern überall und die meisten unserer Reiter sind über das Land – auf den verschiedenen Stützpunkten – verteilt. Die meisten Bewohner von Anruin sind zu jung oder zu alt, um solche Missionen zu fliegen. Es gibt nur wenige, die in Frage kommen. Das Risiko entdeckt zu werden, steigt mit jedem Drachen, der das Tal verlässt! Dem Rat würde das nicht gefallen! Doch wir konnten nicht hier rumsitzen und einfach abwarten“, erläuterte sie Amara. „Kaida

und Kieran haben sich bereit erklärt die Nachricht zu überbringen. Doch das ist streng geheim! Ich hoffe doch, dass ich dir vertrauen kann."
Astoria verstummte und warf Amara einen warnenden Blick zu. Ihr Blick schweifte zum Eingangsportal der Burg und zu ihrer Freude erkannte sie Aiden, welcher auf den Hof geeilt kam. Als er den riesigen Drachen so dasitzen sah, blieb Aiden mit offenem Mund stehen. Er wandte sich den beiden Frauen auf der Bank zu, doch sein Blick huschte immer wieder ungläubig zu Dorkas.
„Das ist doch nicht etwa …", setzte er an. Doch Astoria unterbrach ihn sofort: „Ich habe Sie nicht ohne Grund hergerufen!"
„Natürlich, es tut mir leid." Hastig und mit einer Spur von Unwillen wandte er Dorkas den Rücken zu. Sein Blick fiel auf Amara. Sie schenkte ihm ein entschuldigendes Lächeln.
„Das ist aber nicht alles dein Blut, oder?", fragte Aiden und wurde leicht blass bei dem Anblick. Sie schüttelte den Kopf und sah, wie sich seine Gesichtszüge entspannten.
„Dann ist ja gut. Ich kann Knochen, Fleisch und Haut wieder zusammenwachsen lassen, aber kein verlorenes Blut oder ähnliches ersetzen. Also verblute bitte nicht oder lass dir Gliedmaßen abtrennen, wenn du es vermeiden kannst." Aidens Sorge rührte sie, brachte sie aber auch etwas aus dem Konzept.
Amara zog ihren Umhang von den Schultern und legte ihn auf die Bank neben sich, als Aiden sich vor ihr hinhockte und eine Hand auf die Wunde an ihrem Arm

legte. Es war ein tiefer Schnitt, zugefügt von einem Schwerthieb und verlief einmal quer über ihren Unterarm. Fast bis zum Ellenbogen hinauf führte die Verletzung und erst jetzt wurde ihr der Schmerz bewusst. Es war keine lebensgefährliche Verletzung, aber sie brannte und bei jeder Bewegung floss ein kleines Rinnsal warmes Blut ihren Arm hinab.

Erstaunt sah Amara zu, wie unter Aidens Berührung die Muskeln und geschundene Haut wieder zusammenwuchsen. Ihr Arm kribbelte, als ob er taub geworden wäre. Als das Gefühl nachließ und sie ihren Arm betrachtete sah sie nichts als leicht gerötete Haut, keine Narbe oder sonstigen Rückständen, was auf die Verletzung hinwies.

„Wahnsinn!“, hauchte Amara erstaunt, als sie ihren Arm in Augenschein nahm. Aiden heilte alle tieferen Schnittwunden, die sonst hätten, genäht werden müssen und Amara stellte erleichtert fest, wie mit jeder weiteren Wunde auch die Schmerzen verschwanden, die sie plagten. Er war gerade dabei die letzte Wunde, eine Stichwunde an ihrer Schulter zuheilen, als ein Windstoß ihr ins Gesicht schlug. Ein Blick nach oben verriet ihr, dass Kaida und Kieran gerade im Landeanflug auf die Festung waren.

Ihre riesigen Flügel schimmerten im Sonnenlicht rubinrot, als Kaida auf den Steinen neben Dorkas landete. Kieran sprang geübt von ihrem Rücken und lief mit eiligen Schritten zu ihnen herüber. Er wirkte, zu ihrer Verwunderung, kein wenig überrascht oder eingeschüchtert von dem schwarzen Drachen. Er steuerte zielstrebig auf

Amara und Aiden zu. Astoria war jedoch schneller und fing ihn ab, um ihn nach dem Verlauf der Mission zu befragen. Seine Miene war alles andere als begeistert. Ohne ein weiteres Wort folgte er der älteren Reiterin widerwillig in die Tiefe der Burg. Amara und Aiden blieben allein zurück.

„Der sieht nicht gerade gut gelaunt aus“, stellte Aiden fest und sah ihnen mit hochgezogener Augenbraune nach – noch immer damit beschäftigt, die Stichverletzung heilen zu lassen. Ihr Blick schweifte zurück zu den beiden Drachen.

Kaida war, wie ihr jetzt auffiel, nicht nur ein gutes Stück kleiner als Dorkas, sondern auch etwas graziler gebaut. Nichtsdestotrotz strahlte die Drachendame eine Autorität aus, die ihresgleichen suchte. Es war unschwer zu erkennen, warum sie die Königin der Drachen genannt wurde. Kaida war mindestens genauso furchteinflößend wie Dorkas, stellte Amara mit einem Blick auf den weinroten Drachen fest.

„Was tust du hier?“, hörte sie die klare und kräftige Stimme der Drachendame in ihrem Kopf widerhallen und wusste dennoch sofort, dass sie nicht mit ihr sprach. Die Stimme klang anders als Dorkas´. Weicher, heller im Ton und ohne diesen fremdartigen Akzent. Für einen Moment irritierte sie der Unterschied, dann verdrängte sie den Gedanken – im Vergleich zu Kaidas Präsenz erschien selbst Dorkas´ Kühle harmlos.

„Ich habe meine Reiterin nach Anruin gebracht“, kam Dorkas´ Antwort prompt und ein wenig zu beiläufig. Er saß immer noch auf derselben Stelle wie zuvor und hielt den

Kopf herausfordernd erhoben. Eine Haltung, die ebenso viel Trotz wie Stolz verriet.
Die beiden Drachen starrten sich an und Amara war sich kurz unsicher, was jetzt passieren würde. Die Stimmung war zum Zerreißen gespannt und selbst Aiden neben ihr schluckte und sah beunruhigt zwischen dem Duo hin und her. Einen Moment herrschte Schweigen, bis Kaida die Stimme erhob und sie ihre Worte mit Bedacht formulierte.
„Das sehe ich! Ich hoffe, du weißt, was du tust. Das könnte unseren Untergang bedeuten – wie du ganz genau weißt!", sagte sie kalt und der Blick aus ihren leuchtend goldenen Augen lag bei diesen Worten eiskalt auf Amara. Sie musste sich zusammenreißen, dem Drang zu widerstehen, den Blick zu senken.
Das Gespräch brach ab und sie verstand, dass die Drachen die Verbindung zu ihr gekappt hatten. Einen Moment verharrten die Beiden bewegungslos in dieser Position, dann brach Dorkas die Stille. Er stand auf und das Klacken seiner Krallen hallte auf den Steinen wider, als er die kurze Distanz zwischen ihnen überwand und neben Kaida trat. Nur noch wenige Zentimeter Platz trennte sie, sodass sich ihre Flügel leicht berührten. Dorkas senkte den Kopf, bis er auf einer Höhe mit Kaida war und stupste sie sanft an. Einen Augenblick standen sie so da, dann senkt Kaida den Kopf ein wenig und erwiderte die Geste.
„Sie sind Gefährten!" Die Erkenntnis traf Amara wie ein Schlag. Wie konnte sie dieses wichtige Detail vergessen haben? Soweit sie wusste, war es ein heiliges und

magisches Band, das zwei Drachen auf ewig miteinander verband. Es kam selten vor. Deswegen also hatte Kaida genauso mühelos mit ihr in Kontakt treten können, wie ihr Gefährte. Sie war durch die Verbindung mit Dorkas auch mit Kaida verbunden.

„*Halte dich an Kaidas Reiter, er wird ein wenig auf dich achtgeben.*“ Dorkas wandte sich jetzt direkt an Amara, bevor er die Flügel ausstreckte und sich in die Luft erhob. Kaida folgte einige Flügelschläge später, aber nicht, ohne noch einen letzten kalten Blick auf die Menschen vor ihr zu werfen, als sie abhob. Ihr Blick ruhte verhältnismäßig lange auf ihr, wie Amara fröstelnd bemerkte.

„Die wirkte nicht gerade begeistert“, hauchte Amara und versuchte den Schrecken abzuschütteln.

„Da könntest du recht haben.“ Aiden stimmte ihr tonlos zu und sein Blick war immer noch in die Richtung gewandt, in der die Drachen verschwunden waren.

Als das Knarzen der Tür sie aus ihrer Trance riss, erkannte Amara, dass Kieran aus der Tür getreten war und auf sie zukam. Die Schritte seiner schweren Stiefel hallten durch den Hof und er wirkte nicht gerade begeistert, als er näherkam.

„Was zur Hölle ist, hier gerade passiert?“, fragte Aiden vorsichtig, der sich just das Blut mit einem Lappen von den Händen wischte. Amara wandte den Blick von Kieran ab und wollte gerade antworten, als ihr dieser zuvorkam.

„Das wüsste ich auch gerne!“, donnerte er los, ohne Amara zu Wort kommen zu lassen. „Wie kommst du auf die Idee, dass es klug wäre, allein im Drekafjall herum zuwandern?!“

„Woher weißt du…“, stieß sie perplex hervor und brach direkt wieder ab. „Kaida.“ Das letzte Wort, war nicht mehr als ein Flüstern. Der Drache hatte ihm von den Geschehnissen berichtet. *„War klar!“*, dachte sie etwas ärgerlich.

„Du hast was getan?!“, mischte Aiden sich mit einem Ausdruck des Erstaunens ein und setzte gerade zu einer weiteren Erwiderung an, als Kieran ihm einen warnenden Blick zuwarf und Aiden den Mund wieder zuklappte.

„Lässt du uns kurz unter vier Augen reden.“ Jeder Freundlichkeit war aus Kierans Stimme gewichen. Aiden schien es nicht zu gefallen, doch zu ihrer Verwunderung ging er ohne weitere Diskussion.

Aiden würde später auf sie zukommen, um sie auszufragen, da war Amara sich sicher. Doch für´s erste hatte er den Rückzug angetreten und ließ sie mit Kieran allein. Amara wollte gerade zu einem Satz ansetzen, aber Kieran unterbrach sie erneut.

„Warte“, zischte er, doch sie dachte gar nicht erst daran. „Für wen hältst du dich? Weißt du eigentlich, wie unhöflich du dich Aiden gegenüber verhalten hast, geschweige denn mir?!“, fuhr sie ihn an.

„Du kannst mich gleich so viel anschreien, wie du möchtest. Aber warte bitte, bis ich einen Zauber gewirkt habe, der verhindert, dass wir belauscht werden.“ Ungerührt von ihren lautstarken Vorwürfen versuchte er gar

nicht erst, sie zu beschwichtigen. Einen Moment wirkte er abwesend, dann flirrte die Luft um sie herum.
„So, jetzt kannst du damit fortfahren mich anzuschreien." Seine Augen funkelten herausfordernd, immer noch leicht von der Magie entfacht, die er in diesem Moment wirkte. Sein Anblick verschlug ihr für einen Augenblick die Sprache. Doch dann fiel ihr wieder ein, wie sauer sie war! Und Amara wollte gerade losdonnern, als sie merkte, wie jemand geistig Kontakt zu ihr aufnahm.
„Habe ein wenig Nachsicht, wir waren die ganze Nacht unterwegs." Es war Kaida, die sich in ihrem Geist meldete. Erschrocken fuhr sie zusammen, sie hatte nicht damit gerechnet, dass die Drachendame Kontakt zu ihr herstellen würde.
„Das ist keine Entschuldigung für sein Verhalten!", konterte Amara entnervt.
„Nein, aber du solltest es trotzdem in deiner Reaktion bedenken", fügte Kaida noch hinzu, bevor sie sich zurückzog. Als Amara ihn jetzt erneut in die Augen sah, bemerkte sie selbst die Müdigkeit in seinen Zügen.
„Kaida hat recht", seufzte sie auf. *„Wir sind beide nicht unbedingt in der Verfassung ein vernünftiges Gespräch zu führen."* Sie wandte sich wieder an Kieran.
„Ich glaube, wir sollten diese Unterhaltung weiterführen, wenn wir etwas ausgeruhter sind. Die Gefahr ist groß, dass wir ansonsten noch etwas sagen, was wir hinterher bereuen." Kieran blickte sie leicht amüsiert an.
„Sie hat dir auch einen Vortrag gehalten, oder?", erwiderte er spöttisch. Er sah sie jetzt direkt an.

„Gewöhn dich schon mal dran! Kaida und Dorkas haben die nervige Angewohnheit sich gerne einzumischen. Es ist oft anstrengend genug mit einem Drachen geistig verbunden zu sein. Doch durch ihr Band, bist du auf gewisser Ebene noch zusätzlich mit dem anderen Drachen verbunden. Das kann manchmal ganz schön nervig sein." Kopfschüttelnd blickte er in die Ferne, als ob er die beiden besagten Drachen direkt vor sich sehen würde.

„Kaida hat mir gezeigt was im Drekafjall passiert ist. Er hat dich als seine Reiterin erwählt, ist dir klar, was das bedeutet!?" Es war mehr eine Aussage als wirkliche eine Frage, doch Amara war sich nicht sicher, worauf er hinauswollte.

„Du meinst, dass auch wir durch die Drachen verbunden sind?", fragte sie vorsichtig. Es war der einzige Grund, der ihr einfiel, warum er so erschüttert sein könnte. Auch wenn Amara sich eingestehen musste, dass es schmerzte zu sehen, wie erschüttert er von der Vorstellung war. Sie hatte gedacht, dass sich in den letzten Monaten eine Freundschaft zwischen ihnen entwickelt hatte.

„Aber das heißt ja nicht, dass wir mehr Kontakt haben müssen als nötig", fügte sie schnell hinzu und Kieran sah kurz amüsiert aus.

„Denkst du wirklich, dass ist der Grund für meine Bedenken?", sagte er, fuhr sich mit einer Hand durch die Haare und schüttelte dann den Kopf. „Darum geht es nicht, ich könnte mir schlimmere Personen verstellen. Wenn ich schon für den Rest meines Lebens mit

jemanden im geistigen Kontakt stehen muss, bist du nicht die schlechteste Option." Sie sah ihn empört und verwirrt an. Unsicher, ob das jetzt eine Beleidigung, ein Kompliment oder einfach eine Feststellung war.
„Doch darum geht es gar nicht. Wenn es nur das wäre, wäre ich eher dankbar, dass du es geworden bist und niemand anders." Er sah sie ernst an. Neugierig beugte sie sich instinktiv ein Stück vor.
Doch bevor sie eine Frage stellen konnte, fuhr er fort. „Aber es gibt einen Grund, warum er nicht vorher einen neuen Reiter gewählt hat. Nicht nur, dass seine Kraft so stark ist, dass sie die meisten Magier umgebracht hätte. Der Tod seines letzten Reiters, hat ihn zusätzlich mehr mitgenommen, als er vermutlich selbst je zugeben würde. Er und Ronan waren über zweihundert Jahre verbunden gewesen. Niemand hätte damit gerechnet, dass er jemals wieder aus den Schatten treten würde, um erneut einen Reiter zu wählen." Unruhig ging Kieran in der schalldichten Kuppel, auf und ab. „Das Dorkas zurück im Spiel ist, wird wie eine Herausforderung für Kagan und Kyrell klingen. Seine bloße Präsens ist eine offene Kriegerklärung. Verdammt, bis zu diesem Auftritt heute, wusste niemand außer den Drachen des Drekafjalls überhaupt, dass er noch lebt!" Sie verstand immer noch nicht ganz, was ihn daran so aufwühlte. Sie wären endlich in der Lage, das Blatt zu wenden und hatten eine reale Chance, Kagan zu besiegen. Kieran fuhr bereits fort in seinem Monolog.
„Er sollte eigentlich nicht wieder auf dem Kriegsfeld kämpfen. Wenn er in den aufkommenden Schlachten

fallen sollte, wird Kaida folgen. Das würde den Drekafjall ungeschützt lassen, ohne Anführer, ohne mündigen Nachfolger. Die Drachen des Drekafjalls stehen durch die ständigen Angriffe Kagans Reitern kurz vor dem Aussterben. Es gibt nur noch wenige der Eldr, der alten und mächtigen Drachen." Seine Aufregung machte nun mehr Sinn. So viel stand auf dem Spiel! Es war eine berechtigte Sorge und doch musste sie einfach sichergehen. Die Informationen, die Kieran ihr gerade überließ könnten essenziell für ihr Überleben und auch das der Drachen sein.

„Alsoo…", sie zog das Wort bewusst in die Länge. „Habe ich das richtig verstanden? Kaida ist das Clanoberhaupt des Drekafjalls." Er nickte. „Und wenn einer der Beiden stirbt, lässt der andere sein Leben und damit eigentlich alle im Drekafjall." Er bestätigte ihre Zusammenfassung erneut. *„Was für ein Schlamassel."*

„Aber eins verstehe ich nicht, die Verbindung geht ja in beide Richtungen. Dann beeinflusst Kaidas Tod, Dorkas doch genauso, wie sein Tod Kaida beeinflussen würde? Also warum hat sie dann einen Reiter gewählt?", überlegte Amara und Kieran übernahm ihren Augmentationsansatz und fuhr fort.

„Das stimmt, doch hier wird es schwieriger. Dorkas ist bei dem Angriff auf Anruin beinahe umgekommen und dieser Kampf hat ihn gezeichnet. Dir ist vermutlich aufgefallen, dass die Schuppen an der Stelle, an der Kyrell ihn einst verwundet hatte, nie richtig zusammengewachsen sind, oder? Das macht ihn verwundbar. Verstehst du jetzt, was die Situation so kompliziert macht?"

Ungehalten blieb Kieran abrupt stehen. In diesem Moment wäre es ihr vermutlich doch lieber gewesen, dass seine Reaktion nur auf eine persönliche Abneigung ihr gegenüber zurückgehen würde.
„Verdammt!“, hauchte Amara. *„Ein gezielter Treffer reicht und es ist vorbei!“* Nicht nur, dass die ganze Revolution von ihr abhing – **nein**, das Überleben der Drachen lag mit einem Mal in ihren Händen.
„Du sprichst mir aus der Seele“, erwiderte Kieran ermattet und schenkte ihr ein müdes Lächeln. „Jetzt weißt du, was von dir erwartet wird – zu überleben.“ Er sah Amara an und fügte dann mit einer beinahe entschuldigenden Miene hinzu: „Daran müssen wir vermutlich noch arbeiten.“

14

Die Ereignisse des letzten Tages saßen ihr noch immer in den Knochen, als Amara am nächsten Tag aus dem Bett stieg. Ihre Beine kribbelten immer noch von dem Muskelkater und die vielen blauen Flecken, die sie sich sowohl bei dem Kampf als auch auf dem Flug zurück ins Tal zugezogen hatte, schmerzten bei jeder Bewegung leicht.

Und wie nicht anders zu erwarten, hatte sich ihre Verbindung mit Dorkas wie ein Lauffeuer in der Festung herumgesprochen. Neugierige Blicke und Getuschel folgten ihr. Egal wo sie hinging, sie wurde angehalten und mit Fragen überhäuft. Amara schaffte es dennoch, sich irgendwie über wenig benutzte Umwege in die große Halle zu schleichen und den meisten Fragen auszuweichen. Ihr war wirklich nicht danach, irgendwelche Fragen zu beantworten, schon gar nicht vor dem Frühstück!

Als sie sich endlich auf ihrem Platz neben Lynn fallen ließ, atmete sie erleichtert auf. Hier würden sie die neugierigen Fragensteller hoffentlich in Ruhe lassen!

„Na, wie geht es unserer neusten Drachenreiterin?“, fragte Ethan, als sich Amara gerade einen Becher mit schwarzem Tee aufgoss.

„Wenn ich gleich genug Koffein in mir habe, geht es mir besser“, gab sie gähnend zu und nahm einen großen Schluck aus ihrer Tasse. Ihre Freunde ließen sie daraufhin erstmal für eine Weile in Ruhe, wofür sie ihnen sehr dankbar war.

Doch es dauert nicht lange und das Gespräch fiel wieder auf ihre Drachenverbindung.

„Hast du die Aithne schon?“, fragte Ilaria neugierig. Amara hatte gar nicht mehr an das Mal gedacht, welches eine Drachenverbindung hinterließ. Sie hatte es gestern im Spiegel schon blass aufleuchten sehen, als sie sich umgezogen hatte. Doch seitdem hatte sie nicht mehr bewusst über die Markierung nachgedacht.

„Es ist einfach so viel in den letzten achtundvierzig Stunden passiert!“, dachte sie immer noch erschüttert von den Ereignissen der letzten zwei Tage.

Jetzt selbst neugierig geworden, zog Amara den Ärmel ihres linken Armes hoch und gab den Blick auf die tintenschwarze Zeichnung auf ihrer Haut frei. Ilaria lehnte sich über den Tisch, um das Mal besser betrachten zu können. Und auch die übrigen Reiter beugten sich jetzt neugierig geworden zu ihr hinüber. Ein tintenschwarzer Drache wandte sich mit ausgebreiteten Flügeln an der Innenseite ihres linken Unterarms empor. Der Kopf des Drachen begann an ihrem Handgelenk und sein Schwanz wickelte sich fast um ihren halben Unterarm herum.

„Wahnsinn!“, stieß Elaena begeistert hervor. Als Amara ihre Gedanken auf das Mal konzentrierte, erkannte sie, wie die Zeichnung sich bewegte. Die dunklen Flügel des

Drachen raschelten träge und Amara konnte das Staunen nicht unterdrücken. Sie wollte gerade etwas sagen, als die Tür aufgestoßen wurde und Daciana eintrat.
„Sie sieht wütend aus“, stellte Ilaria mit einem Blick auf die junge Frau fest. „Oh, und sie kommt auf uns zu!“
Erstaunt stellte sie fest, dass Ilaria recht hatte. *„Das kann nichts Gutes bedeuten“*, dachte Amara und überlegte, was Daciana von ihnen wollen könnte.
Das laute Klacken ihrer Schritte hallten wie Schläge von den Wänden wider, bis sie direkt vor Amara stehen blieb. Die Blicke der Leute, die noch im Saal waren, wandten sich in ihre Richtung und Amara befürchtete, dass sie wusste, was als nächstes folgen würde.
„Wie konntest du nur?“, zischte Daciana. *„Oh, oh!“*
„Ich weiß wirklich nicht, worauf du hinaus möchtest“, gab Amara ruhig zurück, obwohl sie durchaus ahnte, worauf Daciana anspielten musste.
„Du bist mit ihm verbunden, eure Drachen sind es ebenfalls! Damit hast du mir jede Chance genommen!“, stieß sie wütend hervor und bevor Amara etwas erwidern konnte, hatte Daciana ihre Tasse genommen und ihr den Inhalt mit voller Wucht ins Gesicht gekippt. Innerhalb von Sekunden wurde der lauwarme Tee auf ihrer Haut eiskalt. Sie sah noch das Leuchten der Magie in den Augen der jungen Frau, bevor diese davon stürmte. Erschüttert über die plötzliche Eskalation der Situation konnte sie Daciana nur entgeistert hinterher starren, während ihr die eiskalten Tropfen über das Gesicht rannen. Sie hätte schwören können, dass sie sie schluchzen

hörte. Immer noch schockiert, stieß Amara den Atem aus und glühend heiße Wut überkam sie.

„*Was zur Hölle sollte das denn?*", dachte sie und merkte, wie ihr Puls in die Höhe stieg. Sie wollte gerade aufspringen und hinterher Daciana stürmen, doch Lynn hielt sie zurück.

„Lass sie! Es lohnt sich nicht. Wir sollten lieber nach oben, damit du etwas Trockenes anziehen kannst. Abgesehen davon, es gucken alle und du solltest sie wirklich nicht vor versammelter Mannschaft beim Frühstück zusammenschlagen. Warte lieber bis zum Training und mach es dann offiziell", versuchte Lynn sie zu beruhigen.

„*Soll ich sie fressen?*", fragte Dorkas unvermittelt. Sein Ton war kalt, ohne einen Funken Ironie in der Stimme.

„*Besser nicht, sonst macht ihr Drache uns noch Probleme, aber danke.*" Amara musste nun doch über den Einsatz des Drachen schmunzeln.

„*Der kleine Wasserspeier ist kein Gegner für mich*", gab er unbeeindruckt zurück. „*Ein Wort vor dir und das Problem hat sich erledigt.*"Das Gefühl von Wärme machte sich in ihrer Magengegend breit.

„*Danke für das Angebot, aber ich glaub Lynn hat recht. Wir regeln das auf dem offiziellen Weg.*" Obwohl der Gedanke, Daciana fressen zu lassen im, Moment sehr verlockend klang.

„*Spielverderberin!*", murmelte Dorkas und zog sich wieder aus ihrem Geist zurück.

***

Der restliche Tag lief zu ihrer Erleichterung ruhiger als der Morgen ab und auch Daciana lief ihr nicht erneut über den Weg. Genauer gesagt, war diese, wie sie gehört hatte, den ganzen Tag nicht mehr gesehen worden.
Ein wenig Mitleid hatte Amara so langsam doch mit der jungen Frau. Auch wenn sie Daciana nicht ausstehen konnte. Ein gebrochenes Herz war eine schwierige Angelegenheit. Amara versuchte den Gedanken zu verdrängen und konzertierte sich auf das Schwert in ihrer Hand. Das Training half ihr normalerweise Ruhe in ihren Geist zu bringen, doch heute schweiften ihre Gedanken immer wieder ab. Amara stellte sich kampfbereit auf und der noch immer gefrorene Rasen unter ihren Füßen knirschte etwas, als sie ihr Gewicht verlagerte.
„Bereit?", fragte Ilaria und ließ das Schwert in ihrer Hand mit einer Bewegung des Handgelenks elegant durch die Luft fahren. Amara nickte und ging in Angriffsposition. Ohne weiter Zeit zu verschwenden, stieß Ilaria vor und ihre Schwerter trafen klirrend aufeinander. Sie tauschten einige Schläge aus, bevor Ilaria zielsicher einen Treffer an ihrer linken Schulter landete.
„Deckung hoch!", tadelte sie direkt und schob sich eine Strähne ihres goldblonden Haares zurück hinter die Ohren. Frustriert nickte Amara und nahm die Klinge ein wenig höher. Ihr Arm zitterte leicht, als sie erneut einen Schlag abfing, und dann war es so weit! Ilaria war unachtsam, ihre Abwehrbewegung zu langsam und Amara nutzte ihre Chance sofort. Statt ihr Schwert mit der Klinge herunterzudrücken, nutzte Amara ihren Zweihänder und stieß es gewandt nach vorne. Mit einem

schabenden Geräusch glitt ihre Klinge über die andere und bremste nur wenige Zentimeter vor der Kehle ihrer Freundin.

„Gewonnen.“, sagte sie triumphierend und ließ das Schwert sinken.

15

Amara hatte erwartet, dass es ihr jetzt, wo sie mit einem Drachen verbunden war, leichter fallen würde auf die Magie zuzugreifen. Doch das war ein Fehler gewesen, wie sie ernüchtert feststellte. Es waren Wochen vergangen und die unsichtbare Wand in ihrem Geist, war immer noch vorhanden – es gelang ihr einfach nicht sie einzureißen. Und so langsam wurde sie nervös!

„*Du sollst sie auch nicht einreißen, sondern lernen zu kontrollieren*", mischte Dorkas sich ein.

„*Danke für den Rat, aber solange du keine Lösung parat hast, würde ich es vorziehen mich zu konzentrieren.*" Der Drang die Augen zu verdrehen, war beinahe unmenschlich zu unterdrücken. Dorkas hatte wirklich die lästige Angewohnheit sich in den unpassendsten Gelegenheiten einzumischen. Vor ein paar Tagen hatte sie deswegen sogar einen Trainingskampf verloren.

„*Das war nicht meine Schuld! Du sollest trotz Ablenkung in der Lage sein, deine Gegner zu besiegen.*" Den wenig subtilen Vorwurf schien er nicht im Geringsten wahrzunehmen.

„*Das bin ich aber nicht, noch nicht*", erwiderte Amara und versuchte ihre Aufmerksamkeit wieder auf die Aufgabe, die vor ihr lag zu lenken.

Ihr Lehrbuch, lag aufgeschlagen auf dem Tisch, denn ihre ganze Konzentration lag darauf ein Runenlicht zu erschaffen. Natürlich könnte sie eine Kerze anzünden und im Kerzenschein lesen, doch ein Runenlicht war heller und ihr Ehrgeiz war entfacht.

Sie streckte eine Hand aus und konzentrierte sich auf einen Punkt zwischen ihren Fingern, in dem die Lichtkugel erscheinen sollte. Ihr Kopf schmerzte langsam vor Anstrengung und doch veränderte sich die Luft zwischen ihren Fingern nicht im Geringsten. Die Mauer in ihrem Geist blieb standhaft.

Ärgerlich nahm sie die Streichholzschachtel leise aus dem Schreibtisch. Darauf bedacht, Lynn nicht zu wecken, zog sie eines der Streichhölzer aus der Packung, um es zu entzünden. Lynn war morgen in aller Frühe zur Patrouille mit Bowen eingeteilt und würde Amara vermutlich steinigen, wenn sie sie versehentlich wecken würde.

Die kleine Flamme des Streichholzes tanzte zischend über das Stück Holz und Amara wollte gerade eine Kerze damit anzünden, als eine Stimme sie innehalten ließ.

„Warte", hallte die dunkle Stimme des Drachen erneut zu ihr. Erschrocken rutschte Amara das Streichholz aus den Fingern und landete in ihrer ausgestreckten Handfläche.

„Dein Ernst?", stieß sie erschrocken hervor. Amara verzog ihr Gesicht, auf den brennenden Schmerz vorbereitet, doch es kam keiner. Sie hatte den Gedanken kaum geformt, da nahm Dorkas erneut Kontakt zu ihr auf.

„*Komm ins Tal. Ich warte dort auf dich*“, befahl er.
„*Jetzt?*“, fragte sie, etwas irritiert und ließ das abgebrannte Streichholz unachtsam auf den Tisch fallen.
„*Nein, morgen früh. Natürlich jetzt, wann sonst?!*“, knurrte Dorkas und sie konnte seine schwindende Geduld förmlich spüren.
„*Ist schon gut. Ich komme!*“, brummte Amara zurück und beeilte sich in ihre Stiefel zu steigen. Mit einer Jacke unter dem Arm verließ sie den Raum so leise wie möglich und eilte den Gang hinunter.
Amara schlich weiter, ohne einer Menschenseele zu begegnen. Auf dem Weg zum großen Eingangsprotal der Burg streifte sie schließlich ihre Jacke über und bereitete sich auf die beißende Kälte vor, die außerhalb der Mauern auf sie wartete. An die Mäntel, wie sie die Reiter trugen, musste sie sich noch gewöhnen, doch spätestens beim Fliegen, wäre ein Umhang unpraktisch. Er wäre nur im Weg und durch den Flugwind würde er nicht einmal wärmen.
Das schwarze Leder schmiegte sich weich an ihre Haut, als sie die Knöpfe schloss. Fröstelnd zog Amara die Hände in die Ärmel und trat auf das Eingangsportal zu. Der eiskalte Wind, der sie beim Öffnen der Tür traf, stach in ihren Lungen. Am liebsten wäre sie wieder in ihr warmes Zimmer zurückgeeilt, doch sie spürte die wartende Präsenz des Drachen und machte sich daher missmutig auf den Weg ins Tal.
Die Kälte kroch ihr weiter in die Knochen und so zog sie sich die Jacke enger um ihren Körper, als sie durch die vom Frost weiße Wiese streifte. Sie folgte dem

schmalen Trampelpfad, der sie nun vom Burggelände wegführte. Es war eigentlich ein kurzer Marsch, doch der sichelförmige Mond schenkte nur wenig Licht und das machte es schwer schneller voranzukommen. Die Gefahr war groß, auf dem unebenen Boden auszurutschen und zu stürzen. Also ging Amara gemessenen Schrittes den Pfad entlang, bis sie endlich am Rande des Tals angekommen war.

Die weite Grasfläche erstreckte sich vor ihr. Mitten im Zentrum des Feldes fiel ihr etwas ins Auge. Die Nacht wurde von einer Finsternis überschattet, die dunkler war als der Nachthimmel selbst. Es dauerte einen Moment, bis sie nahegenug herangekommen war, um das Aufblitzen der riesigen katzenförmigen Augen in der Finsternis zu erkennen. Sie blitzen silbern auf, wie das kalte Leuchten des Mondes, als sich der Kopf des Drachen in ihre Richtung wandte.

„Endlich!", erklang seine Stimme in ihrem Geist. Dorkas erhob sich und kam ihr entgegen.

„Es war gar nicht so einfach hier hinzugelangen, so ganz ohne Licht." Die silbernen Augen des Drachen fixierten sie bedächtig.

„Wenn du deine Fähigkeiten besser beherrschen würdest, müsstest du nicht im Dunkeln tappen, wie ein Maulwurf", bemerkte er ungerührt.

„Also. Warum hast du mich hierhergeholt?", fragte Amara jetzt neugierig geworden, ihr fiel beim besten Willen kein Grund ein, warum der Drache sie hergerufen haben könnte.

„Wir müssen an deinen Fähigkeiten üben. Normalerweise würde ich mich nicht einmischen, doch es sind schon mehrere Wochen vergangen ohne, dass du einen Hauch von magischen Fähigkeiten gezeigt hast. Die Flammen des Krieges könnten jeden Moment neuentfacht werden und du bist so schutzlos wie ein frischgeschlüpftes Küken. Könnte ich die in dir wohnende Magie nicht spüren, würde ich fast denken du besäßest keine, wie so viele deiner Art.“ In seinem Ton war kein Vorwurf zu hören und doch verletzten die Worte Amara ein wenig, denn er hatte die Wahrheit gesprochen.
„Autsch! Das hättest du auch freundlicher einpacken können“, gab sie zurück. Doch die einzige Antwort, die sie bekam, war ein Schnaufen und eine kleine Rauchwolke, die aus den Nüstern des Drachen stieg. Sie hatte, wenn sie ehrlich war auch mit keiner anderen Reaktion gerechnet, also wechselte sie das Thema wieder.
„Wie sieht dein Plan aus?“, fragte sie, jetzt neugierig geworden.
„Schließ die Augen“, befahl der Drache und Amara tat wie geheißen. *„Und jetzt sag mir, was du siehst.“*
„Schwärze –“ Sie hatte den Gedanken und nicht vollständig formuliert, da hörte sie förmlich, wie der Drache die Augen verdrehte.
„Nein! Vor deinem inneren Auge“, konkretisierte er die Aufgabe. Es fiel ihr schwer sich nicht von Gedanken ablenken zu lassen, die ihren Geist streiften. Doch die Meditation, die Tirion ihr beigebracht hatte, half ihr ihre Konzentration zu bündeln und ließ die Gedanken an ihrem Geist abprallen, wie Wasser an Stein. Amara atmete tief durch und dann sah sie es. Eine durchscheinende

Mauer tat sich vor ihr auf und hinter ihr ein schwaches pulsierendes Leuchten.
„Ich sehe sie", flüsterte sie und wusste, dass Dorkas, der ihren Gedankengang folgte sah, was sie sah. Der Drache wirkte für einen Moment überrascht, als hätte er etwas anderes erwartet, doch dieser Eindruck war so flüchtig, dass Amara nicht sicher war, ob sie es wirklich wahrgenommen hatte.
„*Sehr gut. Jetzt stell dir einen Ort vor, einen der dir ein Gefühl von –*", er dachte kurz über einen passenden Begriff nach, „*Geborgenheit vermittelt.*"
Sie überlegte lange und ihr kamen auch einige Orte in den Sinn und doch fühlte sich keiner passend an. Sie dachte an ihr Elternhaus und den Hof ihrer Tante, auf dem Amara nach dem Sturz der Drachenreiter aufgewachsen war, und doch mischte sich bei beiden Gedanken eine Trauer mit ein, die sie die beiden Orte wieder verwerfen ließ. Amara dachte an Anruin und an andere Orte, die sie während ihrer Reise zu schätzen gelernt hatte, doch keiner kam ihr passend vor und gerade, als sie aufgeben wollte, kam ihr ein Gedanke. Es war abwegig und doch kam es ihr richtig vor.
Sie lenkte ihre Konzentration auf die Erinnerung und mit einem Mal standen ihre Füße auf dem glatten Eis des zugefrorenen Sees vor Anruin.
„*Interessante Wahl*", Bemerkte der Drache.
Erstaunt blickte Amara sich um, sie hatte eine exakte Kopie des Sees in ihrem Geist erschaffen, auf einem Hügel erkannte sie die Festung über dem Tal thronen und um sie herum lag das Gebirge riesig und unnachgiebig.

Bei genauerer Betrachtung stellte Amara fest, dass sich bestimmte Aspekte doch von der Realität unterschieden. Es waren nur kleine Unterschiede, wie ein Baum, der am Ufer stand, wo in der Realität nur karger Stein war, doch der Anblick irritierte sie ein wenig, auch wenn Amara nicht wusste, wieso.

„*Und jetzt finde hier den Ursprung deiner Magie*", unterbrach Dorkas ihren Gedankengang und sie sah sich um. Überall wo sie hinsah, war Schnee und Eis. Amara wollte gerade nachfragen wonach sie eigentlich suchte, da sah sie es.

Ein pulsierendes Leuchten tief verborgen unter einer Eisschicht. Und als sie nähertrat, erkannte Amara, dass es sich um Flammen handelte. Schwarze, rot und honigfarbene Flammen brannten tief unter ihren Füßen verborgen unter einer dicken Schicht Eis. Denn bei weitem größten Anteil hatten die schwarzen Flammen, das war die Macht, die von der Verbindung mit Dorkas herrührte, erkannte Amara. Sie stand vor dem schier endlosen Abgrund und starrte in das Flammenmeer, welches sich vor ihr auftat.

„*Wie soll ich darankommen?*", fragte sie zerknirscht. Das Dilemma blieb dasselbe, wie bei der Mauer in ihrem Geist, stellte sie enttäuscht fest. Es hatte nur seine Erscheinung gewechselt.

„*Wie würdest du denn normalerweise probieren, das Eis zu brechen?*", gab Dorkas zurück.

„*Eine Frage für eine Frage, das ist mal wieder typisch! Normalerweise würde ich versuchen das Eis mit Kraft zu zerbrechen, doch das wird nicht funktionieren. Es kann nicht funktionieren! Oder*

doch?", überlegte sie und fasste einen Entschluss: *„Es kann nicht schaden es zu testen."*
Amara ließ sich auf die Knie sinken und holte aus. Ihre Faust flog durch die Luft, als sie Schwung holte, und prallte auf das Eis nieder. Sie zuckte instinktiv zusammen, doch der zu erwartende Schmerz blieb zu ihrer Verwunderung aus. Ein lautes Knacken hallte durch das Tal und ein langer Riss schien sich auf der Oberfläche zu bilden. Erschrocken kroch Amara zurück.
„Gut, mach weiter!", ermutigte der Drache sie. Die Zuversicht von Dorkas´ Seite beruhigte sie etwas und sie holte erneut aus, diesmal fest entschlossen das Eis zu zerbrechen.
Als ihre Faust erneut auf das Eis niederfuhr bildeten sich viele kleine Risse an dem Spalt, der sich nach dem ersten Schlag gebildet hatte. Sie wich weiter zurück und sah fasziniert zu, wie immer mehr Risse durch das Eis krochen wie schmale Schlangen, die sich durch die harte Oberfläche kämpften. Kurz vor ihren Füßen endeten die Risse und verliefen kreisförmig weiter über die Eisfläche.
Nach einigen Sekunden, in denen nur das leise Knacken der Eisfläche zuhören gewesen war, lag jetzt eine Fläche von gebrochenem Eis vor ihr. Vorsichtig trat sie wieder näher, bis an den Rand und ging in die Hocke. Amara schlug erneut mit der Faust auf die rissige Eisfläche und mit einem lauten Klieren zerbarst das Eis und gab ein beinahe rundes Loch frei. Die Flammen, die jetzt nicht mehr von dem Eis begrenzt waren, schossen aus dem

Schlund und Amara sprang erschrocken einige Schritte zurück.
Doch ein Gefühl sagte ihr, dass die Flammen sie nicht verbrennen würden. Vorsichtig, als wenn sie sich einem verletzten Tier nähern würde, streckte sie ihre Hand aus. Die Flammen strichen warm über ihre ausgestreckten Finger, doch sie verletzten sie nicht. Fasziniert beobachtete sie, wie die Flammen sich um ihre Finger legten und ihre Bewegung spiegelten, als sie ihre Hand bewegte.
„*Sehr gut. Öffne die Augen*", sagte der Drache und sie gehorchte. Amara schlug die Lider auf und stellte verwundert fest, dass sie sich keinen Zentimeter bewegt hatten. Dorkas saß noch immer unbewegt auf dem Rasen und starrte auf sie hinunter.
„*Beschwöre jetzt das Runenlicht herauf*", befahl er ruhig und diesmal wusste sie was zu tun war. Sie spürte in ihrem Geist, das Eis unter ihren Füßen und die Flammen an ihren Fingern und streckte die Hand aus. Ein köperloses Licht bildete sich und schwebte einige Zentimeter über ihrer Handfläche. Als ob sie das Licht der Sonne zwischen ihren Fingern gefangen hielt.
„*Gut gemacht, jetzt achte drauf, dass du immer mit einem Fuß auf dem Eis bleibst. Immer!*", erklärte Dorkas und ohne ein weiters Wort erhob er sich, streckte die riesigen Flügel aus und verschwand in der Dunkelheit. Die Wucht seiner Flügelschläge hätten sie fast von den Füßen gerissen, doch Amara war mittlerweile darauf vorbereitet gewesen und stemmte sich gegen den Wind.
Das Tal lag jetzt still und einsam vor ihr, als sie auf das Runenlicht in ihrer Hand starrte. Unweigerlich stahl sich

ein Lächeln auf ihre Lippen. Sie spürte den stätigen Energiefluss, der von ihr in das Licht überging. „Ich habe es endlich geschafft!“, dachte Amara und konnte es selbst kaum glauben. Sie hatte immer gewusst, welche Kräfte in ihr ruhten, doch es mit eigenen Augen zu sehen – zu fühlen – war nochmal was ganz anderes.

16

Ein Blick über das Flugfeld verriet Amara, dass sie heute zu sechst in der Formation fliegen würden. Von den Drachen war noch nichts zu sehen, doch das war nicht ungewöhnlich. Bei dem kalten Wetter kamen sie nur so viel wie nötig aus den Höhlen am Drekafjall. Die vulkanischen Eigenschaften der Berge boten den perfekten Lebensraum für die Drachen.

Die meisten von ihnen vertrugen die Kälte nicht sonderlich gut und selbst Kaida schwächelte bei den eisigen Temperaturen und vermied es mehr als nötig draußen zu sein. Amara hatte die Drachendame schon mehrere Tage nicht zu Gesicht bekommen. Dorkas war soweit sie beurteilen konnte, der Einzige, der mehr oder weniger unbeeindruckt von der Kälte war.

Was für Amara bedeutete, bei allen Temperaturen fliegen zu müssen. Wenn die anderen nicht mehr in der Lage waren den Winden oder der Kälte zu trotzen, übernahmen sie und Dorkas die Flüge. Und Amara hatte noch nicht festgestellt, ob der Drache wirklich unempfindlicher war, was die Kälte betraf oder ob es lediglich ein eiserner Wille und Ehrgeiz waren, die ihn auch bei den unmöglichsten Witterungen antrieben. Schaudernd dachte Amara daran, wie sie vor kurzen bei Starkregen

und minus Temperaturen Patrouille geflogen waren. Ihre Magie war noch zu schwach gewesen, um sie zuverlässig vor der Witterung zu schützen, doch Dorkas war gnadenlos weitergeflogen.
Ihre Beine waren gefroren und ihr Gesicht knallrot vor Kälte, als sie endlich zurückgewesen waren. Amara hatte sich einen Schal vors Gesicht gezogen und als sie abgestiegen war, war sie bis auf die Haut nass und am Frieren gewesen. Sie war kaum in der Lage dazu gewesen zurück zur Burg zu laufen und nahm ihm den Flug immer noch übel.
Das Wetter war heute zum Glück besser, stellte sie mit einem Blick zu Himmel fest. Es war zwar kalt, doch war der Himmel klar und es sah zu ihrer Erleichterung nicht so aus, als ob es regnen würde. Ihr Blick fiel auf ihre Begleiter, Astoria führte die Truppe heute selbst an. Die ältere Reiterin wartete schon im Tal auf sie. Außerdem waren Ethan, Lynn und Aiden dabei.
Ihr Blick fiel auf die Letzte im Bunde und Amara fluchte leise, als sie Daciana erkannte. Sie hoffte inständig, dass es heute zu keinen Komplikationen kommen würde. Sie hatte Daciana seit dem Zwischenfall mit dem Tee nicht mehr zu Gesicht bekommen. Sie war Daciana die letzten Wochen aus dem Weg gegangen.
Amara hatte keinen Zweifel, dass Dorkas sie tatsächlich umbringen würde, wenn sie Amara erneut zu nahekommen würde und die Konsequenzen, die daraus folgen würden, waren den Ärger einfach nicht wert.

„Auch wenn es mir ein wenig Genugtuung verschaffen würde", dachte sie und hätte bei den Gedanken beinahe aufgelacht.
Sie ging die letzten Schritte auf dem Pfad und betrat das Flugfeld. Die Anderen drehten sich zu ihr um, doch bevor jemand was sagen konnte, traf sie ein mächtiger Windstoß, der ihr den Atem verschlug.
Die Drachen waren da.
Dorkas landete nicht weit entfernt auf der Mitte der Rasenfläche und die anderen folgten in einem gebührenden Abstand. Aeryn und Aesira landeten rechts und links von ihm und Amara entging es nicht, dass neben Dorkas immer genug Platz für mindestens einen weiteren Drachen blieb. Es war deutlich mehr Abstand als zwischen den anderen Drachen. Es erstaunte sie immer wieder, wie groß der Respekt war, den die anderen dem schwarzen Drachen entgegenbrachten.
Lonan, Dacianas hellblauer Wasserdrache landete ganz am Rand des Feldes, weit entfernt von Dorkas wie ihr auffiel. Er war tatsächlich um einiges kleiner als die anderen Drachen, die sie kannte und selbst Tebinth, Ethans kleiner hellbrauner Walddrache, war um einiges Größer als Lonan.
„Ich habe doch gesagt, dass der kleine Wasserspeier kein Gegner ist", stellte Dorkas klar, als er ihrem Gedankengang gefolgt war.
„Wenn wir jetzt ehrlich sind, ist keiner von denen ein Gegner für dich", sagte Amara und warf dem Drachen einen vielsagenden Blick hoch. *„Und trotzdem töten wir bitte keine Verbündeten, so nervig sie auch sein mögen."*

„Wie du meinst. Aber wenn sie dir erneut zu nahekommt, verbrenne ich sie, ohne zu zögern! Sag ihr das“, beharrte der Drache weiter.

„Das sag ich ihr definitiv nicht!“, stieß sie entrüstet hervor und sah, wie Dorkas mit seinen silbernen Augen den kleineren Drachen fixierte. Einen Augenblick später ließ Lonan, den Kopf sinken und wandte den Blick ab.

„Was hast du ihm gesagt?“, fragte sie beunruhigt, als sie trotz der Distanz sah, wie Daciana erbleichte.

„Ich habe ihm gesagt, dass ich den Boden, auf dem seine Reiterin steht, verbrenne und sie einen langsamen qualvollen Feuertod stirbt, wenn sie dir nochmal zu nahekommt“, sagte der Drache kalt und bestätigte damit ihren Verdacht.

„Du bist unmöglich!“, schimpfte Amara und starrte den Drachen erschrocken mit offenem Mund an, als sie versuchte die Information zu verarbeiten.

„Das hast du nicht wirklich getan?!“, zischte sie erschrocken und warf dem Drachen einen bösen Blick zu.

„Doch.“, gab dieser ruhig zurück, ohne ihren Einwand zu beachten.

***

Sie flogen in einer V-Formation mit Aeryn und Astoria an der Spitze. Gleich darauf folgten Dorkas und sie, mit Aesira und Lynn neben ihnen.

Hinter ihnen flogen Ethan mit Tebinth, Daciana mit Lonan und Aiden mit seinem Wasserdrachen Lyall. Amara merkte, dass es Dorkas nicht sonderlich gefiel die Führung jemand anderem zu überlassen, doch er beklagte sich nicht.

Der Himmel war fast wolkenlos, als sie durch die kalte Luft flogen, und Amara konnte Kilometer weit sehen. Das grüne Tal erstreckte sich, soweit sie sehen konnte vor ihnen. Das riesige Waldgebiet im Herzen des Drekafjalls erwachte langsam, aber sicher zum Leben. Und die Bäume, die sich am Rande der Berge erstreckten, fingen ebenfalls langsam an zu blühen. Nur die Gipfel der hohen Berge ragten kahl und kalt wie Reißzähne aus dem endlosen Grün hervor.
Sie flogen einen großen Teil des Luftraums über dem Drekafjall und dem umliegenden Tal ab. Die Strecke war ihr mittlerweile schon bekannt. Ihr Blick schweifte über das Land und Amara achtete auf alles ungewöhnliche, als Dorkas einen Gedanken in ihre Richtung sandte. Es waren keine Worte, sondern eine Mischung aus Bildern und Empfindungen. Sie verstand und packte den Zacken vor sich fester und griff auf ihre Magie zu, um sich zu halten. Und schaffte es gerade noch rechtzeitig, als Dorkas sich zur Seite kippen ließ und die Welt drehte sich, als er eine Schraube drehte.
Zwei Umdrehungen, später streckte der schwarze Drache die Flügel wieder aus und zog urplötzlich gerade. Ihr Magen rebellierte heftig, gegen das plötzliche Schleudern, doch Amara ignorierte die Empfindung und einen Moment später, war es schon wieder vorbei.
„Zu langsam“, stellte Dorkas kalt fest. *„Du musst schneller auf die Magie zugreifen können, um dich oben zu halten.“*
„So schlecht war ich gar nicht“, setzte Amara gerade an, um sich zu verteidigen und erkannte ihren Fehler im gleichen Moment.

„Oh Mist“, dachte sie noch, doch der Drache war schneller und schickte ihr erneut eine Warnung. Bevor sie sich richtig konzentrieren konnte, um die Magie zu bündeln, stieg er mit einigen mächtigen Flügelschlägen fast senkrecht nach oben. Einige hundert Meter über dem Boden ließ Dorkas sich dann hintenüber Kippen und die Welt stand für einen Augenblick auf dem Kopf. Amara verlor den Halt ohne die Magie, die sie hielt – und stürzte.
Die Welt drehte sich, als sie den Kontakt zu dem Drachen verlor. Der Wind verschlug ihr den Atem und Amara fiel im halsbrecherischen Tempo der Erde entgegen. Sie drehte sich einige Male um die eigene Achse, bevor sich die gigantischen Krallen von Dorkas´ linker Vordertatze um sie schlossen. Einen Moment sah sie nur schwarz, als die Schuppen sich um sie schlossen und er sie auffing.
Ihr Herz hämmerte heftig und sie atmete tief ein, als ihr Sturz abgefangen wurde. Stark zitternd, klammerte Amara sich an eine der riesigen Krallen des Drachen. Die Erde war immer noch einige hundert Meter entfernt, erkannte sie zwischen den Krallen.
„Danke!“, keuchte sie und schickte den Gedanken zu dem Drachen hoch. Dankbar, dass er sie gefangen hatte, atmete Amara auf.
Es war nicht selbst verständlich, viele Drachen ließen einen Reiter, der nicht in der Lage war, sich zu halten, in den Tod stürzen.
Doch dann überkam sie ein anderer Gedanke.

„Wie soll ich wieder nach oben kommen?“, fragte sie sich und merkte wie Dorkas wieder an Höhe gewann und Amara überkam eine Vorahnung.
„Oh nein!“, hauchte sie und merkte selbst, wie ihre Stimme brach. Ehe sie etwas anderes sagen konnte, schleuderte der Drache sie hoch in die Luft. Amara flog erneut durch die Luft und sah im freien Fall, wie Dorkas sich ein gutes Stück fallen ließ. Sie stürzte und die Welt drehte sich erneut, als sie im freien Fall durch die Luft flog, bevor sie mit einem heftigen Aufprall auf dem gepanzerten schwarzen Schuppen zwischen den Flügeln landete und sich zitternd wieder nach vorne bis zu seinen Schultern zog.
„Tu das nie wieder!“, rief sie schrill über den Wind hinweg und versuchte das Zittern zu unterdrücken, dass sie überkam als das Adrenalin endgültig nachließ.
„Reagiere schneller mit der Magie und ich muss dich nicht aus der Luft pflücken“, gab Dorkas ungerührt zurück.

***

Sie nahmen ihren Platz in der Formation wieder ein und der restliche Flug ging ohne weitere Zwischenfälle von statten. Das grüne Tal lag weit unter ihnen und ihr Blick schweifte über die weiten bewaldeten Berge des Gebirges. Leichte Nebelschaden hingen zwischen den einzelnen Hügeln und das Tal macht einen friedlichen Eindruck. Als Aeryn plötzlich abdrehte und Dorkas die Führung übernahm.
„Was ist los?“, fragte Amara, als sie sah, wie der blaugraue Drache in Richtung der Berge davonflog.

„Es wurden ungewöhnliche Aktivitäten an der Westgrenze des Drekafjall gemeldet. Kaida ist ebenfalls auf dem Weg“, erklärte Dorkas kurzangebunden.

„Sollten wir ihnen dann nicht helfen, statt zurück nach Anruin zu fliegen?“, fragte sie und Sorge stieg in ihr auf.

„Die Beiden kommen gut allein klar“, sagte der Drache knapp und Amara dachte einen Moment über seine Antwort nach. Sie spürte, wie der Drache mit sich kämpfte.

„Dorchadas! Halt dich zurück und bleib in der Formation!“, hörte sie Kaidas Stimme zu ihnen hallen. Sie klang ungewöhnlich scharf und Amara ahnte, dass sie sich große Sorgen machte, dass Dorkas sich doch einmischte. Sie hörte seine Antwort nicht mehr, nachdem die Drachen sie ausgeschlossen hatten, doch es dauerte einige Zeit, bis Dorkas die Verbindung zu ihr wieder aufnahm.

„Sie hat recht, auch wenn es mir nicht gefällt“, wandte Dorkas sich wieder an Amara, als er merkte, dass sie gerade fragen wollte, wie es weiter geht.

„Abgesehen davon wäre es nicht gut, wenn man uns außerhalb des Tals sehen würde. Wenn die Verräter wüssten, dass ich lebe und wieder auf dem Schlachtfeld stehen werde, würden sie vermutlich so bald wie möglich angreifen, solange du noch schwach bist.“ Der bittere Unterton in seiner Stimme war nicht zu überhören.

„Ich werde beim nächsten Mal schneller sein mit der Magie!“, rief Amara über den Wind hinweg und das schlechte Gewissen nagte etwas an ihr. Sie war einfach noch nicht gut genug!

„Ich befürchtete es wird ein wenig mehr brauchen, um diesen Krieg zu beenden – Und bis dahin sollten wir um jeden Preis vermeiden,

dass sie von dir erfahren!", stellte Dorkas klar, als sie die dünne Wolkendecke durchbrachen.
In der Ferne glänzte der See im Sonnenlicht und der Anblick fesselte ihren Blick für einen Moment. Das Glitzern des Sees war ein wunderschönes Farbspektakel. Es wollte einfach nicht zu der momentan vorherrschenden Gefühlslage passen.
„Kyrell hat ein persönliches Problem mit mir das groß genug ist, um einen sofortigen Angriff zu provozieren", fügte Dorkas nach einer kurzen Pause seufzend hinzu. Amara hätte gerne nachgeharkt, doch sie schluckte die Fragen wieder herunter. Sie wusste, dass sie sowieso keine Antwort erhalten würde. In den letzten Wochen hatte sie gelernt, dass Dorkas es meist vermied, näher auf die Vergangenheit einzugehen und das musste sie lernen zu akzeptieren.
Doch ganz konnte sie ihre Neugierde nicht im Zaum halten.
„Dorchadas?", fragte Amara etwas verwirrt.
„Dafür hast du wirklich lange gebraucht!", entgegnete der Drache etwas entgeistert über ihre Kurzsichtigkeit.
„Das hättest du aber auch erwähnen können!", sagte sie und langsam dämmerte in ihr eine Erinnerung, an das, was sie vor einigen Monaten über den Drachen gelesen hatte.
„Du stellst dich doch auch nicht immer mit deinem vollen Namen vor", gab Dorkas etwas gereizt zurück und kappte dann die Verbindung.

„Welch eine reizende Art ein Gespräch zu beenden!“, rief sie pikiert über den Wind hinweg. Doch wie zu erwarten, bekam sie keine Antwort mehr.

17

Wenige Stunden später liefen Amara und die anderen wieder zur Burg hoch. Die Drachen hatten es eilig gehabt, zurück ins Warme zu kommen und den Menschen ging es nicht besser. Lynn, Ethan und Aiden hatten sich ihr angeschlossen, doch Daciana hielt einen auffällig großen Abstand zu ihnen.
„Was ist denn mit der los?“, fragte Aiden und machte eine wegwerfende Handbewegung in Dacianas Richtung.
„Frag besser nicht! Dorkas hat Lonan, sagen wir mal sehr bildlich erklärt, wie er seine Reiterin umbringt, wenn sie mir zu nahekommt.“ Aiden und Lynn sahen sie erstaunt an.
„Das erklärt ihr Verhalten“, sagte Lynn nachdenklich und warf Daciana erneut einen Seitenblick zu.
„Sag deinem Drachen bitte, dass ich das feiere! Es war längst überfällig, dass jemand sie in ihre Schranken weist“, prustete Aiden begeistert los.
„Ich werde ihm nichts dergleichen sagen! Sein Ego ist so schon groß genug“, gab sie schnippisch zurück.
„Naja, was hast du erwartet? Dorkas ist einer der mächtigsten lebenden Drachen, wenn nicht sogar der mächtigste. Mit dem Ego wirst du wohl leider lernen müssen klarzukommen. Vergiss nicht, dass Drachen so etwas

anders regeln als wir Menschen es tun würden. Dorkas erachtet es vermutlich als seine Aufgabe, dich zu verteidigen, auch wenn du es in diesem Fall vielleicht etwas anders siehst. Vermutlich wird er es auch nicht unbedingt gewohnt sein, Widerworte zu bekommen. Kaida und er regieren schließlich seit mehreren Jahrhunderten das Drekafjallgebirge. Aber das heißt nicht, dass du dich davon unterkriegen lassen solltest. Nur solltest du dich vielleicht für weitere, ähnliche Situationen wappnen", sagte Lynn schulterzuckend, die bis dahin ungewöhnlich still gewesen war.
„Vielleicht hast du recht. Aber ich werde nochmal mit Daciana sprechen. Ich kann das nicht so stehen lassen!", überlegte Amara laut und verabschiedete sich von ihren Freunden.
„Wie du meinst. Ich für meinen Teil, bleibe aber keine Sekunden länger freiwillig hier draußen!", meinte Aiden schulterzuckend und ging mit Lynn, die ihm zustimmte, schonmal zurück ins Warme.
Amara jedoch wartete an der Burgmauer auf die verhasste Drachenreiterin und Aufregung stieg in ihr auf. *„Was möchte ich ihr überhaupt sagen?"*, überlegte sie *„– Entschuldigung, dass mein Drache so ein Arsch ist und sich in alles einmischt? Das kann ich unmöglich sagen!"*, kopfschüttelnd verwarf sie den Gedanken. Im Windschatten der hohen Steinmauer wartete sie einen Moment, bis die andere Frau um die Ecke bog.
Amara sah die Verachtung auf Dacianas Gesicht, als diese sie erkannte. Einen Moment überlegte sie einfach zu gehen, aber Amara konnte den Vorfall von heute

Morgen nicht unkommentiert lassen. Daciana wollte gerade an ihr vorbeieilen, da fasste Amara sich ein Herz und hielt sie auf.
„Warte!", rief sie mit fester Stimme und zu ihrem Erstaunen drehte diese sich wirklich wieder zu ihr um.
„Was willst du?!", zischte sie aufgebracht und die Verachtung in ihrer Stimme war unüberhörbar. Amara atmete tief durch und stieß dann aus, was gesagt werden musste.
„Es tut mir leid. Dorkas ist zu weit gegangen und ich habe ihn nicht davon abgehalten. Ich hoffe, dass wir, auch wenn wir vermutlich keine Freunde mehr werden, die Feindseligkeiten ablegen und Frieden schließen können", sagte sie und wartete auf die Reaktion der Anderen.
„Da hast du recht, wir beide werden definitiv keine Freunde mehr!", keifte Daciana sie an.
„Was ist dein Problem?! Ich versuche wenigstens mich zu entschuldigen und vernünftig mit dir zu reden!", donnerte Amara los und warf jede Zurückhaltung über Bord.
„Genug ist genug! Ich habe es mit Freundlichkeit versucht, vielleicht hatte Dorkas doch recht", dachte sie.
„Habe ich dir doch gesagt", mischte sich der besagte Drache mal wieder unaufgefordert ein.
„Halt dich da raus! Du bist alles andere als unschuldig an der Situation!", stieß sie entrüstet hervor und blockierte die Verbindung zu dem Drachen. Amara wusste zwar, dass er, wenn er wollte, die Blockade ohne viel Mühe einreißen konnte. Doch Dorkas respektierte ihre Privatsphäre

– wenigstens für den Moment – und sie wandte Daciana daher wieder ihre volle Aufmerksamkeit zu.
„Du hast versucht mich fertig zu machen, seitdem ich hier angekommen bin, wieso?! Was ist dein Problem mit mir?“, keifte Amara zurück. Sie wollte Antworten und sie wollte sie sofort! Daciana versuchte ihr aus dem Weg zu gehen und ging einige Schritte auf die Burg zu, doch Amara zog eins ihrer Messer und warf es.
Die Klinge drehte sich einige Male um die eigene Achse und landete in der Mauer, wenige Zentimeter von der anderen Frau entfernt. Wut brannte in ihrem Bauch und sie ballte die Hände zu Fäusten, doch als sie das Messer ansah, erschrak sie. Amara bemerkte überrascht die Flammen, die an der Klinge loderten. *„Was zur Hölle?!“* Sie starrte die Flammen mit großen Augen an, doch dann fiel ihr Blick wieder auf Daciana. Darüber würde sie später nachdenken, beschloss sie. Zu ihrer Zufriedenheit starrte Daciana ebenso erschrocken das Messer an und zum ersten Mal hatte Amara das Gefühl, von ihr als ebenbürtigen Gegner angesehen zu werden.
„Muss ich meine Frage wirklich wiederholen?“, zischte Amara, gerade eben laut genug, dass die andere Drachenreiterin es verstehen konnte und zog ein zweites Messer. Daciana ließ sie Schultern hängen und sah ihr nun direkt ins Gesicht.
„Ich sehe doch, wie er dich ansieht, wenn du in den Raum kommst!“, stieß sie hervor und Amara hätte schwören können, Tränen in ihren Augen funkeln zu sehen.

„Und zu allem Überfluss reicht das nicht. Nein! Du wirst nicht nur von dem mächtigsten Drachen, der existiert ausgewählt, sondern bist auch noch auf ewig mit ihm verbunden!“, fügte Daciana mit brüchiger Stimme hinzu. Amara brauchte einen Moment, um die Informationen zu verarbeiten.
„Warte mal! Es ging die ganze Zeit nur um Kieran?! Das ganze Drama wegen einem Kerl?! Das kannst du nicht ernst meinen!“, stieß sie ungläubig hervor. „Ihr seid seit wie vielen Monaten getrennt? Sieben? Ihr seid doch schon getrennt gewesen, bevor ich hier überhaupt angekommen bin!“
„Acht.“, korrigierte Daciana sie tonlos. Amara sah sie ungläubig an. *„Das kann nicht ihr Ernst sein!“,* dachte sie etwas schockiert.
„Du würdest es eh nicht verstehen! Du weißt nicht, wie es ist, wenn alle von dir erwarten…“, fing Daciana leise an und brach unverwandt ab. Sie wischte sich mit dem Ärmel eine Träne von der Wange, bevor sie fortfuhr.
„Es geht um mehr als nur mein gekränktes Ego“, gab Daciana zu und wollte weiter fortfahren. Doch sie überlegte es sich anders und formulierte beinahe vorsichtig: „Es gibt Geheimnisse, die nicht die meinen sind. Vielleicht wirst du es irgendwann verstehen.“
Die Unterhaltung warf mehr Fragen auf, als sie klärte, erkannte Amara unglücklich.
„Was meinte Daciana mit ihrer Aussage?“, fragte sie sich und öffnete ihren Geist, in der Hoffnung Antworten von Dorkas zu bekommen. Doch der Drache schwieg, zu

ihrer Verwunderung, obwohl er sie durchaus gehört hatte.
Daciana nutzte diese Ablenkung und verschwand in Richtung Anruin. Amara überlegte kurz sie aufzuhalten, doch sie würde vermutlich eh keine Antworten mehr von ihr bekommen können. Und so ließ sie Daciana ziehen.
Amara ging zu dem Messer in der Wand und zog es mit aller Kraft aus dem Stein. Die Klinge war genau in der Lücke zwischen zwei Steinen aufgetroffen und steckte mehrere Zentimeter tief in der Fuge fest. Das Metall glühte noch immer vor Hitze.
„Na toll, das Messer ist wohl hin“, stellte sie mit einem Blick auf die Klinge fest.
„Feuerbändigerin“, bestätigte Dorkas, als ihr Blick erneut auf das glühende Messer fiel. Sie konnte den Stolz hören, der in seiner Stimme mitschwang.
„Das kann nicht sein!“, stieß Amara erschrocken hervor. Doch es ergab Sinn, auch wenn sie es vorher nicht realisiert hatte. Die Magie war ihr in ihrem Geist immer in der Form von Flammen erschienen. Doch sie war immer davon ausgegangen, dass das an Dorkas lag und nicht an ihr! Sie konnte es nicht fassen.
„Ich bin eine Feuerbändigerin.“ Der Gedanke war surreal!

18

Sie sprang von Dorkas´ Rücken und bereute ihre Entscheidung schon im selben Moment. Beim Aufprall auf dem gefrorenen Boden explodierte ein beißender Schmerz in ihren Fußgelenken. Amara biss die Zähne aufeinander und kämpfte gegen die Tränen an, die in ihr aufstiegen. Es fühlte sich an, als ob ihre Knöchel in tausende Teile gesplittert wären.

„*Jetzt im Ernst?*“, fragte Dorkas und sah etwas belustigt zu ihr herunter.

„*Das hat wirklich weh getan!*“, schimpfte Amara, als sie von einem Bein aufs andere hüpfte und war mehr als froh, dass noch niemand da war. Sie wischte sich die Tränen aus dem Augenwinkel.

„*Es erstaunt mich immer wieder, wie zerbrechlich ihr Menschen seid*“, stellte der Drache ungerührt fest. Doch Amara spürte sein Amüsement.

„Hör auf mich auszulachen!“, schimpfte sie kopfschüttelnd und sah sich auf dem Felsplateau um, auf dem sie standen. Hier oben war der Boden noch gefroren und der Stein war von einer weichen Schneeschicht bedeckt. Nachdem er von den Geschehnissen am Vortag gehört hatte, hatte Tirion sie morgens nach dem Frühstück hierhin bestellt, um an ihren Fähigkeiten zu arbeiten. Amara verstand gut, warum er den abgelegenen Felsen als Trainingspatz ausgewählt hatte. Hier konnte sie wenigstens niemanden gefährden, auch wenn sie sich einen etwas wärmeren Ort gewünscht hätte. Fröstelnd zog Amara die gefütterte Jacke enger. Doch zu ihrer Erleichterung musste sie nicht lange warten.

„*Eryndor ist auf dem Weg*", teilte ihr Dorkas mit. Und als sie zum Himmel blickte, erkannte Amara schon eine Gestalt in der Ferne, die sich schnell auf sie zu bewegte. Einige Augenblicke später war der moosgrüne Drache bereits in Sichtweite, so dass auch Amara ihn erkennen konnte.

Eryndor landete, wie zuvor Dorkas, auf dem Plateau und Tirion sprang, von der Kälte sichtlich ungerührt von seinem Drachen. Es erstaunte Amara, wie problemlos er trotz seiner Beeinträchtigung den Sprung wegstecken konnte. Dann verstand sie.

„*Er nutzt seine Magie, um den Sturz abzufedern!*", stellte Amara erstaunt fest und kam sich ein wenig dumm vor, dass sie vorhin nicht dasselbe getan hatte.

„*Kein Wort!*", zischte sie und warf Dorkas einen warnenden Blick hoch.

„*Der Gedanke kommt dir reichlich spät*", gluckste der Drache.

Tirion trat zu ihnen und die beiden Drachen zogen sich ein wenig an den Rand des Felsens zurück. Eryndor hielt dabei den gewohnten Abstand zu Dorkas und keiner der beiden ließ sie und Tirion aus den Augen.

„Ich hätte nicht erwartet, zu meinen Lebzeiten nochmal einen Feuerbändiger zu Gesicht zu bekommen", gab Tirion erstaunt zu.

„Sind Feuerbändiger wirklich so selten?“, erkundigte Amara sich verwundert. Sie wusste, dass Reiter mit Elementarmagie recht rar waren, doch sie hätte nicht gedacht, dass Feuerbändiger so selten waren.
„In den letzten Jahrzehnten habe ich gerade mal zwei kennengelernt“, erklärte Tirion nachdenklich. Amara stutzte kurz. *„So viele Jahrzehnte können es ja nicht gewesen sein?“,* dachte sie und fühlte sich im nächsten Moment ein wenig dumm. *„Das war kein Glanzmoment!“,* bemerkte sie, als sie sich wieder an die Eigenschaften der Drachenverbindung erinnerte. Denn diese verlängerte die Lebenserwartung signifikant.
„Das kannst du laut sagen! Das war definitiv kein Glanzmoment“, lachte Dorkas, jetzt unverhohlen amüsiert über ihre Verwirrung, als er ihre Überlegung mitbekommen hatte.
„Ey!“, rief Amara empört über die Einmischung und auch ein wenig peinlich berührt, wegen ihrem geistigen Aussetzer.
Tirions Erklärung beunruhigte sie aber noch aus einem anderen Grund. Die Anforderungen, die an sie gestellt wurden, waren so schon hoch – alleine dadurch, dass sie Dorkas´ Reiterin was. Dass sie eine so seltene Gabe besaß, erhöhte den Druck erneut und das kam ihr nicht gerade gelegen.
„Kannst du es heraufbeschwören? Es wird dir vermutlich leichter fallen als andere Magie“, vermutete Tirion und sah sie erwartungsvoll an. Amara sammelte ihre Konzentration und atmete tief ein.

Als sie die Augen wieder öffnete, züngelte eine kleine Flamme auf ihrer Handfläche. Sie zuckte instinktiv zusammen, als die Flammen auf ihrer Handfläche tanzten und unweigerlich kam ihr ein Gedanke in den Sinn. Sie beneidete Aiden um seine Heilkräfte, er war in der Lage Dinge zu reparieren und zu heilen. Sie hingegen konnte mit ihren Kräften nur zerstören.
Glut tropfte auf den Boden und der Schnee schmolz in Sekundenschnelle. Sie zuckte zusammen und die Flamme erlosch.
„Feuer ist das Element der Zerstörung. Wie werde ich jemals in der Lage sein, Gutes mit dieser Kraft zu bewirken?“ Die Frage platzte aus ihr heraus, ohne dass sie sie eigentlich laut hatte aussprechen wollen. Tirion sah sie nachdenklich an und überlegte einen Moment, bevor er antwortete.
„Feuer kann nicht nur zerstören. Du kannst mit deiner Kraft nicht nur Angreifen, sondern auch verteidigen. Du bist in der Lage Brände zu stoppen, Wärme zu spenden und Leben ebenso gut zu retten, wie zu nehmen. Vergiss nie, dass Magie in ihren Grundfesten weder Gut noch Böse ist – sie ist ein Werkzeug. In den richtigen Händen verspricht sie Leben und Freiheit, doch in den falschen bringt sie Tod und Zerstörung. Es liegt an dir, welchen Weg du am Ende einschlägst“, erklärte Tirion nachdenklich.
„Leben und Tod gehen Hand in Hand. Das eine kann nicht ohne das andere existieren. Mach dir keine Illusionen – du bist eine Kriegerin, mit deiner Gabe wirst du immer an dieser schmalen Linie zwischen Licht und Dunkelheit wandern“, erklärte

Dorkas und die Worte des Drachen verwunderten sie. Amara hatte nicht erwartet, dass er ihre Ängste verstand, schließlich bedeutete Feuer für die Drachen Leben und nicht Zerstörung.
Sie atmete tief durch und fasste einen Entschluss. *„Selbst wenn ich immer an der Grenze zwischen Leben und Zerstörung wandeln muss, werde ich am Ende immer das Leben wählen!"*, beschloss sie wohlwissend, wie schwer diese Entscheidung werden könnte.
Amara streckte ihren Geist, dieses Mal ganz bewusst nach der Magie aus und stellte mit Erstaunen fest, dass es ihr wirklich leichter fiel das Feuer heraufzubeschwören als die einfache Magie.
Es war, wie Tirion ihr erklärt hatte, einfacher da es weniger Präzision und Konzentration brauchte, die Energie in diese Form zu bringen. Denn das war die natürliche Form ihrer Magie. Sie brauchte nur den Energiefluss kontrollieren.
„Es funktioniert!", stieß Amara begeistert hervor, als sie fasziniert auf die Flamme starrte, die in ihrer Handfläche tanzte.
„Sehr gut. Jetzt versuch das Feuer einzudämmen, bis nur noch ein Funke übrig ist", sagte Tirion, ohne sie aus den Augen zu lassen.
„Die wahre Herausforderung ist es das Feuer später in seine einzelnen Eigenschaften zu zerteilen. Mit ein wenig Übung wirst du in der Lage sein Hitze oder Licht allein heraufzubeschwören, ohne eine Flamme", erklärte er weiter. Amara lenkte ihre Konzentration auf das Feuer und erstickte es, bis nur noch eine kleine Flamme

übrig war. Es war schwerer als erwartet, das Feuer im Schach zu halten. Es sehnte sich danach, sich auszubreiten und kämpfte um jeden Funken, den Amara mit ihrem Willen zu ersticken versuchte.

„Es ist wichtig, dass du zu jeder Zeit die Kontrolle hast! Sonst passieren solche Dinge, wie gestern", ergänzte Tirion. Insgeheim hatte sie gehofft, er würde die Nummer mit Daciana nicht ansprechen.

„Ich werfe keine brennenden Messer mehr nach ihr. Versprochen!", gab sie etwas zerknirscht zurück.

„Das hoffe ich doch!", sagte Tirion scharf und sah ihr forschend in die Augen. Amara war sich nicht sicher, ob er ihr wirklich glaubte.

„Versprich nichts, was du nicht halten kannst", warnte Dorkas sie ebenfalls.

„Oh, ich habe definitiv nicht vor erneut ein Messer nach ihr zu werfen", entgegnete sie fast sicher.

„Wie langweilig", entgegnete der Drache und sein Tonfall verriet, dass er ihr ebenfalls nicht ganz glaubte. Zu ihrer Erleichterung hatte er dieses Mal kein Interesse daran, mit ihr zu diskutieren.

Ihre Kraft reichte gerade so, um das Feuer einige Minuten zu bändigen. Nach kurzer Zeit bemerkte Amara, wie ihr warm wurde. Sie atmete schwer, als wäre sie mehrere Kilometer gerannt. Ihre Kraft nahm immer stärker ab. Mit ihrem ganzen Willen klammerte sie sich an die Kraft in ihr und versuchte, das Feuer gleichmäßig brennen zu lassen. Doch die Flammen wollten ihr nicht mehr gehorchen, sie züngelten hoch und wurden wilder. Amara wich mit weit aufgerissenen Augen zurück.

„Das reicht!“, unterbrach Tirion sie und Amara war so aus der Konzentration gerissen, dass sie den Energiefluss versiegen ließ. Sie atmete erleichtert auf, als die Flammen verschwanden.
„Aber …“, sie wollte gerade etwas erwidern, als Tirion sie erneut unterbrach.
„Du schadest dir nur, wenn du versuchst mehr zu bändigen, als es deine Grenzen erlauben. Betrachte deine magischen Kräfte, wie deine Muskelkraft. Es braucht Zeit und regelmäßiges Training, um sie zu stärken, nicht Gewalt und Kraft“, erklärte er.

19

Das Gras unter ihren Füßen war noch immer von Raureif überzogen und ihr angestrengter Atem stieg in kleinen Wölkchen in die kalte Winterluft empor. Kieran stand ihr gegenüber und die tiefrote Klinge seines Anderthalbhänders glänzte in der Morgensonne wie Blut.

Es war der erste Tag, seit fast zwei Wochen, an dem Tirion sie nicht kurz nach Sonnenaufgang auf den Berggipfel zitiert hatte und Amara freute sich, Kieran zu sehen. Das Training mit ihm war zwar anstrengend und forderte ihre ganzen Fähigkeiten, aber es bereitete ihr auch Vergnügen.

„Gar nicht so schlecht“, sagte er anerkennend.

„Danke, denke ich“, antwortete Amara und war nicht wirklich sicher, wie sie seine Aussage aufnehmen sollte.

„War das eine Beleidigung oder ein Kompliment?“

„Das war eine Feststellung“, meldete sich Dorkas über die Verbindung zu Wort.

„Raus aus meinem Kopf, ich muss mich konzentrieren!“, schimpfte sie und packte den lederumwickelten Griff ihres Schwertes neu, um sich auf einen erneuten Schlagaustausch vorzubereiten. Wie erwartet, ließ dieser nicht lange auf sich warten und Kieran griff mit einer übermenschlichen Kraft und Schnelligkeit an, die es ihr

schwer machten mitzuhalten. Amara blockte und parierte Schlag für Schlag, doch merkte schnell, wie das Schwert in ihrer Hand immer schwerer wurde. Und es dauerte nicht lange, bis ihre Kraft nachließ.
Die Klinge fiel mit einem dumpfen Aufprall in den Schnee und ihre Muskeln zitterten vor Anstrengung.
„Alles gut?“, fragte Kieran. Amara sah zu ihm und nickte, als sie sich das schmerzende Handgelenk rieb.
„Das Schwert liegt mir ziemlich schwer in der Hand. Ich habe noch keins gefunden, was mir wirklich zusagt. Gib mir eine Minute und wir können weiter machen“, sagte sie entschuldigend und merkte, wie ihr das Blut in die Wangen schoss. Diese Schwäche ärgerte Amara, mehr als sie zugeben wollte.
„Du solltest so langsam über ein Reiterschwert nachdenken“, schlug Dorkas vor.
„Hast du nichts Besseres zu tun?“, zischte sie den Drachen an und dachte an die letzten Versuche, ein passendes Schwert zu finden. Sie waren, gelinde gesagt, ein Reinfall gewesen!
Die meisten Schwerter waren zu klobig oder zu unhandlich in ihren Händen und hielten sie im Kampf auf. Noch dazu waren Reiterschwerter anders als normale Waffen. Sie mussten zu ihrem Träger passen und eine Verbindung mit ihm eingehen. Bisher hatte sie noch keins gefunden, was zu ihr passen würde. Schnelligkeit war ihre beste Strategie und ein Schwert, dass sie ausbremste, konnte Amara sich einfach nicht leisten.
„Du solltest wirklich nochmal über ein passendes Schwert nachdenken“, überlegte Kieran, als sie

gemeinsam an der Mauer des Hofes lehnten. „Ich weiß, du kämpfst lieber mit Messern und Dolchen, doch im Nahkampf sind sie einfach im Nachteil gegen ein Schwert.“

„Ich weiß!“, gab Amara zerknirscht zu.

„Mach dir nichts draus! Wenn deine Kraft von der Drachenmagie gesteigert wird und du die für dich passende Klinge gefunden hast, erledigt sich das Problem mit dem Schmerzen im Schwertarm von ganz alleine“, versuchte er ihr Mut zu zusprechen. Amara wusste, dass er recht hatte. Es ärgerte sie aber trotzdem. Zähneknirschend spielte sie mit dem Saum ihrer Tunika.

Kieran sah wieder zu ihr herüber und schulterte sein Schwert.

„Lust auf einen Ausflug?“, fragte er und wartete gar nicht erst auf eine Antwort, als er ihr ihre Messer hinhielt.

***

Der eiskalte Wind schlug Amara ins Gesicht, als sie durch die Wolken jagten. Doch die Kälte machte ihr nichts mehr aus. In weiser Voraussicht hatte sie einen Zauber gewirkte, der die Wirkung der Kälte abschwächte. Amara hielt sich an der Rückenzacke des Drachen fest, als Dorkas den aufsteigenden Wind nutzte, um über die Wolkendecke zu steigen.

Kaida folgte einen Moment später und ihre Flügel schimmerten blutrot in der Wintersonne. Sie schloss auf und die Beiden segelten einige Minuten geräuschlos

nebeneinander. Amara sah zu Kieran herüber, der auf Kaidas Rücken winzig wirkte.
Ein Gedanke von Dorkas erreichte sie und sie verstärkte ihren Griff gerade noch rechtzeitig. Der große Drache ließ sich nach rechts fallen und ihr Magen machte einen Satz, als sie in einer spiralförmigen Bewegung in den Sinkflug übergingen. Dorkas steuerte auf eine Bergspitze zu und breitete die riesigen dunklen Flügel kurz vor dem Ziel zu ihrer vollen Größe aus und fing die Geschwindigkeit ab.
Er landete sanft im Schnee und ging einige Schritte von der Klippe weg, um Kaida Platz zu machen. Diese ließ auch nicht lange auf sich warten. Ihre riesige Gestalt kam schnell näher und Kaida landete elegant vor ihnen auf der Spitze des Berges. Der Schnee stob in alle Richtungen, als er von ihren mächtigen Flügelschlägen aufgewirbelt wurde. Ehe Amara sich versah, waren sie und Dorkas von oben bis unten mit Schnee bedeckt. Ihr Blick fiel auf den weinroten Drachen und sie konnte den Schalk in ihren Augen glitzern sehen, als Kaida erhobenen Hauptes nähertrat.
Sie ließ sich von Dorkas´ Rücken fallen und klopfte sich die kalten Massen von der Kleidung. Amara hörte die dumpfen Schritte, als Kieran durch den hohen Schnee zu ihr herüber stapfte.
„Du solltest dich jetzt sehen. Selbst deine Wimpern sind gefroren!“, prustete er los. Dorkas der hinter ihr stand, schüttelte sich und der Schnee, der den gigantischen Drachen bedeckt hatte, flog jetzt auf sie und Kieran. Einen kurzen Moment hatte er sie dabei ein wenig an einen

gigantischen Hund erinnert, der sich das Fell von lästigem Unrat befreite. Sie musste ein Lachen unterdrücken.

„Hey! Ich bin gerade erst den anderen Schnee losgeworden“, fuhr sie ihn an. Ein Anflug von Belustigung des Drachen durchströmte sie und Amara schüttelte den Kopf.

„Warte mal, warum hast du den Schnee nicht mit deinem Feuer geschmolzen?!“, rief sie pikiert und ihr Blick fiel auf Kieran. Jede Ernsthaftigkeit war aus seinem Blick verschwunden, als er sich den Schnee aus den Haaren schüttelte.

„Gemeine Riesenechse!“, schimpfte er, als die beiden Drachen abhoben und sie im Schnee zurückließen.

„Warte, wo wollen die hin?“, fragte Amara leicht verwirrt und sah sich um. Die Bergspitze war nicht sonderlich groß und egal wo sie hinsah, war Schnee und Stein.

„Gute Frage“, sagte Kieran ebenfalls überfordert, als sie am Rande der Klippe standen und den beiden Gestalten am Horizont nachblickten.

„Das gehörte nicht zum Plan“, gab er tonlos zu.

Amara versuchte über ihre geistige Verbindung, Kontakt zu Dorkas herzustellen, doch dieser ignorierte sie.

„Großartig! Was machen wir jetzt?“, fragte sie und trat an die Felskante. Seinem Blick nach, hatte Kieran bei Kaida auch keinen Erfolg gehabt.

Er trat ebenfalls an den Rand der Klippe und blickte ratlos an ihr hinab: „Ich glaube klettern können wir vergessen. Verdammt, wir sitzen wirklich fest!“

Ein Blick hinunter bestätigte seine Aussage. Es waren mehrere hundert Meter in den Abgrund und die Felswand war steil und gefroren. Hier und da ragten immer wieder Felsspitzen aus dem Gestein, es war eine Todesfalle.
„Meinst du, du könntest uns ein Feuer machen, solange wir warten? Hier oben wird es vermutlich schnell kalt", fragte er Amara.
„Woher weißt du, dass ich eine Feuerbändigerin bin?", wandte sie sich erstaunt an ihn.
„Dachtest du wirklich, das bleibt unbemerkt?", antwortete er schulterzuckend und warf ihr ein entschuldigendes Lächeln zu.
„Es wissen alle, oder? Daciana hat es Jedem erzählt, nehme ich an", stellte sie tonlos fest.
„Vermutlich.", sagte er mit einem Nicken und Amara beschwor konzentriert eine Flamme herauf.
Vor ihrem geistigen Auge stand sie auf dem Eis und starrte auf das Flammenmeer ihrer Magie, vor sich. Fasziniert beobachtete sie, wie das Feuer auf ihrer Handfläche tanzte. Die Flammen züngelten, aber verbrannten sie nicht. Amara ließ das Feuer heiß und hoch brennen, als sie es auf den winzigen Holzhaufen legte, den Kieran in der Zwischenzeit zusammengetragen hatte.
„Das ist vermutlich schnell abgebrannt", stellte sie mit einem kritischen Blick auf das mickrige Lagerfeuer fest und ließ sich auf einen Stein fallen.
„Dann müssen wir hoffen, dass wir hier nicht übernachten müssen", antwortete Kieran missmutig und zog

etwas aus seiner Jackentasche. Sie brauchte einen Moment, um den Gegenstand in seiner Hand zu erkennen.
„Ist das ein Flachmann?!“, fragte sie überrascht und sah ihn erstaunt an.
„Wein?“, fragte er ungerührt und hielt ihr das kleine Gefäß hin. Amara überlegte eine Sekunde und setzte die Flasche dann an ihre Lippen. Der Rotwein brannte ihr leicht in der Kehle und ließ Wärme und ein Kribbeln in den Beinen zurück – in denen sie schon seit einer kleinen Ewigkeit kein Gefühl mehr zu haben schien.
„Es hilft nichts besser gegen die Kälte als ein kleiner Schluck Brandwein“, erklärte er schulterzuckend. Kieran setzte sich zu ihr auf den Stein und so saßen sie am Rand der Klippe und überblickten das ganze Tal.
Die Wolken hingen unter ihnen in einem schier endlosen Meer. An der ein oder anderen Stelle stach ein Berggipfel durch das Wolkenmeer, die Sonne hing über ihnen und beleuchtete die Szene in schillernden Farben.
Es vergingen einige Stunden und die Drachen waren immer noch nicht in Sicht. Doch der Alkohol und die Stille des Berges hatte ihnen die Zungen gelockert und so überbrückten sie die Zwischenzeit mit Gesprächen. Das Feuer war bis auf wenige Funken abgebrannt und spendete schon lange keine Wärme mehr. Sie saßen eng nebeneinander, um sich gegenseitig zu wärmen und Amara merkte, wie sich ihr Herzschlag beruhigte und ihre Gedanken verstummten.
Sie ließ abwesend eine kleine Flamme zwischen ihren Fingern tanzen. Es erstaunte sie, wie leicht es ihr mittlerweile fiel, ihre Kraft zu nutzen. Das Feuer zu

bändigen war so natürlich wie atmen! Die Flammen zogen ihre Konzentration auf sich ohne viel Mühe.
Nach kurzer Zeit ließ sie die Flammen wieder versiegen, da sie den Fluss der Magie nicht mehr konstant aufrechterhalten konnte.
„Sie können nicht weit weg sein, sonst könnte ich nicht auf Dorkas´ Kräfte zugreifen", stellte sie nachdenklich fest und starrte in die Ferne.
„Das stimmt, ich kann Kaidas Magie auch spüren, doch solange sie uns nicht von dem Berg holen, bringt es uns leider nichts", stimmt Kieran zu und sah dann zu ihr herüber. Sein Blick huschte nachdenklich über ihr Gesicht.
„Dir ist kalt, oder?" Es war mehr eine Feststellung als Frage. Sie nickte und unterdrückte ein Frösteln. Kieran zog seine Jacke aus und warf sie über ihre Schultern. Er rückte vorsichtig noch näher zu ihr heran und legte einen Arm über ihre Schultern. Zu ihrer eigenen Überraschung gab Amara nach und lehnte sich weiter an ihn.
„Ist dir nicht kalt?", fragte sie besorgt. Doch er schüttelte nur den Kopf.
„Mir geht es gut", antwortete er abwesend und so saßen sie einen Moment schweigend dar und blickten auf die langsam sinkende Sonne.
„Stimmt es, dass du der erste neue Reiter nach dem Sturz des Ordens warst? Lynn hat sowas mal erwähnt", fragte sie vorsichtig, um die Stille zu durchbrechen. Es schmerzte sie den Augenblick zu zerstören, doch die Stille war zu viel – zu angenehm. Sie enthielt eine Wahrheit, die Amara um jeden Preis zu verdrängen versuchte.

Kieran blinzelte sie überrascht an und nickte dann.
„Ich war siebzehn, als Kaida mich ausgewählt hat“, begann er zu erzählen und nahm noch einen Schluck von dem Wein. „Es war zwei Jahre nach dem Sturz der Drachenreiter. Ihr letzter Reiter war kurz zuvor in einem Hinterhalt gestorben. Tirion und ich waren gerade dabei, meine Magie zu trainieren und standen im Tal, da tauchte Kaida aus dem nichts auf. Du kannst dir vorstellen, wie schockiert wir waren. Niemand hatte im Traum daran gedacht, dass sie so schnell nach Vaelens Tod erneut einen Reiter wählen würde. Und ehrlich gesagt, waren die meisten erstaunt, dass sie nach Dorchadas´ vermeintlichem Tod überhaupt noch da war.“
„Das kann ich mir gut vorstellen“, stellte Amara fest und lauschte weiter seiner Geschichte. Er hatte einen magischen Schild gegen die Kälte erschaffen, und bald war es angenehm warm. Doch wie in stiller Übereinkunft, blieben sie eng aneinander gedrückt sitzen.
„Also, Kaida tauchte im Tal auf und ich war mir sicher, dass wir jetzt sterben würden, und Tirion ging es glaube ich genauso. Er hatte sich vor mir aufgebaut, bereit sie zu bekämpfen. Doch Kaida beachtete ihn gar nicht. Sie sah mir direkt in die Augen und sagte dann zu uns beiden: Trainiere den Jungen gut, ich habe ihn als meinem neuen Reiter erwählt“, erzählte er weiter und imitierte die Stimme der Drachendame dabei gekonnt. Amara musste unweigerlich grinsen bei seiner Darbietung.
„So klinge ich gar nicht! Und abgesehen davon ist das nicht die ganze Geschichte“, meldete sich Kaida entrüstet, über ihre

geistige Verbindung, zu Wort. Amara zuckte kurz zusammen, weil sie nicht mit der Einmischung des Drachen gerechnet hatte.

„Ach, sprichst du wieder mit uns?“, rief Kieran empört und sie hörte seine Stimme in ihren Gedanken hallen. Kaida hatte die Verbindung zwischen ihnen Dreien aufrechterhalten.

„Wir sitzen immer noch auf dem Berg, falls ihr das vergessen haben solltet!“, stimmte Amara mit ein, in der Hoffnung, dass die Drachen sie hören würden. Da kam ihr ein anderer Gedanke.

„Also wusstest du die ganze Zeit, dass Dorkas noch lebt?“, harkte sie nach, wobei ihre Frage mehr einer Feststellung glich.

„Nicht von Anfang an, aber es blieb nicht lange geheim. Er hat sich fast genauso viel in mein Training eingemischt wie Kaida“, erklärte er und Amara konnte es sich beinahe bildlich vorstellen. Die Beiden konnten manchmal echt anstrengend sein.

„Und du hast es die ganzen Jahre Niemandem erzählt?“, fragte sie dann weiter.

„Natürlich nicht. Ich habe es ihr versprochen“, sagte Kieran und wirkte etwas verwundert, dass sie es überhaupt in Frage stellte.

Die Sonne stand schon tief, als sie die Gestalten am Himmel erneut erkannten. Langsam löste Amara sich aus der Umarmung und stand auf. Der Wind fegte bitterkalt durch ihre Haare und zerrte an den losen Strähnen, die aus ihrem Zopf gefallen waren, als Kieran den Zauber löste.

Er strich ihr vorsichtig die Strähne zurück hinter´s Ohr und einen Moment waren sie sich so nah, dass sie die hellen Flecken in dem dunklen Blau seiner Augen sehen konnte. Von Weitem wirkten sie fast anthrazit farbend, doch nun sah sie ganz deutlich, das Blau durchschimmern. Amara sah zu ihm hinauf. Jede Faser ihres Körpers sehnte sich danach, ihm wieder nah zu sein.
„Wir sollten das wirklich nicht tun“, flüsterte Kieran, als er die Hand sinken ließ. Ihr Herz schlug schnell und das Einzige, an was sie denken konnte, war wie schmerzlich sie sich nach seiner Nähe sehnte.
„Vielleicht sollten wir nicht, aber …“, setzte sie an und trat einen Schritt auf ihn zu. Sie verstummte, als Kieran sie näher zog.
„Scheiß drauf.“ Seine Stimme war nicht mehr als ein raues Flüstern, als er die Worte sprach. Sie überwanden die letzten Zentimeter und ihre Lippen trafen sich. In dem Moment war ihr egal, ob es weise war, ihre Gefühle zuzugeben. Sie sehnte sich nach seiner Nähe und es gab kein logisches Argument, dass Amara noch zurückhalten konnte. Es war egal, dass sie sich im Krieg befanden und nie wissen würden, wie viel Zeit ihnen noch blieb. Es zählte nur dieser Augenblick, seine Hand in ihren Haaren und die Berührung ihrer Lippen, die ihre Gedanken in Brand steckten.

20

Die folgenden Tage verbrachte Amara mehr damit ihre Kräfte weiter zu trainieren. Ihr Umgang mit dem Schwert, und einigen anderen Waffen, war mittlerweile recht passabel und so nutzte sie die Zeit, die sie sonst abends mit dem Schwertkampf verbracht hatte, zum Üben der Magie.

Doch der Moment auf dem Berggipfel ließ Amara nicht los. Egal, wie oft sie versuchte, ihn zu verdrängen. Sie hatte Kieran, seit diesem Tag nicht mehr gesehen.

„Sie sind noch nicht von der letzten Mission zurück. Hab ein wenig Geduld!“, tadelte sie Dorkas und er hatte recht. Kurz nach ihrer Ankunft in Anruin, hatte Astoria sie abgefangen und Kieran war widerwillig noch am selben Abend aufgebrochen. Seitdem hatten sie keine Möglichkeit gehabt, über den Vorfall auf dem Berggipfel zu reden.

Das frostbedeckte Gras des Tals war weich unter ihren Füßen, als sie ihr Gewicht verlagerte, und ihr Atem warf weiße Rauchwölkchen in die kalte Abendluft.

Es störte Amara mehr, als sie zugeben wollte, dass sie noch nicht die Möglichkeit bekommen hatte, mit Kieran zu reden.

Sie fixierte den Apfel, den sie gut zwanzig Meter entfernt auf einem Felsen platziert hatte. Aus dieser Entfernung

war er nicht mehr als ein kleiner roter Punkt in dem Grün des umliegenden Waldes. Der kleine Kieselstein in ihrer Hand, fühlte sich rau zwischen ihren Fingern an, als sie ihn bedächtig aufhob. Amara ging in die Hocke und legte eine Hand auf den weichen Rasen. Sie spürte die ferne Magie der Natur in den tiefen der Erde pulsieren, als sie nach der Macht in ihren Adern griff.
Der Stein in ihrer Handfläche hob einige Zentimeter von ihrer Hand ab. Der kleinste Gedankenstrom reichte und er schoss durch die Luft, überquerte die zwanzig Meter in wenigen Sekunden und zerteilte den Apfel mit einem leisen Aufprall.
„Das war beeindruckend. Ich bin gespannt, wozu du mit ein wenig mehr Übung in der Lage sein wirst. Aber du solltest aufpassen wer sieht, wie du Hexenmagie nutzt", hörte sie eine Stimme hinter sich. Erschrocken fuhr Amara herum und sah, dass Tirion auf dem Hügel am Rande des Tals stand.
„Es war eine weise Entscheidung, hier zu trainieren, aber du solltest nicht alleine in der Dunkelheit bleiben. Was du aber eigentlich auch wissen solltest", erinnerte Tirion sie.
„Du bist doch nicht extra den ganzen Weg hierhergelaufen, um mich über die Gefahren der Dunkelheit und des Waldes zu belehren, oder?", fragte Amara. Es wunderte sie wirklich sehr, dass Tirion den ganzen Weg hierhergekommen war.
„Weißt du, was hier los ist?", fragte sie an Dorkas gewandt und die Antwort folgte prompt.

„Ja, ich habe Eryndor gesagt, wo sein Reiter dich finden kann", erklärte der Drache, doch die Verbindung war schwach und seine Stimme wirkte ungewöhnlich weit weg, vermutlich war er noch auf der Jagd.

„Du hättest mich ruhig vorwarnen können! Also was ist hier los?", rief Amara, in der Hoffnung, dass er sie noch hörte.

Doch sie bekam keine Antwort mehr. *„Großartig."*

„Ich bin gekommen, um mit dir über deine Ausrüstung zu sprechen. Schließlich haben wir trotz wiederholter Versuche, immer noch keine passende Waffe für dich gefunden", erklärte Tirion sein Anliegen und fuhr dann fort: „Bei meinen Nachforschungen ist mir etwas aufgefallen. Wir dachten, wir hätten alle Schwerter ausprobiert. Doch was ist, wenn wir welche übersehen haben? Laut eines Berichts sollen in einem angeblichen Archiv weitere Waffen eingelagert sein. Doch wir wissen nicht, wo es liegen soll. Eigentlich gibt es kein Archiv in Anruin", grübelte er und Amara wurde hellhörig. Nach einer kurzen Pause fuhr Tirion mit seiner Erklärung fort: „Lange Rede, kurzer Sinn – Darius und ich haben uns auf die Suche gemacht und glauben tatsächlich fündig geworden zu sein! Versiegelt seit Jahrhunderten, schlummern hier wohl lange verschollen geglaubte Waffenschätze."

Tirion wirkte selbst erstaunt und ein wenig stolz über ihre Entdeckung, als er sie bat, ihn zurück zur Burg zu begleiten. Neugierig geworden wollte Amara gerade nachfragen, was genau sie gefunden hatten, doch der ältere Reiter hatte sich schon auf den Weg zurück zur Burg gemacht.

***

In Anruin angelangt schritten sie die Treppe zur Bibliothek hinunter. Darius erwartete die beiden Reiter schon am Eingang. Der alte Bibliothekar wirkte aufgeregt und ungewöhnlich aktiv. Amara konnte sich nur allzu gut vorstellen, was für eine Überraschung es gewesen sein musste ein verborgenes Archiv in seiner Bibliothek gefunden zu haben. Sie schritten um den Tresen, der die dutzenden Regale von dem vorderen Teil der Bibliothek trennte und Amara spürte, wie Aufregung sich in ihr breitmachte.

Die Bibliothek war riesig und so gingen sie einige Minuten schweigend zwischen den hohen Regalen mit abertausenden von Büchern umher und bogen immer wieder unerwartet ab. Gerade als sie dachte, die Reihen würden nie enden, blieb Tirion vor einer unscheinbaren Steinwand stehen.

Er strich mit der freien Hand über den Stein und zeichnete ein ihr unbekanntes Muster auf den grauen Felsen. Ihr Blick blieb kurz auf dem Ring hängen, der an seiner linken Hand steckte. Der unscheinbare Goldring glänzte im matten Schein des Kerzenlichts.

„Ob Samira wohl noch lebt?“, fragte sie sich unwillkürlich und ihr Herz schnürte sich zu. Sie hatte Samira immer gemocht. Die Drachenreiterin war ebenfalls eine gute Freundin ihrer Eltern gewesen. Für Amara waren Tirion und Samira immer wie ihre Tante und ihr Onkel

gewesen. Doch Amara hatte sie seit ihrer Ankunft in Anruin nicht gesehen und sie beschlich das ungute Gefühl, dass der Ring nur noch die Erinnerung an ein altes Versprechen und eine verlorene Liebe war. Sie hatte es in den letzten Monaten nicht übers Herz gebracht, Tirion nach ihrem Verblieb zu fragen.
Amara schluckte den Gedanken herunter und konzentrierte sich wieder auf das hier und jetzt. Als Tirion die Hand wieder wegzog, leuchteten die Linien kurz auf und mit einem dumpfen Knacken hoben sich die Steine vom Rest der Mauer ab und gaben eine Tür frei. Fasziniert riss Amara die Augen auf und trat einen Schritt zurück, als ihr ein kalter Luftstrom entgegenflog. Darius war kreidebleich geworden.
„Bist du dir wirklich sicher, dass da keine böse Überraschung auf uns wartet? Schwarze Magie, verfluchte Artefakte? Ich halte das immer noch für eine ganz schlechte Idee, und dann auch noch eine unausgebildete Reiterin dabei“, warf Darius skeptisch ein und seine Stimme wirkte seltsam dünn. Er sah Tirion anklagend an.
„Natürlich bin ich mir sicher! Sonst wären wir wohl kaum hier“, gab Tirion ruhig zurück. „Und außerdem haben die Drachen mir bestätigt, dass keine böse Magie in der Kammer versteckt liegt. Mehr konnte Eryndor mir leider nicht sagen. Viele von ihnen sind noch zu jung, um sich überhaupt an das Archiv zu erinnern zu können.“
„Sehr beruhigend“, erwiderte Darius immer noch wenig überzeugt, als Tirion ohne weiter zu zögern, die

Kammer aufstieß und eintrat. Amara griff nach der geistigen Verbindung mit Dorkas und stellte beruhigt fest, dass die Verbindung immer stärker wurde, Dorkas musste also wieder in der Nähe sein.
„Weißt du was über dieses Archiv?", fragte sie den Drachen.
„Ich weiß, dass es existiert. Doch wenn du wissen möchtest, was sich dort befindet, kann ich dir leider nicht mehr sagen als Eryndors Reiter vorhin. Ich habe nur einen groben Verdacht. Wie dir eigentlich bekannt sein sollte, bin ich nicht in der Lage die Burg zu betreten. Es ist starke Magie dort, aber keine bösartige", gab Dorkas zurück und sie spürte einen Funken Neugierde von Seiten des Drachen. Ein wenig beruhigter, folgte sie Tirions Runenlicht in das Archiv.
Eine schmale Wendeltreppe führte sie in die Tiefe. Mit einer Handbewegung ließ Tirion sein Licht intensiver aufflammen und einen Augenblick lang brannte Amara die Helligkeit unangenehm in den Augen, als das gestaltlose Licht die gesamte Kammer beleuchtete.
„Verdammt, ich wusste nicht, dass es tiefer in die Erde geht als die Bibliothek!", stellte sie flüsternd fest. Das Erstaunen stand ihr ins Gesicht geschrieben. Fasziniert sah sie sich um. Das Archiv war mindestens genau so groß, wie die über ihnen liegende Bibliothek und nicht nur dass, es war übersäht mit einem bunten Sammelsurium an Dingen.
„Wir haben Bücher gefunden, Darius!", rief Tirion dem alten Bibliothekar zu, der bis lang oben am Eingang verweilt hatte und nun doch neugierig den Kopf die Treppe hinunterstreckte.

„Komm mit. Am Westende haben wir eine Auswahl an Schwertern einstiger Reiter gefunden. Wegen denen sind wir schließlich hier“, sagte er in Amaras Richtung gewandt und führte sie zielsicher durch das vor ihnen liegende Labyrinth. Amara war überzeugt, dass der ältere Drachenreiter die in den Schwertern wohnende Magie aufspüren konnte. Wie hätte er sich sonst so gut orientieren können?
Im Gegensatz zu gewöhnlichen Waffen, waren die Schwerter der Reiter mit Magie geschmiedet. Auf diese Weise waren sie stärker und widerstandsfähiger gegen Angriffe. Wie mit jeder andere Magie war es daher möglich, sie mit etwas Übung aufzuspüren.
Der Staub hing in dicken Schwaden in der Luft und schimmerte im Leuchten des Runenlichts. Er kribbelte in ihrer Lunge und sie überlegte kurz, sich den Ärmel der Jacke über Mund und Nase zu halten. Aber dafür war es nun auch schon zu spät, entschied sie nach kurzer Überlegung.
So gingen sie schweigend immer tiefer in das uralte Archiv hinein. Amara sah sich neugierig in den dunklen Gängen um, die sich zu beiden Seiten erstreckten. Am liebsten hätte sie an jeder Ecke angehalten, um alle Details genauer zu betrachten.
Tirion führte sie allerdings scheinbar unbeeindruckt an Reihen von alten Manuskripten vorbei und stoppte schließlich vor einer Wand, an der mehrere Waffenständer lehnten. Sie zählte mindestens zehn Schwerter, auf die sie den ersten Blick erhaschen konnte. Sie leuchteten noch immer in den schillerndsten Tönen – gefärbt wie

die Schuppen der Drachen ihrer letzten Träger. Das musste Jahrhunderte her sein!
„Warum soll ich ausgerechnet hier mein Schwert finden? Es hat bei den anderen schon nicht geklappt, warum ausgerechnet hier?", fragte sie sich zum wiederholten Mal. Die Furcht vor einem erneuten Misserfolg war noch immer groß. Angespannt folgte sie Tirion, der die Reihe an Schwertern entlangstreifte. Doch keines harmonierte mit ihr.
Frustriert legte Amara das grüne Schwert wieder auf den Waffenständer, als sie ein Geräusch hinter sich hörte. Tirion hatte sich vor einiger Zeit den Manuskripten zugewandt und sie in Ruhe gelassen zum Grübeln.
„Darius?", fragte sie – Stille.
Als sie sich umsah, war der Bibliothekar nicht da. Um genau zu sein, war niemand hinter ihr. *„Komisch."*
Amara wollte sich gerade den anderen Schwertern zuwenden, da hörte sie erneut das Klopfen, dieses Mal jedoch noch lauter. Sie fuhr herum. Wieder nichts zu sehen.
Doch dann fiel ihr Blick auf die gegenüberliegende Wand. Von dort schien das Klopfen gekommen zu sein. Als sie die Augen zusammenkniff, erkannte Amara, dass an der Wand etwas hing. Entschlossen trat sie näher heran und entfachte eine kleine Flamme zwischen ihren Fingerspitzen. Im Schein des Feuers erkannte sie, dass es sich um ein Schwert handelte. Doch es war anders, als alle die sie jemals zu Gesicht bekommen hatte.
Seine Schneide war pechschwarz, wie geschliffener Obsidian. Schmale Linien wanden sich in einem runenartigen Muster bis zur Parierstange hoch. Alles an diesem

Schwert war außergewöhnlich – selbst die Parierstange und der Griff waren aus demselben unbekannten schwarzen Metall gefertigt worden, wie die Klinge. Über den Griff war ebenso schwarzes Leder und Draht gewickelt, die das Schwert rutschfest in der Hand halten ließen.

Ein Meisterwerk der Schmiedekunst, verziert mit gewundenen Ranken und Symbolen. Ein großer silbriggrauer Diamant glänzte, im Knauf des Schwertes. Der Edelstein war so groß, wie eine Kastanie gewachsen schätzte sie. Fasziniert starrte Amara auf die Waffe vor sich. Und sie hatte recht gehabt!

Als sie nur noch wenige Schritte von der Wand entfernt war, stellte sie fest, dass es wirklich das Schwert war, was in seiner Halterung gewackelt, und dadurch das seltsame Geräusch verursacht, hatte. Einen Moment hielt sie die Luft an und lauschte auf einen Windhauch, der die Klinge wackeln ließ, doch sie merkte nichts.

„*Seltsam.*“, dachte Amara irritiert und streckte die Hand nach dem Schwert aus. Doch was dann geschah, hatte sie nicht voraussehen können.

Ein heftiger Wind ging durch das Archiv, Papiere wirbelten durch die Luft, und das Schwert löste sich von der Wand. Wie von einem Magneten angezogen flog es auf sie zu. Erschrocken hielt sie ihre linke Hand, die mit der Aithne gezeichnet war vor sich. Bereit einen Zauber zu wirken. Der Edelstein im Griff der Waffe leuchtete blendend hell auf und nahm ihr die Sicht. Sie kniff die Augen zusammen.

Das Schwert landete mit dem Heft zuerst in ihrer ausgestreckten Hand. Als Amara die Augen öffnete, blickte sie auf die schwarze Tiefe der obsidianfarbenen Klinge. Sie stieß einen Atemzug aus und versuchte zu begreifen, was gerade passiert war. Der schwarze Drache auf ihrem Unterarm leuchtete und wand sich um ihr Handgelenk, wie eine stumme Antwort auf die Berührung des kalten Stahls auf ihrer Haut. Sie spürte erst Überraschung und dann ein Gefühl des Erkennens von Dorkas ausgehen.
„Drakthar!“, fluchte er und erklärte dann: *„Ich kenne dieses Schwert! Aradyn.“* Die Überraschung in seiner Stimme war unüberhörbar.
„Sollte mir das, was sagen?“, fragte Amara unsicher, als sie das Schwert betrachtete. Es war leichter als gedacht und lag angenehm in ihrer Hand, wie sie nach kurzer Betrachtung feststellte. Die Reaktion des Drachen überraschte sie jedoch. Es war nicht unbedingt seine Art, Emotionen so deutlich zum Ausdruck zu bringen.
„Ich habe es seit Jahrhunderten nicht mehr gesehen. Aradyn ist ein magisches Schwert und anders als alle anderen Schwerter der Reiter“, sagte Dorkas und sie wollte ihn gerade über die Klinge ausfragen, als Tirion um die Ecke gestürmt kam.
„Was geht hier vor? Ich habe …“, setzte er an und verstummte, als er das Schwert in ihrer Hand erblickte. Der Diamant glomm noch immer ein wenig, als Amara den Arm mit dem Schwert sinken ließ.

***

Der Trainingsplatz war voll mit Schaulustigen. Amara gegenüberstehend baute sich Bowen gerade auf und überzog seine Klinge mit einem Schutzzauber, der sie beide vor Verletzungen schützen sollte. Amara tat es ihm gleich. Routiniert strichen seine Finger über die orangene Klinge und Amara warf ihm einem dankbaren Blick zu.

Die schwarze Schneide ihrer Klinge glänzte in der Sonne und erinnerte sie an Dorkas´ Schuppen.

„Die Kunde vom Zauberschwert muss sich rumgesprochen haben", dachte sie leicht genervt. Es waren einfach zu viele Menschen. Der Trainingsplatz war so voll, wie sie ihn noch nie erlebt hatte. Dabei wollte sie doch nur trainieren.

„Hast du Jemanden gesagt, dass wir heute trainieren?", zischte sie Bowen leise zu. Doch dieser schüttelte nur verneinend den Kopf.

„Ignorier sie einfach", flüsterte er aufmunternd zurück und nahm seine Angriffsposition ein.

„Muss ich noch etwas über das Schwert wissen? Ich verfluche doch niemanden aus Versehen, oder so?", rief sie Dorkas in Gedanken zu.

„Es schneidet durch jede Art von Magie. Wie ich dir bereits erklärt habe, ist es unzerstörbar", antwortete der Drache prompt. Natürlich lauschte er wieder mit.

„Den Teil habe ich nicht ganz verstanden, nichts ist unzerstörbar oder doch? Und wie ist das überhaupt möglich?", fragte Amara und nutzte die günstige Gelegenheit, den Drachen auszufragen. Es geschah nicht häufig, dass er ihre Fragen so bereitwillig beantwortete. So viel sie verstanden hatte, hielt er gerade am südlichen Rand des Drekafjalls Wache und langweilte sich anscheinend zu Tode. Rumsitzen

und Warten, waren nicht gerade seinen größten Stärken, wie sie in den letzten Monaten schmerzlich gelernt hatte.
„Das Schwert wurde mit Hilfe von Aethermagie und dem Feuer von Eldrdrachen geschmiedet. Und frag jetzt nicht, wie! Ich habe keine Ahnung. Es kann durch keinen mir bekannten Weg zerstört werden und ich kenne wirklich viele“, erklärte er ein wenig arrogant.
„Oh, und das mit den Schutzzaubern, solltest du vielleicht testen, bevor du auf jemanden los gehst, den du nicht unbedingt verletzen möchtest“, fügte er noch ganz nebensächlich hinzu.
„Du hast recht!“ Der Gedanke war ihr noch gar nicht gekommen. Die Schutzzauber, könnten damit vollkommen nutzlos sein.
„Nächstes Mal denke bitte selbst nach, bevor du wieder Gefahr läufst, unsere Verbündeten zu zerteilst. Wir haben eh schon nicht ganz so viele davon. Ich habe dich unter anderem für deine Intelligenz gewählt. Bitte nutz das bisschen Intellekt dann auch“, erklärte Dorkas gelangweilt. Amara fehlten kurz die Worte über so viel Dreistigkeit in einem Satz.
„Du musst aber auch immer das letzte Wort haben, oder?“, stieß sie schließlich voller Ironie hervor und unterdrückte ein Augenrollen.
„Ja.“, bemerkte der Drache ungerührt und seine Antwort überraschte sie nicht im Geringsten.
Amara hob das Schwert und schlug mit genug Kraft, um Knochen zerbrechen zu können gegen einen Holzbalken. Das Schwert glitt durch das Holz wie durch Butter – trotz Schutzzaubern. Sie sah zu Bowen herüber, der deutlich an Gesichtsfarbe verloren hatte.

„Ich glaube, wir sollten mit dem Training warten, bis ich eine Möglichkeit gefunden habe die Klinge zu versiegeln“, sagte Amara und schenkte ihm ein entschuldigendes Lächeln. Doch Bowen schien mehr als erleichtert, über diese Feststellung zu sein.
„Gut, dass du es vorher getestet hast“, stellte er mit einem Blick auf den Haufen Kleinholz vor ihr fest.
Sie trainierten noch etwas ohne Waffen, bevor Bowen sich verabschiedete und auf den Weg zu den Wohnräumen machte. Er hatte diese Nacht noch einen Patrouillenflug vor sich und musste davor ruhen. Es wunderte sie, wie kurzangebunden und wortkarg er heute gewesen war. Amara beschlich der Verdacht, dass sie ihn mit dem Schwert vielleicht doch ein wenig verschreckt hatte.
Die Schaulustigen waren mittlerweile auch gegangen und sie stand wieder einmal vollkommen allein im Innenhof. Erneut zückte sie das Schwert und wiederholte einige Schlagkombinationen, als ihr ein Gedanke kam. Sie blickte auf die Klinge. Natürlich! Endlich wusste sie, woran sie das Farbschema so sehr erinnerte!
„Du hast es erschaffen, oder nicht?“ Sie schickte den Gedanken in Dorkas´ Richtung.
„Nah dran. Aber nein, das Schwert ist sogar noch älter als ich“, gab er zu und Amara fragte sich kurz von was für einen Zeitraum sie sprachen. Dann kam ihr ein anderer Gedanke. Als er merkte, dass sie erneut zu einer Frage ansetzen wollte, fügt Dorkas Gedanken versunken hinzu:
„Es wurde vor mehr als tausend Jahren mit der Hilfe eines Eldrdrachen Namens Nayra geschaffen. Sein letzter Träger, war einer meiner Reiter. Das ist auch der Grund, warum dir vermutlich die

Magie und die Erscheinung des Schwertes so vertraut vorkommt. Als Beira starb, bat ich den damaligen Obersten der Reiter, es zu verstecken. Diese Waffe ist zu mächtig. Wenn sie in die falschen Hände gerät – das Ausmaß der Zerstörung wäre verheerend!", erklärte er. Dorkas wollte noch etwas sagen, doch dann merkte Amara, wie seine Aufmerksamkeit auf etwas anderes gelenkt wurde.

„*Alles gut?*", fragte sie, doch bekam keine Antwort mehr. Sie spürte noch, wie Dorkas sich von der Klippe fallen ließ, bevor er die Verbindung abbrach und sie vollkommen alleine auf dem Trainingsplatz in Anruin war. Das abrupte Ende ihrer Unterhaltung versetzte sie in Sorge. Mehr als sie es sich selbst eingestehen wollte.

21

Suchst du noch nach einem Gegner?" Sie erkannte die Stimme sofort. „*Kieran?*"

Amara wirbelte herum und tatsächlich – Kieran stand vor ihr. Er trug noch immer die lederne Reiterrüstung und sein Schwert schaute über der Schulter hervor.

„Seit wann bist du zurück?", fragte sie und gab sich Mühe, ihre Freude zu verbergen. Und doch, wollte es ihr nicht so ganz gelingen.

„Seit ungefähr einer Viertelstunde, wenn man den Weg vom Flugfeld hierher einberechnet", gab er zu. „Und wie ich sehe, hast du endlich eine passende Waffe gefunden."

Er zeigt auf die schwarze Klinge in ihrer Hand. Amara nickte und hielt ihm das Schwert hin. Vorsichtig nahm er ihr diese aus der Hand und begutachtete es eingehend.

„Also stimmen die Gerüchte, die ich auf dem Weg hierher gehört habe! – Aradyn." Er sprach den Namen des Schwertes fast andächtig aus.

„Ich dachte immer, dieses Schwert wäre nur ein Teil einer Legende, der Stoff für Geschichten", sagte Kieran und das Erstaunen stand ihm weiter ins Gesicht geschrieben. Mit einem Seufzen gab er ihr das Schwert wieder zurück.

„Ich hätte nie im Leben gedacht, es eines Tages mit eigenen Augen zu sehen."
„Wir sollten reden", sagte Amara bestimmt, als sie Aradyn zurück in seine Hülle schob.
„Wie wäre es, wenn wir erst kämpfen und danach reden." Ohne auf eine Antwort abzuwarten, legte Kieran sein Reisegepäck zur Seite und zog sein eigenes Schwert.
„Das ist keine gute Idee", stellte sie klar und warf einen kritischen Blick auf ihr Schwert. „Ich kann die Klinge nicht versiegeln und du solltest nach der langen Reise vielleicht lieber eine Pause machen."
„Später ist noch genug Zeit zum Ausruhen", sagte Kieran und seine Augen glänzen herausfordernd, als er sich auf den ersten Angriff vorbereitete. „Und abgesehen davon, vertraue ich auf deine Fähigkeiten mit dem Schwert. Auch ohne Schutzzauber."
„Dann hast du mehr Vertrauen in meine Fähigkeiten als ich", gab Amara zu und wartete, dass er das Schwert sinken ließ. *„Das kann er nicht ernst meinen?!"* Sie sah ihn fassungslos an und stellte dann fest: *„Er meint es ernst!"*
„Sieht ganz so aus", mischte sich Dorkas wieder Mal ungefragt ein.
„Irgendwelche Tipps?", fragte sie an den Drachen gewandt.
„Töte den Aschebändiger nicht, Kaida würde es dir wirklich übelnehmen", stellte Dorkas trocken klar.
„Das war wenig hilfreich", antwortete Amara etwas gereizt.
„Du hast gefragt", brummte er zurück und brach die Verbindung wieder ab.

„Wenn du unbedingt darauf bestehst“, sagte sie und hob das Schwert. Kieran lächelte und fing an sie zu umkreisen.
Sie tauschten einige Schläge aus und er legte trotz seiner langen Reise eine übermenschliche Schnelligkeit und Eleganz an den Tag, die Amara zum Staunen brachte. Sie parierte seine Angriffe, vermied es aber, selbst anzugreifen. Das Schwert lag gut in ihrer Hand und folgte ihren Bewegungen ohne Mühe. Es war wie für sie geschaffen, dachte Amara, als sie über den Rasen wirbelten.
„Warum greifst du nicht an?“ Kierans Frage traf sie unerwartet.
„Ich werde dich nicht mit einem magischen Schwert angreifen, dessen Fähigkeiten ich nicht kenne“, gab Amara zurück, als sie seinen nächsten Schlag erneut nur mit knapper Not parierte.
„Du wirst mich nicht verletzen. Du allein hast die Macht, mich zu vernichten. Doch wenn du mich vernichtest, wird es nicht mit der Klinge sein. Ich muss die Zukunft nicht sehen können, um das zu erkennen“, sagte Kieran und ihre Blicke trafen sich, als ihre Klingen sich kreuzten. Amara befreite ihr Schwert und setzte zum Angriff an. Er parierte ihren Schlag, doch verfehlte die Finte, die darauffolgte. Die schwarze Klinge bremste wenige Zentimeter von seiner Kehle entfernt ab. Die Luft zwischen ihnen schien zu vibrieren. Sie ließ das Schwert sinken und fasste all ihren Mut, als sie das sagte, was gesagt werden musste.

„Das zwischen uns wird nicht funktionieren. So sehr sich mein Herz danach sehnen mag, es geht nicht. Meine Verpflichtung, nein unsere Verpflichtung als Drachenreiter steht an erster Stelle und wir können uns keine Ablenkungen leisten, wenn wir diesen Krieg gewinnen wollen“, erklärte Amara und legte all ihre Überzeugungskraft in ihre Stimme.
„Siehst du, wenn du mich vernichtest, wird es nicht mit der Klinge sein.“ Kieran sagte es so leise und vorsichtig, als hätte er selbst Angst, die unwiderrufliche Wahrheit zwischen ihnen auszusprechen.
„Verdammt! Warum musst du so vernünftig sein“, stieß er kopfschüttelnd hervor.
„Es tut mir leid“, flüsterte sie und verließ den Innenhof, ohne noch einmal zurückzublicken. Sie wischte sich mit dem Handrücken eine Träne aus dem Augenwinkel. *„Ich hatte ihn nicht verletzten wollen, doch es hat keinen anderen Weg gegeben. Auch wenn ich uns beiden damit das Herz brechen musste.“* Der Gedanke verfolgte sie und eine Frage hielt Amara die ganze Nacht über wach. *„War es ein Fehler, sein Herz zu verschließen?“*

22

Sie hatte Kieran seit einigen Tagen nicht gesehen und das leise Gefühl, dass er ihr aus dem Weg ging, beschlich sie. Amara konnte ihm darüber keinen Vorwurf machen, wenn sie ehrlich war. Ihre letzte Begegnung spukte ihr immer noch im Hinterkopf herum. Sie schob den Gedanken mit brutaler Kraftanstrengung zur Seite und konzentrierte sich wieder voll und ganz auf Ilaria.

Ihre Freundin saß neben ihr auf der Bank und sah etwas blass um die Nase aus, als sie ihr Buch zur Seite legte.

„Es ist noch eine Woche bis zur Auswahlzeremonie“, versuchte sie Ilaria zu beruhigen. Doch diese schüttelte nur heftig den Kopf, sodass ihre goldenen Locken durch die Luft wirbelten. Aufgebracht erwiderte sie: „Eine Woche ist viel zu wenig! Was ist, wenn ich keinen Zauber wirken kann? Oder wenn der Zauber nach hinten los geht?“

„Ich glaub´ an dich! Du bist eine begnadete und talentierte Magierin, die Drachen werden sich um dich reißen“, versicherte Amara und schenkte ihr ein aufmunterndes Lächeln.

„Du hast gut reden. Du bist eine Feuerbändigerin und mit einem der mächtigsten Drachen überhaupt

verbunden“, gab Ilaria zurück und vergrub das Gesicht in den Händen.
Es schmerzte sie, ihre Freundin so niedergeschlagen zu sehen. Und Amara, wusste wie Ilaria sich fühlen musste. Sie kannte das Gefühl gut. Der Gedanke kam ihr immer noch surreal vor, dass sie nicht an der Auswahlzeremonie teilnehmen würde.
Wäre sie in dieser alles verändernden Nacht vor fast vier Monaten nicht in das Gebirge gegangen, wäre sie ebenso wie Ilaria nun mit der Vorbereitung beschäftigt. Aber es war alles anders gekommen. Ihr kam ein Gedanke.
„Was hältst du von einer kleinen Ablenkung?“, fragte sie und nahm Ilaria das Lexikon der Zauberei aus der Hand.
„Bitte kein Kampftraining! Davon hatte ich die letzten Tage wirklich genug!“, erklärte die Angesprochene und warf ihr einen flehenden Blick zu. *„Planänderung.“* Amara verwarf ihre erste Idee, als ihr ein Gedanke kam.
„Kein Kampftraining“, versprach sie und als Ilaria sie etwas verwirrt ansah, erklärte Amara leise und vorsichtig, sodass niemand anderes sie hören konnte: „Ich könnte ein wenig Hilfe gebrauchen. Ich kann hier aber nicht davon reden.“
„Okay, jetzt bin ich neugierig! Wo müssen wir hin?“, fragte Ilaria und sah sie mit funkelnden Augen an.
„Nur in mein Zimmer, da sollte uns niemand hören können. Lynn ist nicht da“, schlug Amara vor und zusammen verließen sie die Bibliothek. Sie stiegen die schmale Treppe hinauf und das Tageslicht fuhr ihnen blendend hell in die Augen. Die Katakomben verschluckten wirklich jegliches Licht.

Die Beiden gingen gerade durch die Flure der Burg, als Kieran und Aiden ihnen entgegenkamen. Ihre Schritte stockten und ihr Herz begann wild zu schlagen, als sie ihn ansah. Doch sie gab ihr Bestes, sich äußerlich nichts anmerken zu lassen. Amara setzte ein höfliches Lächeln auf und murmelte im Vorbeigehen: „Guten Morgen."
Doch sie vermied es, Kieran direkt in die Augen zu sehen, ihre letzte Begegnung saß ihr noch in den Knochen. *„Habe ich doch einen Fehler gemacht?"* Die Frage ließ sie nicht los und brannte ihr schwer im Magen.
Kieran erwiderte ihren Gruß. Aiden sah ungläubig zwischen ihnen hin und her, doch bevor er etwas sagen konnte, zog Kieran ihn weiter. Sie waren schon einige Schritte entfernt, als Amara seinen brennenden Blick zwischen den Schulterblättern spürte. Jede Faser ihres Körpers schrie danach sich umzudrehen, doch sie tat es nicht.
„Was war das denn? Ich dachte, da läuft etwas zwischen euch! Habt ihr euch gestritten?", fragte Ilaria verwirrt, als die Beiden außer Hörweite waren.
„Es lief nichts zwischen uns! Aber man könnte sagen, dass wir uns gestritten haben", bestätigte Amara leise und Ilaria sah sie mit hochgezogenen Augenbrauen an. Es war eindeutig, dass sie ihr nicht glaubte, was ihren Beziehungsstatus anging, bemerkte Amara und hätte fast die Augen verdreht. Ilaria war eindeutig zu feinfühlig.
„Was hat er getan? Und wehe, du sagst mir, er hat eine andere, dann muss ich mir den Kerl wirklich

schnappen!", fuhr Ilaria gerade hoch und wollte weiter ausholen, doch Amara bremste ihre Freundin aus.
„Er hat nichts getan. Ich trage die Verantwortung", gab sie zu.
„Oh." Ilarias Schimpftirade verstummte abrupt.
„Wieso hast du das getan? Ich meine, hast du gesehen, wie er dich ansieht?! Ich wünschte mich würde einer so ansehen", fragte Ilaria dann ungläubig. „Oh – und hast du ihn dir mal angesehen?", fügte sie noch hinzu und warf ihr einen vielsagenden Blick zu.
„Es geht nicht", sagte Amara etwas zerknirscht und erklärte: „Es wäre nicht klug, in der jetzigen Zeit eine Beziehung einzugehen. Wir könnten möglicherweise morgen alle tot sein. Jemandem sein Herz zu schenken, ist ein sicherer Weg, verletzt zu werden und das versuche ich zu vermeiden."
Ilaria sah sie verständnislos an.
„Aber du kannst doch nicht alle ausschließen, aus Angst verletzt zu werden!", entfuhr es ihr schockiert.
„Doch, siehst du doch", sagte Amara trocken und fragte dann: „Was ist eigentlich mit dir und Ethan?"
Ilarias Wangen nahmen eine rosa Färbung an, der Themenwechsel hatte funktioniert.
„Wir sind nur Freunde. Er sieht nicht mehr als einen Kumpel in mir", erklärte sie etwas verlegen.
„Da wäre ich mir nicht so sicher", sagte Amara und dachte an die Blicke, die Ethan ihrer Freundin zuwarf, sobald sie in einem Raum waren. Doch als sie weitergingen, fielen ihre Gedanken immer wieder auf Kieran

zurück. *„Es gibt Wichtigeres!"*, ermahnte sie sich und versuchte, diese Gedanken aus ihrem Kopf zu verdrängen.

***

Amara stieß die Tür zu ihrem Zimmer auf und noch bevor die Tür richtig zugefallen war, sah Ilaria sie neugierig an und fragte dann: „Hau raus! Warum sind wir hier? Was hast du vor?"

Ihre Augen strahlten vor Aufregung. Amara zog die Bücher unter ihrem Bett hervor, die sie dort versteckt hatte.

„Zum Lesen hätten wir auch in der Bibliothek bleiben können", sagte Ilaria enttäuscht und sah sie verwundert an.

„Du musst mir versprechen, dass das, was ich dir jetzt anvertraue, geheim bleibt. Es ist wirklich wichtig!", sagte Amara und erklärte Ilaria dann ihren Verdacht.

„Und deshalb glaube ich, dass es Kagan oder einem seiner Reiter mit einem, uns unbekannten Zauber irgendwie gelungen ist, die Skrim und vielleicht sogar noch andere Schattenwesen zu kontrollieren. Deswegen versuche ich, so viele Informationen wie möglich zu sammeln. Vielleicht finden wir einen Hinweis auf den Zauber, den er verwendet haben könnte", beendete sie ihre Ausführungen und fügte dann hinzu: „Astoria und Tirion haben mir befohlen, mich rauszuhalten, deswegen muss ich die Bücher hier lesen." Ilaria sah sie mit großen Augen an.

„Wenn du Recht haben solltest, ändert das einfach alles! Das würde bedeuten, wir sind um ein Vielfaches unterlegen und kämpfen nicht mehr nur gegen Drachen und

Reiter, sondern auch gegen alle möglichen Ungeheuer", hauchte Ilaria und nahm ihr eins der Bücher ab.
„Wo fangen wir an?", fragte sie dann und schlug enthusiastisch ein Buch über Harpyien auf.
Amaras Blick fiel auf Ilaria, die sich gegenüber von ihr im Schneidersitz auf die Holzdielen gesetzt hatte. An den Rahmen des Bettes gelehnt, das aufgeschlagene Buch lag auf ihren Knien, war Ilaria bereits tief in die Lektüre versunken.
Ein Gefühl der Dankbarkeit beschlich sie bei dem Anblick. Die Beiden stürzten sich gemeinsam in die Recherche und Amara las gerade ein Buch, dass sich mit den verschiedenen Drachenclans befasste, als ihr etwas ins Auge fiel. Sie ließ das Buch langsam sinken.
„Wusstest du, dass der Drekafjall der Einzige, der fünf Drachenclans ist, in dem alle Drachenarten vertreten sind?", fragte sie Ilaria erstaunt.
„Nein, aber ich habe auch noch nie weiter darüber nachgedacht", gab Ilaria nachdenklich zu. „Ich weiß, dass jede Drachenart einen anderen Ursprung hat. Ich erinnere mich gehört zu haben, dass die Winddrachen ursprünglich aus dem Gaothgebirge stammen, aber dass dort keine anderen Drachen leben, wusste ich nicht", überlegte sie stirnrunzelnd und sah Amara fragend an.
„Aber wieso interessiert dich das so?", fragte Ilaria und machte es sich auf dem Boden bequem.
„Ich weiß es nicht. Es hat mich nur erstaunt", bemerkte Amara abwesend und vertiefte sich weiter in ihr Buch.
„Drachenpolitik ist ja noch schlimmer als Menschenpolitik!", dachte sie und ihr Kopf dröhnte vor Informationen.

„Und das ist nur das, was wir den Menschen anvertraut haben", mischte sich Dorkas ein und wirkte amüsiert über ihre Überforderung.

„Musst du wieder Wache halten?", fragte sie den Drachen mitfühlend. Das Bild des Tals manifestierte sich in ihrem Kopf. Es lag tief unter ihr. Dorkas musste also irgendwo am Rande des Gebirges auf einem Felsvorsprung liegen und die Mündung des Tals beobachten. Also hatte er Zeit und wahrscheinlich Lust sich zu unterhalten. Ideal! Das könnte ihre Möglichkeit sein, ihn auszufragen, bemerkte Amara. Wenn der alte Drache sich langweilte, wurde er redselig und beantwortete ihre Fragen breitwilliger als sonst.

„Also habe ich das richtig verstanden? Ähnlich wie bei den Menschen gibt es bestimmte Blutlinien, die herrschen – also quasi wie Dynastien? Ich habe immer gedacht, dass der Stärkste herrscht?", fragte sie verwirrt.

„Du sprichst von Eldr-Drachen", sagte er nachdenklich und legte dann eine kurze Pause ein. Amara kannte den Ausdruck. Er suchte nach den passenden Worten in ihrer Sprache.

„Die meisten unseres Volkes sind mit den letzten Jahrtausenden, seit sich die verschiedenen Arten herausgebildet haben, kurzlebiger und schwächer geworden. Doch einige unter den Feuerdrachen besitzen noch immer das Blut der alten Drachen, der Eldaril. Sie sind größer und stärker als die meisten es heutzutage sind. Deswegen herrschen zu mindestens in den Gebieten der Feuerdrachen, ausschließlich Eldr-Drachen. Aber im Prinzip kann jeder Drache seinen Anführer herausfordern und die Herrschaft für sich beanspruchen. Doch es ist mehr als selten, dass es ihnen gelingt.

Solche Machtkämpfe enden oft im Tod." Seine Erklärung ließ Amara kurz innehalten. In ihrem Kopf formte sich die Vorstellung wie eine solche Herausforderung gegen Dorkas oder Kaida ausgehen würde.
Ihr fiel kein einziger Drache ein, der eine reelle Chance im Kampf gehabt hätte. Und nun verstand sie auch, was Dorkas meinte. Es ging um die Macht, nicht um ein Geburtsrecht, wenn es um die Führerschaft bei den Drachen ging. Und auch wenn das Blut der Eldaril einige Blutlinien stärker machte, war es doch kein Garant für die Machtposition innerhalb des Clans.
„*Wurdest du schon mal herausgefordert?*", fragte Amara neugierig.
„*Ja, schon öfter. Aber es gab in den vergangenen Jahrhunderten immer weniger, die dumm oder mutig genug waren*", gab Dorkas ganz beiläufig zu. Amara wäre vor Erstaunen fast das Buch aus der Hand gefallen. Damit hatte sie nicht gerechnet! Sie merkte, wie die Aufmerksamkeit des Drachen kurz abschweifte.
„*Alles gut?*", fragte sie etwas besorgt.
„*Aesira ist auf dem Heimweg*", antwortete Dorkas und schickte ihr ein weiteres Bild. Es zeigte den Horizont, an dessen Grenze sie mit etwas Anstrengung die Silhouette eines Drachen erkennen konnte.
„*Wie zur Hölle kannst du erkennen um wen es sich handelt?*", fragte sie und fügte dann hinzu: „*Ich kann gerade Mal mit Mühe erkennen, dass da ein Drache auf uns zu kommt.*"
„*Ich sehe deutlich besser als ihr Menschen*", erinnerte der Drache sie und Amara konnte wieder mal förmlich spüren, wie er die Augen verdrehte über ihre Kurzsichtigkeit.

„Und abgesehen davon, brauche ich Aesira nicht mit den Augen zu sehen. Ich spüre mit meiner Magie die Anwesenheit der anderen Drachen, wie du mittlerweile ebenfalls wissen solltest.“ Mit einem Mal verlor das Bild in ihrem Geist an Kontur. Dorkas musste abgelenkt sein.
„Ey! Lass das, oder ich schubs dich von der Klippe!“, schimpfte er etwas genervt und Amara hörte die Stimme eines scheinbar sehr jungen Drachen. Sie verstand kein Wort, doch es klang wenig beeindruckt.
„Küken“, erklärte Dorkas leicht genervt.
„Warte mal, können die nicht fliegen?“, fragte sie gleichermaßen verwirrt und schockiert über seine Androhung.
„Doch, aber sie erschrecken sich trotzdem, wenn man sie von einer Klippe schubst“, erklärte Dorkas ruhig, bevor plötzlich ein leichter Schmerz durch die Verbindung zu spüren war.
„Aua! Beißt du mich noch einmal… dann schwöre ich dir, beiße ich zurück!“, schimpfte er, leicht verstimmt mit dem Jungdrachen. Amara musste schmunzeln und hätte nur zu gerne gesehen, was sich dort oben, hoch am Berge zutrug. Doch bevor sie noch mehr Fragen stellen konnte, hatte Dorkas die Verbindung abgebrochen, um sich ganz dem kleinen Plagegeist zu widmen.

***

Die Sonne fing schon an unterzugehen, als die Tür zu ihrem Zimmer aufgestoßen wurde und Lynn eintrat.
„Du hast doch nicht etwa Ilaria in die Sache reingezogen?“, fragte sie Amara anklagend. Ihr Blick ruhte auf dem Stapel Bücher zwischen ihnen. „Tirion hat dir befohlen, dich herauszuhalten! Er und die anderen

Ratsmitglieder wollten sich um die Angelegenheit kümmern!“

„Ich weiß“, erwiderte Amara unschuldig. Dennoch hatte sie ein kleines schlechtes Gewissen, weil sie sich so bewusst über seinen Befehl hinwegsetzte. „Aber vielleicht übersehen sie etwas. Je mehr, desto besser.“

„Ach, mach doch was du willst!“, brummte Lynn mit einer wegwerfenden Handbewegung und knallte die Tür kopfschüttelnd hinter sich zu, als sie den Raum wieder verließ.

„Was war das denn?“, fragte Ilaria mit hochgezogener Augenbraue.

„Sie ist sauer, weil ich mich über den Befehl des Rats hinwegsetze. Oh, und hält mich für paranoid, weil ich glaube, dass Kagan einen Weg gefunden hat, die Skrim an sich zu binden“, erklärte sie zerknirscht. Ilaria nickte wissend.

„Lynn war schon immer auf Regeln fixiert und oft liegt sie damit richtig. Doch ich befürchte, dass du dieses Mal mit deiner Vermutung recht behalten könntest“, sagte Ilaria mit Sorge in der Stimme und steckte die Nase wieder in das Buch vor sich.

23

Amara zog den Kragen ihrer Jacke höher, als der kalte Regen ihr ins Gesicht wehte. Jeder kleine Wassertropfen, der ihre Haut traf, fühlte sich an wie winzige Nadelstiche. Ihre Rechercheversuche mit Ilaria hatte bisher zu nichts geführt und das schlechte Wetter trug nicht dazu bei, ihre schlechte Laune zu besänftigen.

Der Sturm war nicht ungewöhnlich für diese Jahreszeit. Der Frühling war im Anbruch und die Temperaturen stiegen, so dass es tagsüber häufig bereits sehr angenehm war. Doch die plötzlichen warmen Temperaturen hatten ein Wärmegewitter hervorgerufen. Zu ihrem Glück hatte es jedoch vor einigen Stunden aufgehört zu gewittern, sodass Amara wie ursprünglich geplant doch noch ihren Patrouillenflug starten konnte. Doch der Starkregen war allerdings geblieben, weshalb ihr die Haare mittlerweile nass am Kopf klebten.

„Glaubst du wirklich, dass es bei dem Sturm nötig ist Patrouille zu fliegen? Ich bezweifle, dass irgendetwas oder irgendjemand bei dem Wetter angreifen wird", rief sie Dorkas über den Sturm hinweg zu.

„Wir werden unsere Pflicht nicht über ein paar Regentropfen vernachlässigen", stellte der Drache sachlich klar und stieg mit einigen kräftigen Flügelschlägen höher. Fröstelnd

beschwor Amara einen Zauber herauf, der sie vor der Kälte schützen sollte. Erleichtert entspannten sich ihre Muskeln, als die Kälte nachließ.

„Wenn ich deswegen krank werde und morgen Ilarias und Elaenas Prüfung verpasse, bin ich sauer“, brummte sie missmutig vor sich hin.

„Ihr Menschen seid so empfindlich!“, stellte Dorkas kopfschüttelnd fest. Woraufhin sich dicke Regentropfen von seinem Kopf lösten und Amara mitten ins Gesicht klatschten.

„Ey!“, quietschte sie ärgerlich auf und der Drache stieß ein heiseres Lachen aus.

Amara wollte gerade etwas erwidern, als sie ein Geräusch vernahm. Sie sah sich um und versuchte, in der Dunkelheit etwas zu erkennen. Sie war nicht einmal in der Lage, die schwarzen Flügelspitzen des Drachen von der sie umfangenden Dunkelheit zu unterscheiden. Unter ihnen sah sie nur die schwarze Leere der Nacht.

Selbst die schneebedeckten Gipfel des Gebirges waren nicht mehr zu erkennen und Amara war froh, wenigstens die Hand vor Augen sehen zu können. Ihre Haare trieften vor Nässe und sie ärgerte sich, dass sie den geflochtenen Zopf nicht vor Antritt des Flugs unter die Jacke gesteckt hatte. *„Es wird Stunden dauern, die langen Haare wieder trocken zu bekommen!“,* stellte sie fest und ihre bis dahin schon schlechte Laune sank noch mehr, wenn dies überhaupt möglich war.

„Wieso müssen immer wir die Nachtschichten fliegen? Ich kann nichts sehen“, beschwerte sie sich jammernd, doch Dorkas ignorierte ihre Klagen und flog ungerührt weiter. Und dabei war es noch nicht mal gelogen – sie flogen wirklich mehr Nachtschichten als alle anderen Reiter. Trotz ihrer Klagen bestand der alte Drache vielmehr darauf nachts zu fliegen. Amara hatte sich in den letzten Monaten schon oft gefragt, ob es nur daran lag, dass sie vermeiden mussten, gesehen zu werden oder ob es einen anderen Grund gab, warum Dorkas es vorzog, nachts auf Patrouille zu gehen.

Es dauerte nicht lange und sie war gezwungen ihre Schutzzauber aufzulösen. Sie verbrauchte einfach zu viel Kraft.

Insgeheim fragte sie sich sogar, ob der Drache selbst bei diesem Wetter überhaupt viel mehr sehen konnte oder, ob er den Flug einfach nur aus reiner Sturheit fortsetzte. Ihr war klar, dass die Sinne eines Drachen um ein Vielfaches schärfer waren, als die eines Menschen und er mit seiner Magie vermutlich auch in völliger Dunkelheit problemlos navigieren konnte. Doch Amara konnte sich einfach nicht vorstellen, dass Dorkas in der Lage war etwas zu sehen.

Amara hatte jegliches Zeitgefühl verloren. Sie flogen ohne Orientierungspunkte, was es ihr immer schwerer machte einzuschätzen, wo sie überhaupt waren. Sie konnten bereits seit Stunden oder auch nur Minuten in der Luft sein. Frustriert hielt sie weiter Ausschau.

Bis ein erneutes Geräusch ihre Aufmerksamkeit auf sich zog. Es dauerte einen Moment, dann erkannte sie das bekannte Rascheln von Flügelschlägen über den Regen und Sturm hinüberhallen.

Sie erkannte den dazugehörigen Drachen erst, als er direkt neben ihnen aus der Dunkelheit brach. Sie zuckte instinktiv zusammen, als Kaidas riesiger Schädel neben ihr aus der Dunkelheit auftauchte. Ihre Augen leuchteten über die Schwärze der Nacht hinweg. Eine der riesigen goldenen Pupillen fixierte Amara für einen kurzen Moment, bevor die Drachendame aufholte und auf Kopfhöhe neben ihrem Gefährten in den Gleitflug überging.

Sie schickte ihre Magie suchend aus, doch von Kieran war keine Spur zu finden. Die Drachendame war ohne ihren Reiter gekommen, erkannte Amara überrascht.

Kaidas dunkelrote Schuppen verschmolzen fast ebenso mit der Dunkelheit wie das schwarz von Dorkas´ Schuppen. Amara verfluchte erneut ihre unverhoffte Blindheit. Sie bemerkte, wie der Drache abrupt den Kurs änderte und sich scharf in eine rechts Kurve legte.

„*Was ist los?*“, fragte sie Dorkas alarmiert und es dauerte einen Moment, bis der Drache ihr antwortete.

„*Es wurden Aktivität an der westlichen Grenze des Drekafjalls gemeldet. Wir wissen aber nicht, was es ist*“, erklärte er angespannt. „*Bereite dich auf einen möglichen Kampf vor.*“

„*Großartig.*“, erwiderte Amara wenig begeistert. Sie war durchgefroren, nass und müde, ein Kampf war das Letzte, was sie jetzt brauchte. Doch sie versuchte, sich ihre Stimmung nicht anmerken zu lassen. Schließlich würde Dorkas den Großteil des Kämpfens übernehmen müssen. Er war genau so wenig erpicht darauf, heute Nacht noch einen Kampf auszutragen. Vor allem nach

den letzten Stunden, die sie durch den Sturm geflogen waren.
Der Regen ließ allmählich nach und auch die Wolken ließen ein wenig Mondlicht durchscheinen. Kaidas rote Schuppen funkelten immer wieder unnatürlich im Mondschein. Die Drachendame flog noch immer dicht neben ihnen. Sie waren bereits einige Zeit ohne Zwischenfälle geflogen, als Dorkas plötzlich mit weitausgebreiten Flügeln bremste und mitten in der Luft schwebte. Sie fuhr zusammen, als neben ihr mit einem Mal leuchtend weiße Reißzähne auftauchten und nach Kaida schnappten.
„Achtung!", rief Amara erschrocken, doch Dorkas hatte den Angriff längst registriert. Er drehte sich in der Luft, packte den Angreifer und brach ihm ohne Vorwarnung das Genick.
„Es sind Drachen!", stellte Amara erschrocken fest. Ein blauer Flügel zischte viel zu nahe an ihr vorbei. Ihr lief eine Gänsehaut über den Rücken, beim Geräusch der knackenden Knochen.
„Ach echt?", gab Dorkas zurück, der auch in dieser Situation seinen Sarkasmus nicht unterdrücken konnte. Vielleicht war es einfach seine Art, mit der Tragik der Situation fertig zu werden.
Mit einem letzten Aufblitzen der blauen Schuppen im Mondlicht, verschwand der Körper des getöteten Drachen in der Nacht, als er in die Tiefe stürzte. Nicht lange und es folgte ein dumpfer Aufprall, als sein Körper auf dem Boden aufschlug.

„Links von dir ist noch einer!“, warnte Dorkas seine Gefährtin und schickte ihr ein Bild von dem Angreifer. Kaida reagierte prompt und folgte seinen Anweisungen. Amara hörte das schnelle Schlagen der Flügel, als sie abdrehte. Nur Sekunden später war das Aufeinanderprallen der kämpfenden Drachen zu hören. Kurz darauf stürzte der orangene Drache ebenfalls tot zu Boden. Kaida versenkte ihre scharfen Reißzähne in das orangene Schuppenkleid ihres Gegners.
Im nächsten Moment umfing sie wieder Dunkelheit, als sie sich eine Wolke vor den Mond schob.
„Siehst du noch andere?“, fragte Kaida scharf, als sie wieder zu ihnen aufgeschlossen hatte.
Dorkas sah sich um. Amara fühlte sich mit ihrer Vermutung bestätigt – die Drachendame konnte genauso wenig sehen, wie sie selbst. Ein ungutes Gefühl machte sich in ihr breit. Bevor sie den Gedanken jedoch ausformulieren konnte, verstärkte Dorkas ihre Verbindung und Amara machte sich bewusst, dass er sich damit auf den Kampf vorbereitete.
„Bleib wo du bist“, sagte er an seine Gefährtin gewandt und schickte dann Amara eine schnelle Warnung zu. Nur den Bruchteil einer Sekunde später ließ er sich in eine Abwärtsspirale fallen. Ihr Magen rebellierte gegen die ungewohnte Bewegung. Sie hielt sich lediglich mit Hilfe von Magie auf dem Rücken des Drachen.
Amara spürte einen Aufprall und hörte ein schmerzverzerrtes Wimmern, als der riesige Drache mit etwas zusammenstieß. Dorkas packte dieses Etwas mit seinen Krallen und schleuderte es mit Wucht auf den

Steinboden des Felsens. Sie sah im Mondlicht die panisch flatternden roten Flügel, eines ziemlich kleinen Drachen. Mit angestrengt zusammengekniffenen Augen erkannte sie, dass der kleine Feuerdrache nicht größer als ein Walddrache sein konnte. *„Er muss noch sehr jung sein."*

Seine Schuppen leuchteten hell, selbst im spärlichen Mondlicht. Sie waren rot, aber nicht so dunkel gefärbt wie die von Kaida, sondern leuchtendhell wie Mohn. Selbst über die Entfernung hinweg sah Amara die Angst in den leuchtenden Augen des kleinen Wesen und beinahe hätte sie Mitleid gehabt.

Dorkas hatte den kleinen Drachen zu Boden gedrückt und hielt ihn mit den Klauen seiner linken Vordertatze an der Kehle gepackt. Doch zu ihrem Erstaunen, tötete er den anderen nicht – wenigstens nicht sofort.

Der Blick seiner silbernen Augen fixierten die des kleineren kalt. Der Kleine stieß ein krächzendes Fauchen aus, das schnell zu einem Wimmern wurde, als Dorkas seinen Griff verstärkte. Sie hörte das knirschende Kratzen seiner Krallen auf den Schuppen. Dorkas´ Stimme hallte kalt wie Eis durch ihren Geist, als er zu dem kleinen Drachen sprach: *„Sag dem Sturmbringer, dass wir jedes Eindringen in unser Gebiet, als eine Kriegshandlung ansehen und ich jeden Drachen oder Menschen töten werde, den er in den Drekafjall schickt!"*

Er verstärkte den Griff um die Kehle des Drachen erneut und unterstrich damit seine Worte. Dem Roten entfuhr erneut ein Wimmern, als er nach Atem rang.

„Auch wenn es nur Küken sind", fügte der alte Drache mit einem mitleidigen Blick hinzu, bevor er ihn losließ.
Der kleine Rote verschwendete keine Zeit, er wich mit gesenktem Kopf einige Schritte zurück und erhob sich dann schnell mit hektisch flatternden Flügeln in die Luft.
Dorkas wartete noch einen Augenblick und starrte in die Richtung, in der Amara den roten Drachen vermutete. Dann schwang er sich wieder in die Luft und stieg zu Kaida auf.
„Du hättest ihn töten sollen", stellte diese kalt fest. *„Du wirst auf deine alten Tage noch weich"*, fügte seine Gefährtin dann fast herausfordernd hinzu.
„Du bist nicht viel jünger als ich, also pass auf was du sagst!", konterte Dorkas etwas pikiert.
Amara bekam den Rest des Gespräches nicht mehr mit, denn die Drachen hatten die Verbindung zu ihr wieder verstummen lassen. Die Gefahr eines Angriffs war gebannt, daher kümmerte das neckische Aufziehen der Gefährten nicht weiter. Vielmehr erstaunte sie immer wieder, wie schnell die Drachen sich von dem vorangegangenen Blutvergießen abwenden konnten. Ihr Herz schlug noch immer wild und ihre Hände zitterten leicht, als sie tief durchatmete.
„Wie kann es sein, dass sie sich so anschleichen konnten? Ich dachte ihr könnt die Anwesenheit von anderen Drachen spüren!", fragte Amara dann doch noch einmal an die Drachen gewandt und es dauerte einen Moment bis Dorkas antwortete.
„Du hast recht, es sollte nicht möglich sein", bestätigte er mit einem Mal besorgt. *„Es muss irgendein Zauber gewesen sein."*

Der Himmel über den Bergen färbte sich schon leicht rosa als Amara todmüde endlich ins Bett fiel. Die trockenen Kleider schmiegten sich weich an ihre Haut, als sie die Decke hochzog. Nur ihre Haare waren immer noch nass vom Sturm. Sie hatte sich so leise wie möglich ins Zimmer geschlichen, um Lynn nicht zu wecken. Zu ihrem Erstaunen war sie dabei sogar erfolgreich gewesen.

Ihr Blick fiel auf das Fenster und die Berge dahinter. Ein Drache flog gerade in Richtung der Talmündung über den See. Seine Schuppen glitzerten wie kleine Flammen und Amara fragte sich, wer zu so früher Stunde schon ausrücken musste.

Sie verfolgte den Drachen mit den Augen, bis er nur noch ein kleiner leuchtender Punkt am Himmel war. Schlaftrunken beschloss sie noch, Tirion bei nächster Gelegenheit zu fragen, ob ihm ein Zauber bekannt sei, mit dem die Drachen heute Nacht belegt gewesen sein könnten, als ihr auch schon die Augen zufielen und tiefer Schlaf sie übermannte.

24

Sie versuchte ein Gähnen zu unterdrücken, als sie sich mit Lynn auf den Weg zum Flugfeld machte. „Lange Nacht gehabt?“, fragte ihre Freundin wissend. Amara nickte langsam. Es war einfach viel zu früh, um wach zu sein. Sie war allerdings mehr als froh, ihre Differenzen mit Lynn hinter sich gelassen zu haben.

„Dorkas hat uns mal wieder die Nachtschicht im Sturm fliegen lassen. Ich wünschte, er würde mir da ein wenig mehr Mitspracherecht einräumen. Aber wem erzähle ich das, du machst das Ganze ja schon viel länger mit“, antwortete Amara frustriert und Lynn sah sie erstaunt an.

„Was ist?“, fragte sie verwirrt über die Reaktion ihrer Freundin.

„Ich war nur verwundert. Aesira und ich entscheiden meistens gemeinsam, wann wir fliegen“, antwortete Lynn schulterzuckend. Sie hatten die Festung hinter sich gelassen und bogen gerade mit den anderen auf den Pfad zum Flugfeld ein.

„Oh.“ Ohne weiter nachzuforschen, war sie immer davon ausgegangen, dass die anderen Drachen ebenso gerne bestimmten, ohne nachzufragen.

„Dorkas erteilt eher Befehle, als nachzufragen. Das kann manchmal echt nervig sein“, erwiderte Amara schnaufend und erinnerte sich dann an Lynns Worte.

„Du hattest übrigens Recht. Weißt du noch, was du mir an dem Tag gesagt hast, als ich meine Kräfte entdeckt und Daciana mit einem brennenden Dolch beworfen habe?“ Lynn musterte sie jedoch nur verwirrt, weshalb sie erklärend fortfuhr: „Es ist wirklich manchmal schwer, mit einem so mächtigen Drachen verbunden zu sein. Du sagtest damals, dass ich lernen muss, mit seinem Ego zu leben. Da hattest du in jedem Fall Recht.“
„Naja, ehrlich gesagt möchte nicht wirklich mit dir tauschen müssen“, bekräftigte Lynn nachdenklich ihre Worte. „Aber um noch ehrlicher zu sein, ihr seid euch schon ähnlich. Du bist genauso ehrgeizig und stur wie dein Drache.“ Schmunzelnd wartete Lynn auf Amaras Reaktion, die prompt folgte.
„Ey!“, schimpfte sie und stieß ihrer Freundin mit dem Ellenbogen in die Rippen.
„Na gut! Du hast recht“, gab sie dann jedoch, nach kurzer Überlegung zu. Über ihnen hörte Amara das vertraute Geräusch von Flügelschlägen. Instinktiv sah sie nach oben. Der Dracher, der über ihnen flog, war ihr jedoch nicht bekannt. Es war ein kleiner Walddrache mit hellgrünen Schuppen, die sie etwas an die Farbe von jungen Blättern erinnerte. Er entfernte sich mit schnellen Bewegungen, doch der Anblick, der sich vor ihnen auftat, ließ sein plötzliches Auftauchen direkt wieder in Vergessenheit geraten.
Sie hatte noch nie so viele Drachen auf einem Haufen gesehen. In jeder Farbe und jeder Größe, die sie sich nur vorstellen konnte, bedeckten sie jeden Zentimeter des rieseigen Flugfeldes. Es waren sogar einige Drachen

dabei, deren Schuppen mehrere Farben besaßen. Sie erblickte einen Walddrachen, dessen Schuppen von einem erdigen Braun in ein helles Grün verliefen. Und sogar einen Feuerdrache, dessen Schuppen eine Mischung aus einem tiefen Orange und kräftigem Rot waren. Bemerkenswert!

Amara erkannte Kaida und Dorkas sofort. Sie waren inmitten des Drachenverbunds schwer zu übersehen.

Dorkas war mit Abstand der größte Drache unter den hier Versammelten und zudem der Einzige mit schwarzen Schuppen. Mit angelegten Flügeln saßen sie nah beieinander am gegenüberliegenden Rand der Lichtung, sodass sie das Tal mühelos überblicken konnten.

Die restlichen Drachen hielten, wie immer, einen respektvollen Abstand zu ihnen. Amaras Blick streifte weiter in Richtung der Menschenansammlung am Rande der Wiese. Fasziniert beobachtete sie diesen Anblick.

In diesem Moment wurde ihr wirklich bewusst, wieso die Drachenreiter Jahrtausende lang eine so große Macht in den umliegenden Reichen gehabt hatten. Wer würde schon freiwillig einen Krieg gegen eine Armee fliegender, feuerspeiender Riesenechsen führen, die einen ohne Probleme strategisch ausmanövrieren könnten. Das Einzige, was diese Ära hatte beenden können, waren sie selbst gewesen.

Ihr Blick streifte durch die Menge, aber der Anführer der Reiter war nirgendswo zu sehen. Es wunderte sie, dass Tirion noch nicht hier war. Amara dachte an die Geschehnisse der letzten Nacht zurück und ein anderer Gedanke kam ihr in den Sinn.

„Weißt du, ob Drachen im Dunkeln sehen können?", fragte sie leise an Lynn gerichtet. Kurz überlegte die Angesprochene und antwortete: „Soweit ich weiß, nicht. Sie können mit Hilfe ihrer Magie andere Wesen und Hindernisse in der Nähe spüren. Aber sie sehen im Dunkeln nicht viel besser als wir. Wieso?" Lynns Antwort bestätigte ihren Verdacht.

„Nur so. Ich habe mir sowas schon gedacht. Ich war mir nur nicht mehr sicher und wollte nicht extra in die Bibliothek gehen", antwortete sie ausweichend. Ihre Gedanken wirbelten hin und her.

Kaidas Worte kamen ihr in den Sinn.

„Siehst du noch andere?" Die Worte hallten in ihrem Kopf wider, denn sie ergaben einfach keinen Sinn.

„Wieso sollte sie das fragen, wenn es nicht möglich wäre. Es sei denn…" Ihr Blick streifte durch die Menge der versammelten Drachen. Amara sah viele goldene und bronzefarbene Augenpaar und vereinzelt ein paar grüne und blaue. Dorkas´ Blick war direkt auf sie gerichtet, lodernd wie silbernes Feuer.

Die Erkenntnis traf sie wie ein Schlag.

„Dafür hast du aber lange gebraucht", hörte sie die Stimme des alten Drachen in ihrem Geist widerhallen und ihr Herz fühlte sich an, als würde es einen Schlag aussetzen. Ihr war schon vorher aufgefallen, dass Dorkas anders war als die anderen Drachen. Sie dachte an den Respekt, aber auch die Distanz, mit denen die Anderen ihm begegneten. Sie hatte sich nie große Gedanken darüber gemacht, schließlich hatte sie nie viele Berührungspunkte zu anderen Drachen außer ihm und Kaida gehabt.

Amara war immer davon ausgegangen, dass ihr Verhalten seiner Rolle als Anführer geschuldet war – oder schlicht daher rührte, dass er älter war als fast alle von ihnen und stärker als jeder andere Drache auf diesem Feld. Doch jetzt war sie sich nicht mehr sicher, ob nicht mehr dahintersteckte.

„Alles gut?", fragte ihre Freundin und sah sie skeptisch an.

„Hm? Alles gut. Ich war nur in Gedanken." Sie folgte Lynn durch die Menschenmenge zu Ethan und dem Rest ihrer Freunde. Die Hände steckte sie in die Taschen ihrer Jacke, um das Zittern der Finger zu überspielen. Doch sie war gedanklich immer noch bei dem, was sie gerade erfahren hatte, und ihre Gedanken überschlugen sich.

„Du gehörst zu einer anderen Drachenart, als die hier versammelten, nicht wahr?", fragte sie vorsichtig.

„Ja." Dorkas Stimme klang belegt, nicht mehr so arrogant wie gewöhnlich und bestätigte ihren Verdacht damit. Amara wusste nicht, was sie mehr erstaunte. Die Tatsache, dass es mehr Drachenarten gab, als bekannt war oder, das Dorkas es so einfach zugab. Nach einem kurzen Zögern fügte er trocken hinzu: *„Und ich hätte gedacht, mein Akzent wäre Hinweis genug."* Sein Kommentar brachte sie kurz aus dem Konzept. Amara blinzelte den Drachen kurz fassungslos an, bevor sie zu ihrer eigentlichen Frage überging.

„Ich habe immer gedacht, dass es nur die vier Arten von Drachen gibt. Wind, Erde, Wasser und Feuer. Wie die Elemente", überlegte sie.

„Das ist korrekt", bestätigte Dorkas und verwirrte sie nur noch mehr.
„Also bist du jetzt ein Feuerdrache oder nicht?", fragte Amara verständnislos.
„Du hast Feuermagie! Sollte das nicht Antwort genug sein?", konterte Dorkas automatisch, scheinbar perplex über ihre begriffsstutzige Frage.
„Stimmt", gestand sie ihm zu und zuckte zusammen, als sie plötzlich mit jemandem zusammenstieß. Amara nuschelte eine Entschuldigung und schob sich dann an dem Mädchen vorbei, dass sie mit großen Augen ansah. Weiter durch die Menge. Ihr kam ein anderer Gedanke.
„Sind da noch andere Dinge, die ich wissen muss?", erkundigte sich Amara und konnte es kaum fassen. Ihr kamen immer mehr Fragen in den Sinn und ihr Blick schoss wieder zu dem Drachen. Dorkas saß noch immer unverändert neben Kaida und sah sie an, als würde er auf ihre Reaktion warten.
„Wir haben alle unsere Geheimisse. Ich frage schließlich auch nicht nach den deinen", unterbrach er ihren Gedankenstrom und blinzelte sie vergnügt an. Amara starrte entgeistert zurück. *„Was hält er noch vor mir geheim?"* Der Gedanke lag schwer wie ein Stein im Magen.
„Ist wirklich alles gut? Du wirkst abwesend?", zeigte sich Lynn besorgt.
„Ach, ich bin einfach nur müde von gestern", log Amara und das schlechte Gewissen überfiel sie direkt. Sie hasste es, ihre Freunde anzulügen!
Den Blick des Drachen ignorierend, der sich in ihren Rücken bohrte, begrüßte sie ihre Freunde.

Ein Blick durch die Menge verriet ihr, dass beinahe die gesamte Besatzung Anruins zugegen war – Reiter, Magier und hier stationierte Soldaten. Das gesamte Herzstück der Rebellion an einem Ort versammelt.
Ihr Blick fiel auf eine kleine Ansammlung von Reitern, darunter Astoria und Tirion. Letzter war gerade in ein Gespräch mit einem älteren Mann verwickelt und wirkte nicht gerade begeistert. Neugierig versuchte sie zu erkennen, um wen es sich handelte, aber die Entfernung war zu groß.
„Die restlichen Ratsmitglieder und einige adelige Verbündete sind gestern Abend in der Festung angekommen. Da bist du noch Patrouille geflogen“, erklärte Adrian, als er ihren Blick sah.
„Sind sie immer zur Auswahl der neuen Reiter hier?“, wollte Amara von Adrian wissen. Dieser zuckte nur entschuldigend mit den Schultern.
„Ich weiß es nicht. Bei Ethan waren sie letztes Jahr nicht dabei. Vielleicht ist es Zufall, dass sie nun anwesend sind, oder sie waren im letzten Jahr einfach verhindert“, grübelte er und sah dabei seinem älteren Bruder noch ähnlicher als sonst.
Es würde vermutlich noch länger dauern, bis sie von den Kandidaten, nein neuen Reitern, etwas mitbekommen würden, stellte sie mit einem Blick zum Himmel fest.
Die Sonne schien, ganz so, als hätte es das Unwetter der letzten Nacht nie gegeben. Wie es ihren Freunden wohl gerade erging? Ein Blick zu Ethan verriet ihr, dass er sich gerade dasselbe gefragt hatte. Er war ungewöhnlich still, vollkommen in sich gekehrt.

„Ich komm gleich wieder", entschuldigte sich Amara bei den anderen und ging auf die versammelten Ratsmitglieder zu. Sie musste mit Tirion oder Astoria über ihre Vermutung sprechen. Amara kämpfte sich durch die Menschenmenge und stieß mit einigen Leuten zusammen, was ihr nicht wenige böse Blicke bescherte.
„Können wir kurz reden?", fragte sie Tirion, der daraufhin sein Gespräch unterbrach und sie interessiert musterte.
„Natürlich. Ist es wegen dem Angriff gestern Nacht?", vermutete er besorgt und ging mit ihr an den Rand der Menschenmenge, wo die Wahrscheinlichkeit belauscht zu werden, geringer war.
Er stützte sich beim Gehen schwer auf den Stab. Schwerfälliger als noch bei ihrer letzten Begegnung. Warum nutzte der ältere Reiter nicht wie sonst seine Magie, um sein Humpeln abzumildern? Fragte sie sich, kehrte aber schnell mit ihren Gedanken zurück zum Vorabend.
„Ich glaube die Drachen, die uns gestern angegriffen haben, waren mit einem Zauber belegt. Weder Dorkas noch Kaida waren in der Lage ihre Anwesenheit zu spüren. Oder kann es Zufall gewesen sein, dass beide sie nicht gespürt haben?" Tirion überlegte kurz, bevor er zu einer Antwort ansetzte: „Ich glaube, du könntest damit richtig liegen. Wären es andere gewesen, wäre es möglich, dass sie einfach zu schwach gewesen sind. Doch Dorkas und Kaida sind beide mehr als in der Lage drei Jungdrachen aufzuspüren. Es würde mich nicht wundern, wenn sie dir den genauen Aufenthaltsort von jedem Drachen im Drekafjall sagen könnten, wenn sie nur

wollten." Seine Worte lösten eine tiefe Beunruhigung in ihr aus und zugleich wurde ihr erneut bewusst, wie mächtig die beiden alten Drachen eigentlich wirklich waren.

„Also glaubst du auch, dass es ein Zauber gewesen sein kann?", versuchte sie ihre Vermutung bestätigt zu wissen.

„Ich gehe ganz stark davon aus! Auch wenn ich nicht weiß welcher – noch nicht! Aber ich werde versuchen es herauszufinden", erklärte Tirion entschlossen, als ein älterer Mann ihn zu sich rief.

„Die Pflicht ruft", sagte er entschuldigend, bevor er sich verabschiedete und wieder in der Menge entschwand.

Amara ging zurück zu ihren Freunden, doch das Erfahrene ließ sie nicht los. Ihr Kopf platzte beinahe vor Informationen.

„Alles in Ordnung?", fragte Adrian sie und Amara fasste mit knappen Worten zusammen, was geschehen war, nur Dorkas´ Fähigkeiten behielt sie für sich. Es kam ihr nicht richtig vor. Die Geheimnisse des Drachen ungefragt weiterzugeben.

Adrian und der Rest ihrer Freundesgruppe sahen sie mit großen Augen an. Lynn wollte gerade mit einer Salve an Nachfragen loslegen, da zeichnete sich ein großer Schatten auf dem Gras ab. Ein grüner Walddrache landete auf dem Platz vor ihnen. Es war der kleine, den sie zuvor schon gesehen hatten, erkannte Amara.

Die Menge brach in tosenden Applaus aus, als der schmächtige Reiter vom Rücken des Drachen sprang. Der Drache wandte sich schließlich respektvoll zu

seinen Anführern und den Versammelten um. Es erstaunte Amara, als sie von Kaida einen Hauch von Begeisterung und Freunde empfing.
Es war selten, dass sie etwas über die Verbindung zu ihr mitbekam. Der grüne Drache musste Kaida wirklich aus dem Konzept gebracht haben, wenn sie vergessen hatte, die Verbindung zu Amara zu dimmen. Sie brauchte einen Moment, bis sie die kleine Gestalt aus der Ferne erkennen konnte.
„Es ist Ilaria!“, jubelte Lynn und zog Amara mit sich, ihrer Freundin entgegen. Ethan atmete hörbar auf, als er sah, dass sie unverletzt war und folgte ihnen. Ilaria war mit leicht schwankenden Schritten von dem Drachen weggetreten und ging ihnen entgegen.
„Du hast es geschafft!“, rief Amara begeistert und fiel ihrer Freundin um den Hals. Sie schritten gemeinsam zurück. Ilaria hatte ein strahlendes Lächeln im Gesicht. Mit glänzenden Augen erzählte sie ihnen, was geschehen war. Es dauerte nicht lange, da wurde sie von dem Geräusch schlagender Flügel unterbrochen. Ein Blick zum Himmel verriet, dass der nächste Drache im Landeanflug war.

***

Es dauerte noch mehrere Stunden, bis alle Kandidaten, die von einem Drachen gewählt worden waren auf dem Flugfeld landeten. Die Sonne stand schon tief am Himmel. Ihr Blick huschte wieder zu den Drachen. Sie saßen noch immer unverändert am Rande der Wiese. Einige wenige waren samt ihrer Reiter zwischenzeitlich

weggeflogen oder wiedergekommen. Amara vermutete, dass es sich dabei um Patrouillenflüge handelte.
Schließlich konnte auch an einem bedeutenden Tag wie diesem, die Sicherheit des Gebirges nicht vernachlässigt werden. Ein unbemerkter Angriff wäre fatal, sowohl für die hier ansässigen Menschen als auch für die Drachen, dass wussten sie alle. Diese Tatsache schwebte über ihnen wie das Damoklesschwert.
Kaida und Dorkas waren die Einzigen, die sich den ganzen Tag nicht von ihren Plätzen wegbewegt hatten und Amara vermutete, dass es wohl mit ihren Pflichten als Anführer des Drachenclans einherging, der Auswahl der neuen Reiter beizuwohnen.
Auch ohne ihre geistige Verbindung bemerkte Amara, wie das Warten an Dorkas´ Nerven sägte. Der große Drache zuckte immer wieder ungeduldig mit dem Schwanz hin und her oder klackte genervt mit den Krallen auf dem Stein. Der Anblick erinnerte sie an eine Katze, gefangen in einem Käfig. Unweigerlich musste sie trotz der Unstimmigkeiten zwischen ihnen schmunzeln.
Kaida dagegen saß still wie eine Statue. Die Drachendame hielt den Kopf hocherhoben und überblickte das Flugfeld anmutig und erhaben mit ihren goldenen Augen. Es entging ihr jedoch nicht, dass Kaida ihren Gefährten zwischendurch mit der Spitze ihres tiefroten Flügels anstupste. Der Drachendame war es ebenso wenig entgangen, dass Dorkas am Ende mit seiner Geduld war.

Ihr Blick huschte weg von den Drachen und zum Rand der Menschenmenge, wo Amara Kieran vermutete. So wie Dorkas ein Auge auf sie hatte, wachte Kaida ebenfalls über ihn.

„Geht ruhig schonmal vor", erklärte sie und warf Lynn einen warnenden Blick zu, die ihren Blick verfolgte und die Augenbrauen hochzog. Amara wartete kurz, bis Tirion den letzten neuen Reiter gratuliert hatte und sie in den Reihen der Drachenreiter willkommen geheißen hatte.

Als sich die Versammlung auflöste, kämpfte Amara sich gegen den Strom durch die Menge, zu ihm. Sie ignorierte die entnervten Blicke, die man ihr zuwarf und drängte weiter voran.

Es lag ihr schon länger auf dem Herzen, mit Kieran zusprechen, doch es hatte sich nie die richtige Gelegenheit ergeben. Plötzlich kamen ihr auch jetzt wieder Zweifel.

„Vielleicht ist es doch kein passender Zeitpunkt", dachte sie unsicher und wollte sich gerade wieder der Menge anschließen um zurück zur Festung zukehren. Da packte sie jemand am Arm. Unwillkürlich fuhr Amara herum, es war Kieran. Sie sah ihm in die Augen.

„Du bist mir aus dem Weg gegangen", sagte er ruhig und Amara brauchte einen Moment, um sich auf das Gespräch einzulassen.

„Bin ich nicht", widersprach sie hastig und Kieran sah sie mit hochgezogener Augenbraue an. Er ließ ihren Arm los, aber ohne zurückzutreten. Als sie sich umsah, stellte sie überrascht fest, dass sie alleine im Tal waren. Die letzten Nachzügler verschwanden just hinter den

Bäumen am Rande der Wiese und die Drachen waren schon entflogen. Dorkas vorneweg.
„Wieso bist du mir aus dem Weg gegangen?“, fragte Kieran erneut, dieses Mal leiser.
„Du bist mir doch genauso aus dem Weg gegangen!“, konterte sie empört, aber lautstark. *„Das lief nicht gerade nach Plan“,* bemerkte sie überfordert von ihren eigenen Gefühlen und hätte sich ohrfeigen können.
„Ich bin dir aus dem Weg gegangen, weil ich dachte, dass du deinen Freiraum möchtest!“, stieß er ungläubig hervor und fuhr sich mit der rechten Hand durch die Haare.
„Ich bin dir aus dem Weg gegangen, weil ich jeden Moment, den ich in deiner Nähe bin, an nichts anderes denken kann. An niemand anderen! Es geht gegen jede Logik und Vernunft, doch ich glaube, ich bin dabei mich in dich zu verlieben!“, flüsterte er fast ungläubig, als er auf dem Rasen auf und ab ging.
Ihr Herz fühlte sich an, als würde es einen Schlag aussetzen. Erschrocken schnappte sie nach Luft. Kieran hatte das ausgesprochen, was ihr seit Monaten auf der Seele brannte.
„Sag mir, dass du nichts empfindest, nur ein Wort und ich werde dir nicht weiter im Weg stehen!“, erwiderte er leise, fast andächtig.
„Das kann ich nicht! Denn dann würde ich dich anlügen müssen. Mein Herz sehnt sich nach dir!“ Ihre Stimme brach fast bei dem letzten Satz. „Aber wir stehen an der Schwelle eines verheerenden Krieges.“
„Ich weiß“, antwortete er tonlos.

„Macht dir das keine Sorgen?“, fragte Amara aufgewühlt und ihre Finger spielten unruhig an dem Saum ihres Oberteils.
„Natürlich macht mir das Sorgen! Wie könnte es nicht? Aber so wie ich das sehe, können wir entweder jeden Moment nutzen, den wir haben oder wir schotten uns aus Angst verletzt zu werden ab. Die Wahl muss jeder für sich treffen, aber ich für meinen Teil, habe entschieden mein Leben zu leben und zu genießen. So kurz es auch sein mag!“, erklärte er Amara inbrünstig und hob den Blick.
Es war das erste Mal seit dem Beginn des Gesprächs, dass er ihr wahrhaftig in die Augen sah. Amara wollte gerade antworten, da ließ sie ein leises, bedrohliches Grollen aus dem Wald herumfahren.

25

Hast du das gehört?", fragte sie erschrocken und ein Seitenblick verriet ihr, dass Kieran neben ihr bereits einen Dolch gezogen hatte und sich auf einen Angriff vorbereitete. Sein Schwert war nirgendwo zu sehen. Sie hörte das Grollen erneut, doch dieses Mal war es näher.

„Bitte sag mir, dass du deine Messer dabeihast, Prinzessin!", sagte er und seine Stimme hatte dabei wieder diesen gewohnt sarkastischen Unterton angenommen – leicht spöttisch, als versuche er die androhende Gefahr mit Worten zu vertreiben. Amara griff nach einem Messer, doch ihre Finger griffen ins Leere.

„Verdammt!", hauchte sie und beschwor eine Flamme. Ihre Messer mussten noch auf dem Schreibtisch liegen, wo sie sie abends abgelegt hatte. Sie war nach der kurzen Nacht einfach zu müde gewesen, um sich zu konzentrieren.

Kieran warf ihr einen besorgten Blick zu, als das Rascheln immer lauter wurde. Im Dämmerlicht konnte sie eine Bewegung zwischen den Bäumen ausmachen.

„Was ist los?!", fragte Dorkas mit leichter Sorge. Ihre Furcht musste den Drachen alarmiert haben.

„Wir wissen es noch nicht", gab Amara zurück, ohne die Augen vom Wald zu nehmen.

„Ich bin auf dem Weg!“, sagte der Drache alarmiert. Doch er würde nicht schnell genug sein, dass wussten sie beide. Angst lag ihr schwer im Magen. Was auch immer im Wald lauerte, es war bereits zu nahe!
„Kannst du etwas erkennen?“, sie Amara leise und sah, wie sich eine schwarze Wolke in Kierans Handfläche materialisierte. Mit einer Bewegung aus dem Handgelenk schickte er die Aschepartikel in Richtung des Waldes. Es dauerte einige Sekunden, dann löste er den Zauber auf.
„Warg!“, stieß Kieran knapp hervor, bevor er einen Schritt vortrat. Kurz nachdem er es ausgesprochen hatte, erkannte Amara ein Augenpaar im Schein ihres Feuers leuchten.
„Sie müssen von dem Blut der Verwundeten angelockt worden sein“, überlegte er und Amara stimmte ihm gedanklich zu. Es waren zwar nur kleinere Verletzungen gewesen. Doch es musste gereicht haben, um die Aufmerksamkeit der Bestien auf sich zu ziehen.
„Was machen wir jetzt?“, fragte sie besorgt und hörte selbst wie ihre Stimme schriller wurde.
„Wir kämpfen!“, sagte Kieran ruhig und packte den Dolch fester am Griff. Amara ging in eine Angriffsposition über und ließ Flammen an ihren Fäusten hochzüngeln.
Sie warteten einen Herzschlag, zwei…
Der erste Schatten löste sich aus der Baumreihe und sprang auf sie zu. Ohne zu warten, schickte Amara einen Flammenstrom auf das Wesen und das Winseln verriet ihr, dass sie ihr Ziel getroffen hatte. Ein Jaulen hallte

durch die Nacht und wurde von mehreren Stimmen um sie herum beantwortet.
„Es sind noch mehr hier!“, rief sie Kieran zu. Doch dieser antwortete nicht. Ein schneller Seitenblick verriet ihr, dass er gerade sein Messer in den dicken schwarzen Pelz einer der Bestien vergrub, die sich auf ihn geschmissen hatte.
Die wolfsartige Kreatur war riesig! Mehr als hüfthoch und kräftig gebaut. Die Kraft der riesigen Bestie, hätte Kieran beinahe von den Füßen geworfen, als das Wesen mit ihm zusammenstießen.
„Runter!“, hallte Dorkas´ Stimme durch ihren Kopf und sie war noch nie so froh gewesen, den Drachen zu hören. Sie hörte das bekannte Geräusch der schlagenden Flügel und spürte den kalten Windstrom. Ohne weiter nachzudenken, zog sie Kieran mit zu Boden und ein Flammensturm explodierte über ihnen.
Der Geruch von verbranntem Fell lag in der Luft, als sie aufatmete. Ihr wurde flau im Magen. Die Flammen verebbten und ihr Blick huschte zu Kieran herüber.
„Es war mehr als töricht, unbewaffnet herzukommen!“, tadelte der alte Drache aufgebracht. *„Warum, hast du das Schwert nicht herbeigerufen?“*
„Warte was?“, fragte sie verwirrt zurück.
„Alles in Ordnung?“ Kieran sah sie besorgt an. Er war kreidebleich geworden. Als Amara nickte, sprang er leichtfüßig auf die Füße und wandte sich an Dorkas.
„Verdammt! Hättest du mich nicht warnen können?!“, schimpfte er aufgebracht und sah den Drachen fassungslos an.

„Ich habe meine Reiterin gewarnt, das reicht", antwortete Dorkas an sie beide gewandt und Amara sah ihn jetzt entrüstet an.
„Im Ernst?", fragte sie schockiert.
„Ja.", antwortete Dorkas ruhig, beinahe gleichgültig. Sein Blick wanderte wieder zum Wald. Sie spürte einen leisen Anflug von Schuld zu ihr herüber schwappen – kaum mehr als ein Schatten in der Verbindung zwischen ihnen. Die Erkenntnis, dass der alte Drache es nicht absichtlich getan hatte, traf sie unerwartet tief. Der Gedanke ließ Ärger und Besorgnis in ihr aufflackern und irgendwo dazwischen das bittere Wissen – er hatte schlicht weg vergessen Kieran zu warnen.
„Es lauern noch mehr im Wald, ihr solltet gehen." Dorkas richtete sich zu seiner vollen Größe auf und stieß ein herausforderndes Brüllen aus, dass prompt von einem Jaulen aus dem Wald beantwortet wurde. Amara hielt sich die schmerzenden Ohren. Jeder vorangegangene Gedanke verstummte.
„Ich glaube, du hast sie verjagt", stellte sie fest, ihre Ohren klingelten noch immer.
„Aber nur für kurze Zeit! Sie haben Blut gewittert. Sie werden wieder kommen", erklärte Dorkas, ohne den Wald aus den Augen zu lassen. *„Ihr solltet gehen!"*

***

Amara saß mit angezogenen Knien in dem großen Sessel und starrte aus dem Fenster.
„Ist wirklich alles in Ordnung bei dir?", fragte Kieran besorgt, als er ihr eine Tasse mit dampfendem Tee

reichte. Dieser Teil der Burg war wie ausgestorben, da alle die neuen Reiter in der großen Halle feierten. Sie nahm die Tasse dankend an und sah auf.
„Alles gut, ich habe nur über deine Worte nachgedacht und was vor dem Angriff passiert ist“, gab sie nachdenklich zu. Worte, die sie sich nie getraut hatte laut auszusprechen, doch jetzt fühlten sie sich weniger wie eine Schwäche an – eher wie ein Wahrheit, die zu lange geschwiegen hatte.
„Ich habe Angst. Angst vor meinen Gefühlen und was sie bedeuten könnten. Es war immer leichter mein Herz zu verschließen, als zu riskieren verletzt zu werden. Doch mit dir ist es anders, ich bin nicht in der Lage mein Herz zu verschließen, wie gewöhnlich und das macht mir Angst!“
Sie atmete tief durch und nahm einen Schluck von dem Tee. Der bittere Geschmack ließ sie Lächeln. Vielleicht war es so mit allem, was ehrlich war. Es brannte, bevor es wärmte. Amara hob den Blick und sah Kieran in die Augen.
„Aber ich möchte dem ganzen zwischen uns eine Chance geben.“ Ihre Worte waren kaum mehr als ein Flüstern.

26

Amara stand auf der Rasenfläche des Innenhofs und zog Aradyn aus der Schwertscheide. Die schwarze Klinge schimmerte in der Mittagssonne. Dorkas´ Worte waren ihr nicht aus dem Kopf gegangen, was zur Folge hatte, dass sie nun hier stand. Kurz nach Sonnenaufgang mit Lynn auf dem Trainingsgelände. Amara hatte vorgehabt, den Drachen auszufragen, doch Dorkas war nicht gerade gut gelaunt.

Soviel sie mitbekommen hatte, herrschte seit dem Angriff Unruhe im Drekafjall. Er und seine Gefährtin hatten große Mühe, die anderen Drachen in Schach zu halten. Daher sah sie davon ab, ihn zu stören, wenn es nicht unbedingt nötig war.

„Bist du dir sicher, dass du weißt, was du hier tust?“, fragte Lynn zaghaft und warf einen Blick auf das Schwert in Amaras Hand.

„Nein. Aber es gibt nur einen Weg, meine Theorie zu testen.“ Amara legte schulterzuckend das Schwert auf den Rasen. Lynn trat einige Schritte zurück und verschränkte die Arme vor der Brust, als sie skeptisch zu ihr herübersah.

Ihre Faust hing reglos über dem Schwert und mit konzentriertem Blick öffnete sie die Hand. Doch es geschah… nichts.

Sie hörte Lynn erleichtert aufatmen.
„Vielleicht hast du Dorkas´ Worte missverstanden oder falsch interpretiert. Drachen sprechen schließlich nur allzu gerne in Rätseln", warf sie vorsichtig ein, doch Amara schüttelte den Kopf.
„Ich weiß, was ich gehört habe. Seine Worte waren unmissverständlich!", beharrte sie, ohne den Blick vom Schwert abzuwenden. „Und er ist nicht der Typ für Rätsel, eher für klare Worte und Befehle."
Amara hätte gerne Dorkas selbst um Rat gebeten, aber ihre Verbindung fühlte sich wie betäubt an. Jedes Mal, wenn sie im Geist nach ihm rief, merkte sie, dass er sie noch immer aussperrte.
Doch nun kam ihr eine Idee. Das Schwert hat zwar kein Bewusstsein, in dem Sinne, doch vielleicht…
Sie schloss die Augen und suchte mit ihrem Geist nach der Klinge und tatsächlich! Sie spürte die Magie des Schwertes, klar und deutlich. Sie war fremdartig und doch so vertraut. Das Schwert summte förmlich als Antwort auf ihre Magie. Sie öffnete die Augen erneut, streckte die Hand erneut aus und öffnete sie langsam. Diesmal schoss die Klinge empor und landete mit dem Heft in ihrer ausgestreckten Hand.
„Was zur Hölle!", stieß Lynn leise aus und ließ die Arme zur Seite fallen. „Das sollte nicht möglich sein! Du bist keine Metallbändigerin", fügte sie schockiert hinzu. Amara betrachtete ihr Schwert und es kam ihr vor, als würde sie es zum ersten Mal wahrhaftig betrachten.
„Probiere es aus größerer Entfernung aus", schlug Lynn, nun doch neugierig geworden, vor. Amara nahm

Aradyn und legte das Schwert einige Meter von ihnen entfernt auf den Rasen. Sie streckte ihre Hand aus und rief im Geist nach dem Schwert. Die schwarze Klinge schoss, wie von einem Magneten angezogen und mit erstaunlicher Schnelligkeit zurück in ihre Hand. Ein Lächeln schlich sich auf ihre Lippen.

„Diese Fähigkeit könnte im Kampf mehr als nützlich sein." Ein Lächeln breitete sich in Amaras Gesicht aus, als sie im Augenwinkel sah, dass jemand den Innenhof betreten hatte. Ilaria stand mit Ethan im Schlepptau im Eingang. Die Beiden verstummten, als sie die Neuankömmlinge sahen. Amara warf Lynn einen vielsagenden Blick zu.

„Sollen wir euch allein lassen?", fragte sie süffisant und unterdrückte ein Grinsen, als sie sah, wie Ilaria erröttete.

„Nein, schon gut", sagte Ethan säuerlich und warf ihr einen warnenden Blick zu. Als sein Blick auf das Schwert in ihrer Hand fiel, runzelte er die Stirn.

„Was macht ihr eigentlich hier? Ich dachte, du kannst dich mit Aradyn nicht duellieren, weil die Klinge sich nicht magisch versiegeln lässt", fragte er neugierig geworden.

„Da hast du recht. Wir haben etwas anderes getestet", erwiderte sie knapp. Amara nahm Aradyn und legte das Schwert erneut weg und beschwor es zurück in ihre Hand. Ethan sah sie mit großen Augen an.

„Nicht dein Ernst?!", sagte er erstaunt und Ilaria klatschte begeistert in die Hände und rief: „Das ist ja der Wahnsinn! Habt ihr schon getestet, aus welcher Entfernung es funktioniert?" Amara schüttelte den Kopf.

„Noch nicht. Ich habe es ehrlich gesagt, gerade erst herausgefunden“, erklärte sie und fragte dann erneut: „Aber was treibt euch eigentlich zu dieser Stunde hier raus?“
„Ich muss euch auch etwas gestehen.“ Ilaria versuchte erfolglos ein Lächeln zu unterdrücken. Amara und Lynn tauschten einen verwunderten Blick aus.
Ilaria streckte die Hand aus und der Waffenständer an der Wand rappelte. *„Nein, nicht der Waffenständer! Die Schwerter!“*, stellte sie erstaunt fest. Eines flog auf Ilaria zu, wie Aradyn es bei ihr getan hatte, doch es richtete sich nicht von selbst aus, wie die schwarze Klinge. Ilaria bremste es eine Handbreit vor sich und pflückte das Heft des Schwerts aus der Luft.
„Das ist ja der Wahnsinn!“, stieß Lynn begeistert aus. „Du bist eine Metallbändigerin!“
„Tja, und ich dachte schon, ihr Beiden wollt uns etwas anderes gestehen“, fügte Amara hinzu und unterdrückte ein schelmisches Lächeln.
„Ey!“, stieß Ilaria hervor und boxte ihr auf den Arm. Es entging Amara aber dennoch nicht, dass Ethans Gesichtsfärbung mit einem Mal deutlich dunkler geworden war.
„Es tut mir leid, aber ich ärgere euch einfach zu gerne!“ Mit einem breiten Grinsen wandte sie sich zu ihrer Freundin um.
Ilarias Kräfte erstaunten sie nicht im Geringsten. Die junge Drachenreiterin mochte nach Außen zwar sanft und lieblich wirkte, war aber eine nicht zu unterschätzende Kriegerin. Ihre Magie unterstrich diese Tatsache.

„Komm bitte ins Tal", bat Dorkas sie unerwartet und Amara zuckte unweigerlich zusammen. Sie hatte nicht damit gerechnet, dass er jetzt Kontakt zu ihr aufnahm.
„Alles in Ordnung?", fragte sie unwillkürlich, doch erhielt keine Antwort mehr.
„Ich muss los, Dorkas wartet", sagte sie entschuldigend.
„Was ist los?", fragte Lynn beunruhigt.
„Ehrlich gesagt, weiß ich es nicht", gab Amara tonlos zu und verabschiedete sich eilig. Sie gurtete ihr Schwert an der Seite und eilte durch die belebten Flure der Burg.
Die meisten Burgbewohner gingen ihren alltäglichen Aufgaben nach, doch es entging ihr nicht, wie immer wieder Menschen verstummten und Blicke auf sie fielen, als sie schnellen Schrittes an ihnen vorbeiging. Normalerweise störte es sie, wenn die Leute sie anstarrten. Augenblicklich schenkte sie der Tatsache nur wenig Beachtung, als sie um die Ecke bog und auf die Eingangshalle zu eilte.

27

Amara folgte gerade dem Pfad, der sie zu der Lichtung führte, auf der die Drachen üblicherweise landeten. Als ihr Blick auf das Feld fiel, verlangsamten sich ihre Schritte kurz. Erstaunt erkannte sie, dass Dorkas nicht allein war. Auf dem Flugfeld warteten Tirion und sein Drache Eryndor auf sie.

„Gut, dass du da bist“, rief Tirion, als sie in Sichtweite kam, und zu ihrer Erleichterung wirkten er und die Drachen weder aufgeregt noch angriffsbreit.

„Doch wenn es um keinen Angriff geht, warum sind wir dann hier?“, dachte sie und lief den restlichen Weg hinunter.

„Warum sind wir hier?“, fragte sie nun laut, als sie auf der Wiese angekommen war.

„Ich habe mir die letzten Tage Gedanken über deine Vermutung, gemacht, dass die angreifenden Drachen mit einem Zauber belegt waren, um sie zu verbergen. Es scheint wirklich die wahrscheinlichste Erklärung zu sein“, gab Tirion zu und fügt dann erklärend hinzu: „Wir sind hier, um deine Theorie zu testen. Es gibt mehrere Zauber, die in Frage kommen könnten. Du bist der einzige Mensch, der dabei war, deswegen brauche ich deine Einschätzung.“

Sie nickte und ergänze bekräftigend: „Ich verstehe.“ Amara trat auf die Drachen zu, als ihr ein anderer Gedanke kam.
„Begleitet Kaida uns nicht? Sie war doch auch bei dem Angriff dabei“, wunderte sich Amara.
„Nein. Sie ruht sich von einem Flug aus“, erklärte Dorkas und fügte dann schmunzelnd hinzu: *„…und abgesehen davon hat sie keine Lust. Es wird bald regnen.“*
Sie starrte den schwarzen Drachen an, dass konnte nicht sein Ernst sein?! Doch wenn sie richtig überlegte, sah es Kaida durchaus ähnlich. Der rote Drache hatte nie viel für schlechtes Wetter übriggehabt.
Amara nahm einige Schritte Anlauf. Sprang ab und zog sich mit Schwung auf Dorkas´ Rücken. Der große Drache wartete nicht lange. Sie hatte sich nicht einmal richtig gesetzt, da breitete er bereits die riesigen Flügel aus und stieß sich vom Boden ab.
„Danke fürs Warten!“, brummte Amara, als sie hin und her geschleudert wurde. Hätte sie ihre Magie nicht genutzt, wäre sie vermutlich gestürzt. Sie zog sich an ihren Platz, kurz hinter den Schultern des Drachen, und hielt sich an einem der schwarzen Zacken fest.
„Langsam wirst du schneller mit der Magie“, bemerkte Dorkas anerkennend und sie verdrehte die Augen. Ein Blick zur Seite verriet ihr, dass Tirion und Eryndor ebenfalls in der Luft waren.
Der grüne Drache flog zu ihrer Linken. Seine Schuppen reflektierten die Sonnenstrahlen leuchtend und funkelten grün wie Moos. Die Flügel waren einen Ton heller, als das Schuppenkleid, so wie bei den meisten Drachen,

die sie kannte. Erstaunt fiel Amara erst in diesem Moment auf, wie viel kleiner Eryndor war.
Die Flügelspannweite des grünen Drachen umfasste nicht einmal die Hälfte der von Dorkas´. Sie wusste zwar, dass er einer der größten lebenden Drachen war, doch manchmal erstaunte es Amara trotzdem, wenn sie den direkten Vergleich sah. Eryndor hätte ohne Probleme unter einem seiner Flügel fliegen können. Sie hatte sich in den letzten Monaten zu sehr an die schiere Größe des Drachen gewöhnt.
Ihr Blick streifte über die Landschaft und die Wolken neben ihnen. Sie musste Dorkas zustimmen, es sah wirklich nach Regen aus. Zerknirscht verfluchte sie still das Aprilwetter.
„Konntet ihr die Clanschwierigkeiten regeln?", erkundigte sie sich vorsichtig.
„Fürs Erste ja", antwortete Dorkas kurzangebunden und Amara kam nicht drumherum zu bemerken, dass er müde klang. Sie hätte gerne weiter nachgefragt, doch sie unterdrückte die Neugierde, auch wenn sie nur zu gerne mehr über die Politik der Drachen erfahren hätte.
Sie stiegen höher, fast bis an die Wolkendecke und die Sicht wurde immer schlechter. Ihr fiel auf, dass Eryndor ihnen besorgte Blicke zuwarf.
„Ich werde dich schon nicht umbringen", sagte Dorkas ruhig und ein wenig herablassend an den kleinen Drachen gewandt. Doch das schien diesen nicht wirklich zu beruhigen. Der grüne Drache wirkte weiterhin nervös. Und Amara konnte es ihm nicht verdenken, Eryndor war dabei sich an einen der gefährlichsten Drachen des Landes

anzuschleichen. Wohlwissend, dass dieser es absolut nicht ausstehen konnte, wenn jemand seinen Freiraum missachtete.

„Bereit?“, rief Tirion über den Wind hinweg. Sie nickte. Mit einigen mächtigen Flügelschlägen stiegen sie höher in die Wolkendecke und Amara musste unweigerlich die Augen zusammenkneifen.

Ein weißer Nebel lag so dicht vor ihnen, dass es unmöglich war, etwas zuerkennen. Eryndor war einige Meter von ihnen entfernt in die Wolken geflogen, doch der grüne Drache war nicht mehr zusehen.

„Perfekte Bedingungen, für unser Vorhaben“, stellte Amara fest, als sie sich umsah.

„Kannst du etwas sehen?“, fragte sie an Dorkas gewandt und der Drache verneinte zu ihrer Überraschung.

„Ich sehe jetzt gerade genauso wenig wie du“, gab er zu und erklärte dann: *„Aber Eryndor befindet sich einige Meter westlich von uns.“*

„Tirion hat den Zauber entweder noch nicht gewirkt oder er funktioniert nicht“, dachte sie gerade, als der grüne Drache aus dem Nebel auftauchte. Dorkas hatte ihn weiterhin problemlos aufspüren können. Er schickte Amara eine schnelle Warnung und sie wappnete sich für das folgende Manöver. Der große Drache machte sich einen kleinen Spaß daraus und ließ sich nur Sekunden später ein Stück fallen. Eryndor schoss harmlos über ihnen hinweg.

„Ich sehe dich vielleicht nicht mit den Augen, aber immer noch klar und deutlich mit dem Geist“, erklärte Dorkas mit einem Ton, der zwischen Ermutigung und stiller Belustigung

schwankte, an den kleineren Drachen gewandt. Eryndor verschwand erneut im Nebel und Amara sah sich um, bereit zu agieren.

***

Der grüne Drache griff immer wieder erneut an, doch Dorkas wich jedem Angriff mit Leichtigkeit aus, da er die Anwesenheit des anderen Drachen spürte.
So ging es einige Zeit weiter und bald fing es, wie vorhergesagt, an zu regnen. Ihre mittlerweile steifgefrorenen Finger krallten sich an die vom Regen rutschigen Schuppen des Drachen und sie zog die Jacke höher unters Kinn, in der Hoffnung wenigstens ein wenig Wärme zu erhalten. Amara hatte das Gefühl, dass sie ewig so weiter machen würden. Bis sich Dorkas plötzlich anspannte. Sein Kopf schnellte durch die Luft, als der große Drache sich mit einem Mal umsah.
„Alles in Ordnung?“, fragte Amara verwundert.
„Ich kann ihn nicht mehr aufspüren, der Kontakt ist völlig abgebrochen! Halt dich bereit“, erklärte Dorkas angespannt.
Es vergingen einige Minuten in völliger Stille, in denen sie nur das rhythmische Schlagen seiner Flügel hörte und der Nebel sich weiterhin, wie ein Schleier auf ihr Blickfeld legte. Sie wollte gerade etwas sagen, als ein Schatten aus dem Nebel brach und Eryndor auftauchte. Der kleine Drache schoss rechts von ihnen aus den Wolken und stieß fast mit Dorkas zusammen. Er bremste scharf ab, als er merkte, dass Dorkas nicht wie üblich auf den Angriff vorbereitet war und kam nur wenige Meter von ihnen entfernt in der Luft zum Stehen. Amara

merkte wie viel Selbstbeherrschung es den alten Drachen kostete, Eryndor nicht anzuknurren, weil er ihm deutlich zu nahegekommen war. Noch bevor Dorkas eine Warnung von sich geben konnte, zog Eryndor sich wieder einige Meter zurück, blieb aber in Sichtweite.
Amara hatte ein wenig Mitleid mit dem grünen Drachen. Er hielt den Kopf unterwürfig gesenkt und vermied es Dorkas direkt anzusehen. Tirion musste es auch aufgefallen sein. Sie sah wie, er dem Drachen aufmunternd die Schulter tätschelte und redete beruhigend auf ihn ein. Die Worte wurden jedoch vom Wind verschluckt. Die Anspannung wich aus Dorkas, als der andere Drache sich wieder weit genug zurückgezogen hatte.
„Es hat funktioniert!", rief sie Tirion über den Wind hinweg zu und sie hörte die Antwort nicht mehr, denn Dorkas war unmittelbar in einen Sinkflug gewechselt und durch die Wolkendecke gebrochen. Ihr Magen machte einen Sprung, als sie an Höhe verloren und der große Drache zielsicher zurück auf Anruin zusteuerte.

***

Amara ließ sich von Dorkas´ Rücken fallen und ihre Waffen klapperten laut am Gürtel, als sie am Boden aufkam. Beinahe wäre sie auf dem rutschigen Gras gefallen, doch anstatt auf dem Boden aufzuschlagen, stolperte sie rückwärts und stieß mit dem Vorderbein des Drachen zusammen. Dorkas hatte einen Schritt zur Seite gemacht und sie damit aufgefangen.
„Danke!", rief sie dem Drachen zu und kam wieder sicher zu stehen.

„Beim nächsten Mal bedenke bitte vorher die Bodenverhältnisse, bevor du uns vollends blamierst“, entgegnete Dorkas trocken und machte sich mit raschelnden Flügeln startbereit. Wie ihre Reiter hatten es die beiden Drachen hatten es eilig ins Trockene zu kommen.
„Ich fasse es nicht! Wir haben tatsächlich den Zauber gefunden, den sie benutzt haben müssen!“, rief sie erleichtert und ein wenig stolz, als sie den Drachen hinterher blickte, die zwischen den Bergen verschwanden.
„Jetzt müssen wir nur noch einen Weg finden, um ihn zu kontern und unschädlich zu machen“, antwortete Tirion weniger begeistert, als sie dem Weg zur Burg folgten. Er stützte sich beim Gehen stärker auf den Stab, als sonst und Amara vermutete, dass die gewebte Magie nun seinen Tribut forderte.
„Du hast recht, wir haben heute einen großen Schritt gemacht, aber die Forschungsarbeit geht nun erst richtig los. Es wird nicht leicht sein, einen Konterzauber zu finden. Wir haben es hier mit wirklich alter Magie zu tun. Diese Art der Magie stammt aus einer Zeit, in der Menschen und Drachen noch im Krieg miteinander waren. Sein Ziel ist es die Drachenmagie zu umgehen. Es wird schwer sein, einen Gegenzauber zu finden“, erklärte Tirion missmutig, als sie von Astoria am Rande der Burg abgefangen wurden.
Die ältere Reiterin stand hocherhobenen Hauptes in dem Torbogen und ihre linke Hand ruhte, wie gewohnt, auf dem Knauf ihres Schwertes.
„Aeryn muss ihr gesagt haben, dass Dorkas und Eryndor zurück sind.“ Amara konnte es sich sonst nicht erklären, woher

sie sonst gewusst haben konnte, wann sie hier eintreffen würden.
„Und?“, fragte Astoria gedämpft.
„Es hat funktioniert, wir wissen nun welchen Zauber sie benutzt haben“, antwortete Tirion sachlich und Amara sah, wie die Anspannung ein wenig von ihr wich.
„Das ist schon Mal der erste Schritt in die richtige Richtung,“ sagte sie erleichtert und fügte dann hinzu: „Die Patrouillen bleiben trotzdem weiterhin in zweier Formation?“ Es war mehr eine Feststellung als eine Frage und Tirion nickte nur zustimmend.
„Das wird den meisten nicht gefallen“, stellte Astoria seufzend fest.
„Ich gehe mal davon aus, dass ich vermutlich mit Kieran zusammen fliege?“, mischte Amara sich in die Unterhaltung ein. Die Beiden sahen sie unvermittelt an. Es wirkte, als hätten sie ihre Anwesenheit kurz vergessen.
„Es ist die logischste Konstellation und abgesehen davon bezweifle ich, dass Dorkas oder Kaida sich mit einem anderen Flugpartner zufriedengeben würden“, erklärte Tirion und Amara entging nicht, wie die Beiden gespannt auf ihre Reaktion warteten. Die Sache mit ihr und Kieran hatte sich offensichtlich herumgesprochen, stellte kein bisschen überrascht, aber durchaus genervt fest. *„War klar!“,* dachte Amara und sagte dann mit einem höflichen Lächeln: „Das habe ich mir gedacht. Ich wollte nur noch einmal sicher gehen. Vielleicht schafft Kaida es ja, dafür zu sorgen, dass wir nicht mehr ausschließlich nachts und in jedem Sturm fliegen müssen.“

Bei dem Gedanken musste sie selbst schmunzeln. Das könnte tatsächlich ein Streitthema werden. Kaida war nicht sonderlich begeistert von Regen und Kälte. Da unterschied sie sich maßgeblich von ihrem Gefährten.
Astoria musste denselben Gedanken gehabt haben, denn sie schüttelte, schmunzelnd den Kopf und sagte dann: „Das könnte tatsächlich spannend werden! Ich tippe aber darauf, dass Dorkas sich dabei ausnahmsweise durchsetzen wird.“ Amara sah die andere Frau stirnrunzelnd an und wunderte sich, nicht zum ersten Mal darüber, wie gut Astoria den alten Drachen zu kennen schien.
„Weiß sie möglicherweise auch von Dorkas´ Fähigkeiten?“, fragte sie sich. Scheinbar war die Nachtsicht ein gut gehütetes Geheimnis, selbst unter den Drachen.

28

Die Sonne stand schon tief über den Bergen und Amara nippte träge an der dampfenden Tasse in ihrer Hand. Sie genoss das warme Getränk, wohlwissend, dass es bald zu warm für derlei Köstlichkeiten sein würde. Der Frühling ging langsam aber sicher, in einen milden Sommer über und Amara konnte die Wärme kaum erwarten. Der Geruch von heißer Zitrone lag in der Luft, als sie ihren Kopf zur Seite fallen ließ und sich an Kierans Schulter anlehnte. Er ließ sein Buch sinken und warf ihr einen Seitenblick zu.

„Wolltest du nicht in dem Grimoire nach möglichen Hinweisen suchen?", fragte er und der Hauch eines Lächelns stahl sich auf seine Lippen.

„Das wollte ich."

Der rote Samtstoff der Couch war weich unter ihren Füßen, als sie die Knie anzog, um es sich bequem zu machen. Mit einem Grinsen fügte sie hinzu: „Aber ich genieße es gerade sehr, dir bei der Arbeit zuzusehen."

Amara nahm erneut einen Schluck von ihrem Tee, bevor sie die Tasse wegstellte und mit einem langen Seufzer erneut nach dem dicken in ledergebundenem Buch griff. Das Grimoire lag auf einem Stapel von Büchern, die sie in den letzten Tagen zusammengesucht hatten.

Sie hatte das Buch in der Aufregung der letzten Monate beinahe vergessen, bis es ihr vor wenigen Tagen wieder ins Auge gefallen war. Ein unbestimmtes Gefühl sagte ihr, dass es möglicherweise einen Hinweis auf die Lösung ihres neuesten Rätsels liefern könnte.
„Wenn wir nur herausfinden könnten, welche Art von Magie unsere Gegner benutzen!", dachte sie zähneknirschend und schlug das Buch auf.
„Zufrieden?", fragte sie herausfordernd und blätterte vorsichtig durch die verwitterten Seiten. Amara hatte das Buch zuletzt in dem kleinen Antiquariat in Whitebridge geöffnet. Erinnerungen an den Ort kamen ihr in den Sinn und ihre Finger stockten.
Es waren acht Monate vergangen, aber dennoch plagte sie noch immer das schlechte Gewissen, wenn sie an den Ort zurückdachte. An die Verwüstung, die wegen ihr dort stattgefunden hatte. Mit einem flauen Gefühl im Magen blätterte sie weiter. Kieran sah erneut von seinem Buch auf und sagte eindringlich: „Es war nicht deine Schuld. Das weißt du, oder?"
Amara hob den Blick und ihre Hand geriet ins Stocken. Das Papier war warm unter ihren Fingern, obwohl ihr kalt war. Es erstaunte sie immer wieder, wie leicht er ihre Gedanken erriet – und wie schwer es ihr fiel diese vor ihm zu verbergen. Seine Worte klangen ehrlich und doch schafften sie es nicht die Bitterkeit zu vertreiben.
„Ich weiß", sagt sie schließlich. Ihre Stimme klang ruhiger, als sie sich fühlte. Kieran schwieg, doch sie spürte seinen durchdringenden, zweifelnden Blick.

Ihr Blick streifte zum Fenster. Der Himmel leuchtete in den verschiedensten Orangetönen und spiegelte sich schillernd auf dem See wider. Eine raue Schönheit die nicht ganz zu ihrer Stimmung passen wollte. *„Es war nicht meine Schuld"*, dachte sie. Aber es fühlte sich nicht nach der Wahrheit an.

Er sagte nichts weiter, und doch lag in seinem Schweigen mehr Trost als in tausend Worten. Zum ersten Mal seit langem, hatte sie das Gefühl, gesehen zu werden – nicht die Magie, die in ihr brannte oder die Vergangenheit, die sie gezeichnet hatte, sondern als sie selbst. Ihr wurde allmählich warm ums Herz und schmerzlich langsam verschwand die Kälte in ihren Kochen.

„Es dauert nicht mehr lange bis zum Sonnenuntergang. Wir sollten uns fertig machen", wechselte Amara geschickt das Thema und Kieran folgte ihrem Blick.

„Du hast recht!", seufzte er und stand auf.

„Ey!", quietschte sie und hätte beinahe das Gleichgewicht verloren. Kieran grinste und hielt ihr die Hand hin. Amara griff nach seiner Hand und ehe sie sich versah, hatte er sie in seine Arme gezogen. Grinsend küsste sie ihn und löste sich langsam aus der Umarmung. Am liebsten wäre sie ewig mit ihm hiergeblieben, doch die Pflicht rief.

„Wir müssen uns wirklich ein wenig beeilen!", sagte Amara ein wenig mürrisch, als sie eine langärmligem, dunkle Tunika überzog. Sobald die Sonne untergegangen war, würde es wieder kälter werden. Auch wenn es tagsüber schon angenehm mild war, rechnete sie fest damit, bei dem Nachtflug zu frieren.

Amara fing an ihre Messer wieder an den richtigen Stellen zu verstauen und als letztes griff sie nach Aradyn. Sie griff ins Leere. Das Schwert lehnte, nicht mehr an dem Regal, wo sie es zurückgelassen hatte. Kieran war ihr zuvorgekommen, stellte sie fest und musste ein Lächeln unterdrücken.
„Wenn ich bitten darf?“, forderte er sie galant auf, aber mit einem schelmischen Grinsen und half ihr das Schwert zu gürteln. Amara atmete seinen vertrauten Geruch ein und sah zu ihm hinauf, bevor sie ihn ein letztes Mal küsste. Es war nur ein flüchtiger Hauch und doch vermochte er es, ihr warm ums Herz werden zulassen.
„Wir müssen los“, flüsterte sie, bevor sie sich von ihm löste.
Gemeinsam eilten sie durch die steinernen Gänge der Burg und ihre Schritte hallten in den langen Gängen wider. So gingen sie einige Minuten schweigend nebeneinanderher, bis er schließlich das Schweigen brach.
„Ich hätte wirklich nicht gedacht, dass Dorkas sie überzeugen kann. Kaida hasst es, bei Nacht zu fliegen. Aber wenigstens regnet es heute nicht. Ansonsten hätte sie sich vermutlich trotzdem geweigert!“ Amara musste ihm zustimmen. Die Drachendame gab wirklich ihr bestes, Regen und Kälte zu vermeiden.
„Damit hatte ich tatsächlich auch nicht gerechnet“, stimmte Amara ihm zu und fügte dann überlegend hinzu: „Astoria war, glaube ich die Einzige, die richtig gewettet hatte.“

„Das wundert mich nicht“, gab Kieran wenig überrascht zu. Amara sah ihn verwundert an, bevor sie stirnrunzelnd fragte: „Wieso?“
„Sie hat schließlich weit über ein Jahrhundert lang, an Ronans Seite den Orden, angeführt“, sagte er und Amara sah ihn noch verwirrter an.
„Sie war mit Dorkas´ letztem Reiter verheiratet“, konkretisierte er.
„Oh!“, stieß sie hervor und ihre Schritte kamen ins Stocken. Mit einem Mal verstand sie die Distanz und die Kälte in Astorias Blick. Sie galten nicht ihr, nicht wirklich. Hinter der Fassade lag Trauer – der Verlust eines Gefährten, eines Freundes und einer ganzen Welt, die in einem Gewittersturm untergegangen war.
„Jetzt verstehe ich es endlich! Ich habe mich immer ein wenig gewundert, warum sie Dorkas so gut zu kennen scheint.“ Ihre Stimme war leise, beinahe andächtig.
Sie dachte kurz daran, wie sehr Astoria sich verraten gefühlt haben musste. Nach all den Jahren, kehrte Dorkas urplötzlich zurück – mit einer neuen Reiterin an seiner Seite. Zum ersten Mal sah sie nicht nur die strenge Mentorin, sondern die Frau, die zurückgeblieben war, als alles andere gefallen war. Der Gedanke lag ihr schwer im Magen.
Plötzlich waren da Schritte. So leise, dass sie nicht wusste, ob sie es wirklich gehört hatte. Sofort verflogen alle anderen Gedanken. Amara zuckte zusammen und drehte sich instinktiv um, aber niemand war zu sehen.
„Alles in Ordnung?“ Kieran sah sie stirnrunzelnd an.

„Ich dachte nur, ich hätte Schritte gehört“, erklärte sie nachdenklich. Erneut sah sie sich in der steinernen Halle um. *„Seltsam.“*

Sie hätte schwören können, etwas Orangenes aufblitzen gesehen zu haben.

29

Sie flogen eine der ihr bekannten Strecken, an der östlichen Grenze des Gebirges, ab. Amara schloss für einen Augenblick die Augen und atmete die frische Abendluft ein. Als sie die Augen wieder öffnete, musste sie unweigerlich lächeln.

In diesen ruhigen Momenten schien die Welt still zu stehen. Ein Augenblick des absoluten Friedens. Auch die Drachen schienen die Feuerpause zu genießen.

Es hatte seit dem Vorfall mit den Jungdrachen keine Angriffe mehr auf ihre Grenzen oder Meldungen von Schattenwesen gegeben. Die Ruhe war fast auffällig, doch sie war mehr als Willkommen. Auch wenn es vermutlich bedeutete, dass ihre Gegner etwas vorbereiteten, dachte Amara zähneknirschend.

Dorkas nutzte die Windströmungen des Tals und ließ sich mit ausgestreckten Flügeln vom Wind tragen. Er verlangte heute ausnahmsweise keine schwierigen Manöver von ihr oder testete ihre Flugkünste andere Weise. *„Seine gute Laune ist schon fast befremdlich"*, dachte Amara, beklagte sich aber nicht.

Ein Blick zur Seite verriet ihr, dass es Kaida und Kieran nicht anders ging. Der dunkelrote Drache neben ihnen segelte ebenfalls ruhig im Wind. Kieran bemerkte ihren Blick und schenkte ihr ein strahlendes Lächeln, bevor

Kaida sich vor dem Engpass, nach hinten fallen ließ. Hier, an der schmalsten Stelle, war die Lücke in der Felswand so eng, dass sie nicht nebeneinander durch die Talmündung passten.

Sie schossen zwischen den grauen steinernen Wänden hindurch und Dorkas schickte ihr eine kurze Warnung, bevor er sich in einer Kurve zurückfallen ließ, um wieder neben seiner Gefährtin zu landen. Ihr Magen kribbelte, als die Welt um sie herum kippte, als der riesige Drache sich in die Kurve legte. Vielleicht war Dorkas´ strenges Training doch gut gewesen. Allmählich hatte sie sich an die schnellen ruckartigen Bewegungen gewöhnt, ohne dass ihr schlecht wurde oder den Halt verlor.

Als sie sich umsah, erkannte Amara, dass die Talmündung ebenfalls bewacht war.

Der dunkelbraune Walddrache, der auf dem Felsvorsprung lag, hob kurz den Kopf, als sie vorbeischossen. Sie hätte ihn beinahe übersehen. Seine Schuppen verschmolzen farblich fast mit dem Untergrund, nur seine leuchtenden Augen blitzten hervor. Es war jedoch beruhigend zu wissen, dass Verstärkung nicht weit wäre. Die Anzeichen für den aufkommenden Krieg waren nur zu deutlich.

„Wir machen noch einen kleinen Abstecher nach Kyrith", verkündete Dorkas, bevor Amara sich wunderte, wohin sie nun flogen.

Die weite Ebene erstreckte sich unter ihnen, und es war Kilometer weit kein Anzeichen von Leben in Sicht. Nach kurzer Zeit veränderte sich die Landschaft und bald überflogen sie einen Teil des riesigen Waldgebietes, welches den Großteil des Landes bedeckte. Der Tenebris lag still und beinahe friedlich unter ihnen. Weiter unten erkannte sie das leichte Glimmen der Laternen eines kleinen Ortes.

Die Drachen gingen zu einem Sinkflug über und landeten außer Sichtweite am Waldrand. Amara sprang geübt von Dorkas´ Rücken und sah sich um.

Ihr Ziel – der Ortskern von Kyrith – lag wenige Kilometer östlich von ihnen und Amara erkannte trotz der Dunkelheit, dass sie sich am Rand der bewirtschafteten Flächen der kleinen Siedlung befanden. Das Weideland und die Getreidefelder Kyriths erstreckten sich bis zu der Stadtmauer, die in der Ferne zu erahnen war.

„Was machen wir hier?“, fragte sie sowohl an Kieran als auch an die Drachen gewandt.

„Eine meiner Kontaktpersonen wollte sich in einer Taverne nicht weit von hier, mit mir treffen“, erklärte Kieran.

„Und du möchtest, dass ich dir Rückendeckung gebe, oder wie?“, fragte sie und zog eine Augenbraue hoch.

„Das ist zu freundlich von dir. Aber ich dachte, wir könnten einen kleinen Tapetenwechsel vertragen. Es dauert noch bis das Treffen stattfindet“, sagte Kieran und seine Augen glänzten, als er sie anlächelte.

„Klingt gut!“, bemerkte Amara und erwiderte sein Lächeln, als sie verstand. Sie tauschten ihre Jacke gegen einen dunklen Umhang, damit sie weniger auffielen.

„Zwei Stunden! Sonst könnt ihr zurücklaufen!“, verkündete Kaida, als sie sich im Schutz der Bäume zusammenrollte. Ihre Flügel raschelten laut in der Stille der Nacht, als sie

sie eng an den Körper legte. *„Das kann sie nicht ernst meinen. Sie würde uns doch nicht zurücklassen, oder doch?“*, dachte sie etwas perplex und blickte dem Drachen hinterher. *„Wenn ich recht überlege, würde ich es ihr zutrauen.“* Sie schauderte bei dem Gedanken den ganzen Weg zu Fuß zurücklegen zu müssen – nachts, während die Wälder von verschiedensten Monstern bewohnt wurden, die liebend gern Menschenfleisch fraßen.
„Du hast sie gehört“, sagte Dorkas schmunzelnd, als sie ihm einen fragenden Blick zu warf.

***

Kyrith war ein kleiner Ort, einer der letzten Siedlungen im Norden Averions. Die Menschen hatten es, aus nachvollziehbaren Gründen, schon immer vorgezogen einen gewissen Abstand zu Drachengebieten zu halten. Sie gingen über die staubige Straße auf das hölzerne Stadttor zu und Amara zog den Umhang enger um den Körper um ihre Waffen zu verstecken. Aradyn hatte sie bei den Drachen zurückgelassen, doch ihre Messer hingen noch immer, an verschiedenen Stellen versteckt.
Amara dachte schon, dass sie ohne Verzögerung eintreten könnten, da senkte sich eine Pike vor ihnen. *„Mist.“*
Die Stadtwache in der grauen Uniform sah sie misstrauisch an, dann fiel sein Blick auf Kieran. Der ältere Mann wirkte müde und nicht gerade freundlich. Sein ergrautes Haar war schulterlang und hing in dicken Strähnen vom Kopf.
„Was wollt ihr hier?“, fragte der Mann misstrauisch, ohne Amara groß zu beachten. Sie hielt den Blick

weiterhin gesenkt und unterdrückte den Drang, den Mann herausfordernd anzufunkeln. Sie konnte es nicht leiden, ignoriert zu werden!

„Wir suchen eine Bleibe für die Nacht. Die Dunkelheit hat uns auf dem Weg nach Elswyth überrascht“, sagte Kieran entschuldigend und fügte dann hinzu: „Wir besuchen dort die Familie.“

Der Mann wirkte nicht gerade überzeugt, sein Blick fiel wieder auf Amara, als er fragte: „Von wo, habt ihr gesagt, kommt ihr?“

„Wir kommen aus Westwood“, erklärte Kieran und fing so langsam, an die Geduld zu verlieren. „Meine Schwester erwartet ihr erstes Kind in den kommenden Wochen und hat uns gebeten, so schnell wie möglich zu ihrem Haus zu kommen.“

„Also ist deine Frau eine Heilerin, oder wie?“, fragte der Mann und sein Blick huschte noch misstrauischer wieder in Amaras Richtung. Ihr Herz machte unweigerlich einen kleinen Satz bei dem Wort Frau und hätte am liebsten die Augen über sich selbst verdreht.

Der misstrauische Blick des Alten haftete noch immer auf ihr. Sie wusste, was der Mann dachte. Er überlegte, ob sie eine Hexe war.

„Wie viele heilkundige Frauen, egal ob Magierinnen oder nicht, wurden hier wohl schon hingerichtet, aus Angst vor ihren Fertigkeiten?“, dachte Amara bitter und der Gedanke brannte in ihrer Kehle.

„Wo sind eure Pferde?“, fragte die Wache und ihre Aufmerksamkeit galt wieder der Gegenwart. *„Verdammt.“* Daran hatten sie gar nicht gedacht!

„Wir mussten sie zurücklassen. Wir wurden gestern Abend am Waldrand von etwas Schrecklichem angegriffen! Eine riesige, haarige Bestie hat die armen Dinger gerissen! Wir konnten nur entkommen, weil sie von den Tieren abgelenkt waren!“, erklärte Amara mit großen Augen und versuchte so viel Unterwürfigkeit und Furcht wie möglich, in ihre Stimme zu legen, auch wenn das nicht gerade ihre größten Stärken waren. Zum ersten Mal sah sie so etwas, wie Mitgefühl auf den Zügen des Mannes.
„Klingt nach Nachtmahren“, murmelte er mehr zu sich selbst und sagte dann an Kieran gewandt: „Na gut. Ihr könnt eintreten. Die Straße runter ist das Gasthaus `*Zum goldenen Kompass*´. Dort könnt ihr eine Bleibe für die Nacht finden.“
Die Wache hob die Pike und gab den Weg frei. Sie bedankten sich schnell und huschten durch das Tor. Als Amara sich umsah, erkannte sie, dass der kleine Ort fast ausschließlich aus Fachwerk und Holzhäusern errichtet war. *„Hohe Brandgefahr. So nah am Drekafjall sollten sie es eigentlich besser wissen.“*
„Verdammt, ich wusste nicht, dass du so gut schauspielern kannst“, flüsterte Kieran erstaunt, als sie der Straße zum Gasthaus folgten. Amara schenkte ihm ein wissendes Lächeln.
„Was meinst du, wie ich die letzten Jahre überlebt habe? Hilflosen, verirrten Mädchen wird eher das Stadttor nach Abenddämmerung geöffnet als potenziellen Hexen mit selbstbewusstem Auftreten. Es ist traurig, aber so ist die Welt“, erklärte sie schulterzuckend. Kieran sah

sie aufmerksam an, als würde er auf eine Gefühlsregung von ihr warten.
Aber da musste sie ihn enttäuschen, sie hatte sich schon vor langer Zeit an die Härte und Ungerechtigkeit dieser Welt längst gewöhnt.
„Das tut mir leid“, sagte er leise und hielt ihr die Tür der Taverne auf. Sie sah ihn an und zog unweigerlich eine Augenbraue hoch.
„Ach, komm schon. Die Welt war noch nie nett zu Leuten wie uns“, winkte Amara mit einem bitteren Lachen ab.
„Das Einzige, was wir machen können, ist versuchen, es besser zu machen“, wandte Kieran ein. Seine hoffnungsvolle Einstellung verwunderte Amara. Sie hätte ihn eher für einen Realisten gehalten, aber bei genauerer Betrachtung musste sie ihm zustimmen.
Sie konnte etwas verändern! Sie hatten, durch ihre Drachen, die Macht und den Einfluss, die Welt zu verändern.
„Ganz genau!“, stimmte Amara ihm zu, als sie eintraten. Die Holzdielen knarzten ungewöhnlich laut, als sie durch den Schankraum traten, und einige Blicke wandten sich misstrauisch in ihre Richtung. Der Raum war dunkel und stickig, die einzigen Lichtquellen waren ein alter stählerner Kronenleuchter und einige Kerzen auf den Tischen. Die ganze Taverne machte einen eher schäbigen Eindruck.
Eine ältere Frau, dessen schwarzes Haar mit unzähligen grauen Strähnen durchzogen war, sah Amara

durchdringend an. Ihre Nackenhaare stellten sich bei der Art und Weise auf, wie die Alte sie musterte.

Sie schloss zu Kieran auf und nahm ihm dankend den Krug ab, den er ihr bestellt hatte. Ein Blick durch den Raum verriet ihr, dass die meisten Leute schon gut angetrunken waren.

Ein junger Mann saß in einer Ecke links von ihnen und spielte die Laute. Seine Finger strichen verträumt über die Saiten, als er eine bekannte Melodie anstimmte. Auch wenn er nicht jeden Ton traf, tanzten einige Leute ausgelassen zu der Musik. Frauen in bunten Röcken wirbelten über die Holzdielen und tanzten mit ihren Partnern. Ein Lächeln schlich sich bei dem Anblick auf ihr Gesicht.

Amara nahm einen Schluck aus ihrem Krug und stellte verwundert fest, dass der Met erstaunlich gut war. Bei dem Äußeren der Taverne hatte sie mit alkoholisierten Waschwasser gerechnet, dass manch andere Met schimpften. Doch dieser hier, war tatsächlich schmackhaft und stark! Der leichte Geschmack von Kirsche haftete ihm bei und Amara wandte sich jetzt wieder an Kieran.

„Der ist gut!“, stieß sie erstaunt und begeistert zu gleich hervor.

„Ich weiß“, antwortete er mit einem wissenden Lächeln und nahm selbst einen Schluck.

Es dauerte nicht lange und sie waren wieder in ein Gespräch vertieft. Sie unterhielten sich und lachten über die unterschiedlichsten Dinge. Ihr Blick schlich wieder zu den Tanzpaaren, die ausgelassen über die Holzdielen

wirbelten. Kieran folgte ihrem Blick und ehe sie etwas dagegen tun konnte, stand er auf und hielt ihr die Hand entgegen.
„Darf ich euch um diesen Tanz bitten?“, fragte er galant.
„Das kann er nicht ernst meinen!“, dachte Amara erstaunt und sah ihn aus großen Augen an. Doch sie musste sich eingestehen, dass die Aussicht war zu verlockend. *„Was soll´s.“* Sie streifte ihren Umhang ab, warf ihn auf die Bank und nahm seine Hand.
„Es wäre mir eine Ehre“, erwiderte sie mit einem wohlwollenden Nicken und konnte das Lächeln nicht verbergen, was sich auf ihre Lippen stahl.
Er führte sie zu der provisorischen Tanzfläche und die Holzdielen klebten von verschüttetem Alkohol an ihren Schuhen. Der Junge mit der Laute stimmte eine fröhliche Melodie an und sie schmissen sich in die Menge. Es war Jahre her, dass sie getanzt hatte und Amara verlor einige Male den Takt, aber Kieran führte sie trittsicher durch die verschiedenen Tänze. Immer schneller wirbelten sie zwischen den Paaren über die Tanzfläche und Amara konnte ein Lachen nicht unterdrücken, als sie eine Drehung vollführte. Sie tanzten und tanzten und Amara hätte ewig so weiter machen können. Doch bald öffnete sich die Tavernentür mit einem lauten Knarzen und eine Gestalt mit einem hochgezogenen Umhang trat ein.
„Die Pflicht ruft“, raunte Kieran widerwillig und sein Lächeln erstarb, als er den Fremden erblickte. Sie kehrten zu ihrem Tisch am Rande des Geschehens zurück und der Fremde zog endlich die Kapuze vom Kopf.

Amara nippte an ihrem Met, als sie den Mann begutachtete. Er wirkte nicht sonderlich freundlich. Seine kurz geschorenen, dunklen Haare erinnerten sie ein wenig an einen Igel. Doch was Amara am meisten irritierte, waren seine Augen. Sie waren fast schwarz und so kalt wie die Nacht. Ihr lief ein Schauer über den Rücken. Instinktiv lockerte sie unauffällig eins ihrer versteckten Messer. Der Mann stellte sich ihr als Necros vor, aber Amara bezweifelte, dass dies wirklich sein richtiger Name war. Necros war ein veralteter Begriff für den Tod, der noch immer in manch alten Kirchen geschrieben wurde.

„Musstet ihr euch etwa Unterstützung holen oder ist sie nur zur Unterhaltung da?“, fragte der Mann mit einem abschätzigen Blick auf Amara. Sein Mund verzog sich zu einem spöttischen Lächeln als er ihren Körper musterte. Der Raum verdunkelte sich kurz, beinahe unmerklich, und sie stieß Kieran unter dem Tisch an.

„Nicht der Zeitpunkt für Machogehabe!“, dachte Amara und unterdrückte ein Augenrollen. Sie hoffte inständig, dass Kieran keine Szene machen würde. Sie brauchten den Mann leider noch lebend. Das Licht wurde wieder etwas heller und Amara zog eines ihrer Messer aus einem Holster am Bein und stieß es mit Kraft in den Tisch.

Die Magie der Drachenverbindung hatte sie über die letzten Monate hinweg, langsam aber sicher so ähnlich schnell und stark, wie die restlichen Reiter gemacht. Diese Tatsache machte Amara sich jetzt zu nutzen.

„Zur Unterstützung. Auch wenn er hier definitiv keine bräuchte“, stellte sie gelassen klar und legte einen

Funken ihrer Macht in die Worte, als sie ihren Gegner nun ebenfalls mit einem abschätzigen Blick maß.
Necros zuckte zusammen und sie wusste, dass ihre Augen den Magiegebrauch widergespiegelt hatten.
„Hexe!“, hauchte er erschrocken. Der Mann war aber geistesgegenwärtig genug es nicht lauter zu äußern.
„Ihr habt die Dame gehört“, unterstrich Kieran ihre Worte und fügte nach einer kurzen Pause hinzu: „Wenn das jetzt geklärt wäre, können wir ja fortfahren.“
Amara zog das Messer mühelos aus dem Tisch und reparierte das entstandene Loch, mit einem kleinen Zauber. Kieran sah sie warnend an. Sie wusste, dass es nicht weise war, Magie zu nutzen, wenn es nicht unbedingt nötig war. Doch der Zauber war so klein, ein fremder Magier hätte schon in ihrer unmittelbaren Nähe gewesen sein müssen, um ihn gespürt zu haben.
Amara steckte das Messer wieder weg und bemerkte zufrieden, wie ihr Informant sie jetzt anders musterte. Mit deutlich mehr Vorsicht. Nicht mehr als Beute, sondern Jäger. Es erfüllte sie ein wenig mit Genugtuung, auch wenn sie es sich ungern eingestand.
„Einen Teil jetzt, den anderen, wenn wir unsere Informationen bekommen haben“, erklärte Kieran und legte einen kleinen, klimpernden Beutel auf dem Tisch ab. Necros nahm den Beutel entgegen und zählte in aller Ruhe die Münzen, bevor er ihn wegsteckte.
„Die Soldaten des Königs wurden von ihren Posten abgezogen und in die Hauptstadt zitiert“, fing er mit seinem Bericht an und Amara wurde hellhörig.

„Es klingt, als ob sie sich auf einen Angriff vorbereiten!“, dachte sie überrascht und schickte den Gedanken weiter in Richtung der Drachen.
„Da könntest du recht haben“, stimmte Dorkas ihr nachdenklich zu.
Amara versuchte, sich auf das Gespräch vor sich zu konzentrieren, aber etwas anderes hatte ihre Aufmerksamkeit auf sich gezogen.
Die Alte, die sie zuvor angestarrt hatte, war nun von mehreren Menschen umgeben und erzählte scheinbar eine Geschichte. Sie gestikulierte wild mit den Armen und Amara sah unauffällig in ihre Richtung.
Ihre linke Hand kribbelte und abwesend kratzte sie mit den Fingernägeln über die Innenseite ihres Unterarms. Ihr Blick fiel kurz auf ihre Aithne. Die schwarze Zeichnung stach unauffällig unter ihrem Ärmel hervor. Sie zog den schwarzen Stoff ihrer Tunika langsam tiefer, während das Drachenmal unauffällig ihren Arm hochkroch bis über den Ellenbogen.
„Ich sag´ euch, das ist ein schlechtes Omen!“, rief die Alte nun laut genug, dass Amara es verstehen konnte und sah ihr genau in die Augen. Neugierig geworden, schob Amara ihre Vorsicht zur Seite und wirkte einen Zauber, um das Gespräch besser zu belauschen. Damit stieg das Risiko erkannt zu werden. Aber irgendwas sagte ihr, dass das Gesagte wichtig sein würde.
„Ich meine es ernst! Es war ein schwarzer Drache. Das ist ein ganz schlechtes Omen!“ Amara musste sich zusammenreißen, nicht zusammen zu zucken.

„Ach, du musst dich verguckt haben“, mischte sich einer der Männer ein. „Es gibt keine schwarzen Drachen mehr, der Letzte wurde vor Jahren vom König erlegt, wenn man den Gerüchten trauen darf“, lallte er mit einer wegwerfenden Handbewegung und nahm erneut einen großen Schluck aus seinem Krug.

„Ich weiß, was ich gesehen habe. Das ist ein ganz schlechtes Omen. Ein Todesomen!“, klagte die Alte, und schüttelte den Kopf über die Uneinsichtigkeit der jungen Leute.

„Ihr werdet euch noch umschauen, sag ich euch. Es wird ein verheerender Krieg auf uns zu kommen! Die Zeichen sind deutlich zu sehen“, fügte sie ärgerlich hinzu und machte eine bedeutungsvolle Pause, bevor sie weitersprach.

„Bedenkt meine Worte! Die Drachen sind seit jeher mit dem Schicksal der Welt verbunden. Ihre Magie ist es, die diese Welt am Leben hält und sie wird auch ihr Untergang sein.“ Die alte Frau machte bei den Worten eine schnelle Handbewegung, die an ein stilles Gebet erinnerte und Amara wurde gleichzeitig heiß und kalt.

„Wir wurden gesehen!“, teilte sie den Drachen mit und Sorge stieg in ihr auf.

„Wenn die Alte sie gesehen hatte, haben es vielleicht auch andere. Welche die für Kagan arbeiten!“, überlegte Amara schaudernd.

„Das ist unerfreulich. Aber wir können jetzt nichts mehr daran ändern“, sagte Dorkas ruhig und Amara verstand nicht, wie er so ungerührt bleiben konnte. Er schien ein wenig über die Worte der Alten nachzudenken, bemerkte sie

verwundert und fragte sich, ob er ihnen Bedeutung beimaß.

Im Augenwinkel sah sie etwas aufblitzen. Ihre Aufmerksamkeit sprang schlagartig zu dem Gespräch vor sich. Eine kleine Klinge glitzerte am Rand ihres Sichtfeld und Amara zog eins ihrer Messer. Bereit zu zuschlagen, bevor das kleine Messer in Necros Hand Schaden anrichten konnte. Doch das Ruß der Kerzen verband sich in Sekunden schnelle zu einem Strick aus Asche, hatten den Mann gepackt und die Klinge fiel klimpernd zu Boden. Sie waberten wie ein dunkler Schleier um seinen Arm.

Amara hörte das unverkennbare Knacken, als das Handgelenk brach und ihr fuhr eine Gänsehaut über den Rücken. Der Mann jaulte auf vor Schmerz und biss die Zähne zusammen. Sie blickte zur Seite und sah, dass Kieran sich keinen Zentimeter gerührt hatte. Er saß unverändert, völlig entspannt auf der Bank neben ihr, nur das Leuchten in seinen Augen verriet, dass die Magie von ihm ausging.

„Ihr solltet froh sein, dass es nur euer Handgelenk war und nicht das Genick“, hauchte Kieran gefährlich ruhig. „Wer bezahlt dich?“, fragte er dann und seine Magie verdunkelte den Raum. Die Musik verstummte und Amara hörte, wie ein Glas zu Boden fiel und zersprang.

„Sie werden kommen und euch holen, Reiter!“, rief Necros hysterisch und spuckte ihnen das letzte Wort förmlich entgegen. Amara hörte das unverkennbare Geräusch von Metall, als Schwerter gezogen wurden. Sie

wollte gerade eine Flamme heraufbeschwören, doch dann kam ihr ein Gedanke.
„Meine Magie würde das gesamte Dorf verschlingen, wenn ich die Kontrolle über die Flammen verliere“, stellte sie, bei dem Gedanken an die Holz- und Fachwerkhäuser, beklommen fest. Ihr fehlte einfach noch die nötige Kontrolle!
„Das Risiko kann ich nicht eingehen!“, gestand Amara sich und umfasste das Heft ihres Messers fester.
Schreie erklangen im Schankraum, als Stühle umgeschmissen wurden. Die Besucher flohen eilig aus dem Raum. Kieran sprang im selben Moment auf wie sie, bereit zu kämpfen.
Aber ehe Amara sich vorsehen konnte, stemmte Necros sich gegen seine magischen Fesseln und sein Dolch raste auf sie zu. Erschrocken riss sie ihr Messer hoch, um den Dolch zu blocken. Sie würde nicht schnell genug sein.
Bevor sie die beißende Kälte des Metalls spüren konnte, sackte ihr Angreifer tot zu Boden. Das Messer fiel klappernd zu Boden. Sein Hals war in einem unnatürlichen Winkel verdreht und schwarze Schatten zogen sich gerade von seinem leblosen Körper zurück. Erschrocken starrte sie in die dunklen Augen, die jetzt ins Leere starrten.
„Wir müssen hier weg!“, hauchte Amara und riss den Blick gewaltsam von ihrem, jetzt toten, Angreifer los. Sie spürte den Luftstrom, als eine Klinge an ihr vorbeiflog und hinter ihnen in der Wand landete.
„Da muss ich dir leider recht geben!“, stimmte Kieran ihr zu und tauchte den Raum in völlige Dunkelheit.

Zusammen eilten sie in den hinteren Teil der Taverne und Amara stieß immer wieder mit Menschen zusammen. Es dauerte eine gefühlte Ewigkeit und ihr Herz pochte mit jedem Schritt wild in ihrer Brust. Dann hatten sie die Hintertür erreicht und eilten ins Freie.

***

Dank Kierans Aschemagie waren sie in der Lage gewesen, ungesehen aus der Taverne zu fliehen. Nun rannten sie durch die kleinen Gassen des Ortes auf dem Weg zur Stadtmauer. Sie bogen um mehrere Ecken und Amara sah sich instinktiv immer wieder um. Die Wehrmauer von Kyrith war aus Holz errichtet worden und die dicken Stämme verjüngten sich, bis sie am Ende eine Spitze bildeten.
„Das könnte schwieriger werden als gedacht!“, sagte Amara missmutig und warf Kieran einen fragenden Blick zu.
„Nicht höher als dein Drache“, antwortete er ermutigend und nahm Anlauf. Er schaffte es problemlos auf die Mauer und wartete dort auf sie.
„Los jetzt“, zischte Kieran ihr zu und hielt ihr die Hand hin. *„Er hat recht. Dorkas ist höher als diese Mauer“,* versuchte sie sich Mut zu machen und schob den Gedanken, an die scharfen Spitzen der Mauer entschlossen zur Seite. Sie schüttelte den Kopf und nahm Anlauf. Kieran verstand. Er machte ihr etwas Platz. Amara rannte einige Schritte über den staubigen Lehmboden und stieß sich ab.

Sie flog einen Augenblick durch die Luft und beinahe hätte sie danebengegriffen, doch ihre Finger krallten sich fest in das Holz der Kante. Mit etwas Kraft zog sie sich zu Kieran auf die Mauer und gemeinsam sprangen sie in die Dunkelheit.

Der Aufprall ging durch Mark und Bein und Amara wäre fast in die Knie gegangen. Ein kleiner Graben machte die Mauer auf dieser Seite höher, stellte sie mit einem Blick zurück fest.

Sie entfernten sich vorsichtig von der Stadtmauer und gingen schnellen Schrittes über die Felder und Wiesen, die Kyrith umgaben.

Die Lichter des Ortes wurden langsam kleiner in der Ferne, als sie den Waldrand erreichten. Amara merkte wie ihr Puls sich so langsam wieder entspannte und sie atmete tief durch. *„Wir haben es geschafft!"*

Ihr Blick streifte über den Waldrand und sie brauchte einen Moment, bis sie die Drachen in der Dunkelheit erkannte. Kaida war unter einem von Dorkas riesigen dunklen Flügeln fast vollständig verborgen. Nur ihr Kopf blitzte im Mondlicht hervor und ihre tiefroten Schuppen reflektierten das Mondlicht, als sie in ihre Richtung blickte. Die beiden lagen zusammengerollt, nah an den Baumreihen und Amara hörte das Rascheln, als Dorkas seinen Flügel zurückzog.

„Das waren mehr als zwei Stunden. Seid froh, dass wir nicht ohne euch geflogen sind!", verkündete die Drachendame ärgerlich, als sie sich aufrichtete und schüttelte.

„Unser Kontaktmann ist zu spät gekommen und wir sind in einen Hinterhalt geraten“, verteidigte Kieran sich, doch Kaida blieb ungerührt.
„Wie dem auch sei. Lasst uns aufbrechen. Wir haben noch andere Verpflichtungen!“, verkündete diese kühl. Amara starrte den roten Drachen perplex an. *„Ihr Ernst?!“*
„Danke, dass ihr gewartet habt“, sagte Amara über ihre Verbindung zu Dorkas, als sie ihr Schwert wieder gürtelte.
„Sie hatte nicht wirklich vorgehabt, euch zurückzulassen“, erklärte dieser unbeeindruckt von dem Ärger seiner Gefährtin.
„Da bin ich mir nicht so sicher! Ich glaub nicht, dass sie mich besonders gut leiden kann“, stieß Amara missmutig hervor, als sie mit etwas Anlauf auf seinen Rücken kletterte.
„Sie hat den Aschebändiger ins Herz geschlossen. Sie hatte nicht, vor ihn auszusetzen“, erklärte der Drache und Amara entging es nicht, dass er ihre vorherige Aussage nicht korrigierte. Kaida konnte sie also wirklich nicht ausstehen. Dorkas streckte die dunklen Flügel aus und sie packte den Zacken vor sich fest, als er sich in die Lüfte schwang.

30

Amara stand in dem Büro und wartete. Sie strich mit den Fingern über die Bücher im Regal und trat gelangweilt von einem Fuß auf den anderen. Astoria hatte sie kurz nach dem Frühstück abgefangen und in ihr Büro gerufen. Die ältere Reiterin hatte sie gebeten hier zu warten und war dann wieder verschwunden. Natürlich, ohne zu erklären, was vor sich ging.

Ihr Blick schweifte über den schweren, kunstvoll geschnitzten Schreibtisch und die hunderten Bücher, die sich in den Regalen bis zur Decke stapelten. Ein seltsames Gefühl machte sich in ihr breit und hatte eine innere Unruhe in ihr geweckt, die sie lange nicht mehr gespürt hatte. *„Ob es vielleicht um den Vorfall in Kyrith von gestern Nacht geht?“*, fragte Amara sich und wandte sich fragend Dorkas: *„Weißt du, was hier los ist?“*

„Ich vermute, wir werden es gleich erfahren. Svarog kehrt gerade zurück“, bemerkte er und zog sich zurück.

„Svarog? Was hat Bowens Drache damit zu tun?“, fragte Amara, bekam jedoch keine Antwort mehr von ihm. Ihr Blick wandte sich gerade dem Fenster zu, als sie das Knarzen der Tür hörte.

Mit einem Satz wirbelte sie herum und Astoria, Tirion und Bowen, traten ein. Bowen war noch in seiner Reisekleidung, das orangene Breitschwert baumelte klimpernd an seinem Gürtel und seine Rüstung war Schlamm besudelt. Er wirkte, als wäre er mehrere Tage nicht zur Ruhe gekommen.

„Ihr Drache hat davon gewusst!“, zischte Bowen und verstummte, als er Amara sah.

„Was ist passiert?“, erkundigte diese sich und merkte, wie ihr Puls in die Höhe stieg. Irgendetwas war vorgefallen, das spürte sie.

„Schon Neuigkeiten?“, rief sie Dorkas angespannt zu. Doch sie bekam keine Antwort.

„Wusstest du von der Prophezeiung?“, fragte Astoria scharf und musterte sie eindringlich aus ihren stahlblauen Augen.

„Was geht hier vor?!“, fragte sie erneut, an den Drachen gerichtet – ohne Erfolg.

„Was? Nein! Worum geht es hier?“, stieß Amara hervor und sah sich hilfesuchend nach Tirion um.

„Sie wusste es eben so wenig wie wir, Astoria“, verteidigte Tirion sie. Seine Stimme war wie immer ruhig und seine Gefasstheit ließ die Anspannung ein wenig von ihr weichen.

„Dorkas hat es ihr also auch nicht gezählt“, stellte Astoria tonlos fest.

„DORKAS! Was geht hier vor?!“, donnerte sie los. Doch erhielt erneut keine Antwort. Eine obsidianschwarze Wand aus Magie blockierte ihre Verbindung.

„DORCHADAS!“, brüllte sie wütend und warf sich mit allem, was sie hatte gegen die Blockade, die ihre Verbindung unterbrach.

„Es tut mir leid, dass du es so erfahren musst", bestätigte der alte Drache ihren Verdacht. Seine Stimme war ungewöhnlich rau und eine Mischung aus Sorge und Anspannung schwappte von ihm herüber.
„Was geht hier vor!", rief Amara erneut, noch beunruhigter und schickte ihm ein Bild von ihrer Situation.
„Ich werde dir alles erklären! Aber nicht jetzt", versprach Dorkas, bevor er sie wieder aussperrte. Als Amara aufblickte, waren die beiden älteren Reiter wieder in ein Streitgespräch vertieft.
„Was geht hier vor?!", fragte sie jetzt laut in die Runde und merkte selbst, wie schrill ihre Stimme plötzlich klang. Astoria und Tirion verstummten und sahen sie an.
„Ich glaube, du solltest dich setzen", schlug Tirion vor und der Knoten in ihrem Bauch verstärkte sich.
Sie hatte ein schlechtes Gefühl bei dem Ganzen.
Sie setzte sich, wie geheißen, in einen der Sessel am Schreibtisch und wartete. Ihre Finger klammerten sich an die Armlehnen ihres Sessels, bis ihre Knöchel weiß hervortraten.
Dann fing Astoria ihre Erklärung an, ihre Stimme war dabei ungewöhnlich scharf: „Also, so wie es aussieht, gibt es eine Prophezeiung. Elysara, die Anführerin des östlichen Hexenzirkels, soll diese vor zwölf Jahren in Ronans Beisein verkündet haben. Das Ganze ist jetzt zum Vorschein gekommen, weil sie zu Bowen Kontakt aufgenommen hat. Sie möchte die neue Feuerbändigerin treffen. Dich. Sie habe etwas, über schwarzes Feuer, dass dem Land den langersehnten Frieden oder seine

endgültige Zerstörung bringen soll, gesagt. Doch den genauen Wortlaut wissen wir nicht."

Ihr Magen verkrampfte sich und Amara versuchte, das Gehörte zu verarbeiten.

„Es gibt eine gottverdammte Prophezeiung?!", stieß sie gedämpft hervor. Doch es kam keine Antwort von Dorkas´ Seite.

„Dorkas muss davon gewusst haben! Ronan ist sein letzter Reiter gewesen, er hat es definitiv gewusst", dachte Amara und das Gefühl von Verrat machte sich in ihr breit. Sie wollte sich gar nicht vorstellen, wie Astoria sich gerade fühlen musste!

„Ist es wirklich sicher, dass ich diejenige bin, die sie sucht? Vielleicht gab es einen Irrtum", fragte Amara heiser und eine kleine Hoffnung flammte in ihr auf.

„Ganz sicher. Du bist die einzige Feuerbändigerin und sie hat, abgesehen davon, nach Aradias Tochter gefragt", bestätigte Tirion tonlos und zerstörte damit ihren letzten Zweifel. *„Woher kennt sie den Namen meiner Mutter?"*, fragte Amara sich und ein anderer Gedanke kam ihr in den Sinn.

„Aber woher weiß sie, dass ich hier bin und von meiner Kraft?", fragte sie verwirrt. Ihre Mutter hatte, soweit sie wusste, nie Kontakt zum östlichen Zirkel gehabt.

„Wir wissen es nicht, weswegen du auch nicht gehen wirst! Hexen hatten schon immer ihre Wege, an Informationen zu kommen und sie stellen sich nicht auf eine Seite. Ihre Unterstützung schwankt, wie eine Fahne im Wind. Sie kann sich ebenso schnell gegen dich wenden, wie gegen deine Feinde", sagte Tirion besorgt und warf

Astoria einen eisigen Blick zu. „Und ich werde keine junge Reiterin ohne Kontrolle über ihre Fähigkeiten aussenden, um mit denen zu verhandeln. Es könnte eine Falle sein. Wir sollten den Rat einberufen!"
„Autsch. Soo schlecht ist meine Kontrolle nicht mehr", dachte Amara zerknirscht und sah zu Bowen herüber, der neben ihr saß und immer noch schwieg. Sein Blick war auf einen Punkt in der Ferne, hinter den Bergen gerichtet. Er wirkte seltsam unruhig. *„Was ist bloß passiert?"*
„Sie wird sich mit Niemand anderen treffen, außer Amara und mir. Die Frist ist in fünf Tagen und wir brauchen jede Information, die wir kriegen können", schaltete Bowen sich mit kalter Stimme ein. Es war das Erste, was Bowen gesagt hatte, seit sie den Raum betreten hatten. Alle Köpfe drehten sich jetzt in seine Richtung.
„Du kannst nicht wirklich darüber nachdenken!", fauchte Tirion Astoria entgeistert an und Amara konnte seine Sorge durchaus nachvollziehen und es rührte sie ein wenig. Doch sie brauchte Antworten und so wie es aussah, konnte Elysara ihr diese bieten. Diese Chance konnte sie sich nicht entgehen lassen.
„Wir müssen zumindest darüber nachdenken", gab Astoria ebenso gereizt zurück und ein Windstoß ließ einige Blätter vom Schreibtisch fliegen.
Wieder einmal fragte Amara sich insgeheim, wer von den Beiden eigentlich wirklich die Kontrolle hatte. Tirion mochte zwar offiziell Anführer der Drachenreiter sein, doch Astoria war mindestens genauso einflussreich. Das Gespräch hatte Potenzial, zu einem

ausgewachsenen Streit zu werden, stellte sie mit Besorgnis fest.

„Bestell´ den Rat ein und wir werden gemeinsam entscheiden!“, verlangte Astoria, die Arme in die Hüfte gestemmt, bevor sie aus dem Zimmer stürmte. Amara blickten ihr nach, als die ältere Reiterin die Tür zuschlug und verschwand.

„Tja, das lief nicht so wie erhofft“, gab Tirion zu und wirkte noch müder als zuvor und zum ersten Mal konnte ihm Amara sein wahres Alter ansehen.

„Dieses Gespräch ist vertraulich zu behandeln und bis der Rat sich zusammengefunden hat, handelt keiner!“, warnte er sie und Bowen.

„Gebt mir euer Wort, dass ihr nicht auf eigene Faust handelt“, sagte er und sah Amara aus seinen dunkelgrünen Augen ernst an.

„Wieso siehst du mich so an?“, stieß sie hervor und hielt die Hände hoch, wie zum Beweis der Unschuld.

„Keine Ahnung, vielleicht weil du einen Hang dazu hast, solche Dinge selbst in die Hand nehmen zu wollen. Was das angeht, kommst du wirklich nach deinem Vater“, seufzte Tirion und sammelte die Blätter wieder ein, die Astorias Magie durch den Raum gefegt hatte.

„Na schön, ich werde nicht auf eigene Faust hingehen“, versprach sie.

***

Sie und Bowen hatten das Büro verlassen und schritten durch die Flure der Burg. Trotz mehrerer Versuche konnte Amara noch immer keinen Kontakt zu Dorkas

herstellen, es beunruhigte sie immer mehr. Doch sie schob den Gedanken zur Seite. Der Drache konnte gut auf sich selbst aufpassen.
„Ich glaube, ich hau´ mich ein wenig auf`s Ohr. Mir fehlt Schlaf", sagte Bowen mit einem Gähnen und wollte in sein Zimmer gehen, als Amara unvermittelt seinen Arm packte.
„Warte. Ich muss mit dir reden", flüsterte sie und schlüpfte mit durch die Tür.
Sein Zimmer war etwas kleiner als das von Lynn und ihr. Sie war mehr als froh, dass sie Aiden nicht getroffen hatten. Das hätte es noch schwieriger gemacht, als es eh schon war. Er würde Kieran von ihrem Vorhaben erzählen und dieser würde versuchen, sie aufzuhalten. Es schmerzte Amara, es ihm zu verschweigen, aber es war nötig. Sie konnte sich diese Chance nicht entgehen lassen! Elysara könnte ihnen Antworten auf mehr Fragen, als nur die Prophezeiung liefern.
„Ich glaube nicht, dass das eine gute Idee ist. Du hast Tirion gehört! Wir sollen uns raushalten, bis der Rat getagt hat. Du hast es versprochen!", erriet Bowen ihre Gedanken.
„Du weißt doch noch gar nicht, was ich sagen möchte", gab Amara ein wenig beleidigt zurück. Es erstaunte sie nicht, dass er ahnte, worauf sie hinauswollte.
„Ich muss kein Gedankenleser sein, um das zu erraten!", sagte er kopfschüttelnd.
„Ich habe versprochen nicht hinzugehen. Vom Hinfliegen habe ich nichts gesagt! Das ist ein Unterschied", argumentierte Amara ausweichend.

„Du bist unmöglich!“, stieß Bowen kopfschüttelnd hervor und fuhr sich durch seine kurzen flachblonden Haare.
„Wann fliegen wir“, seufzte er letztendlich.
„Wir?“ Sie hatte nicht erwartet, dass er mitkommen würde.
„Ich habe nicht vor, dich allein ziehen zu lassen. Entweder ich komme mit, oder du bliebst hier. Es ist deine Entscheidung. Doch ich werde dir den Weg nicht sagen, damit du auf eigene Faust losziehst“, verkündete er. Ärgerlich erkannte Amara, dass sie ihn wirklich mitnehmen musste. Es missfiel ihr, jemand anderen in Gefahr zu bringen. Sie sah aber keinen anderen Weg, wenn Bowen ihr den Weg nicht verraten wollte.
„Na gut. Wir fliegen zusammen“, versprach Amara seufzend.
Sie schickte einen fragenden Gedanken in Dorkas´ Richtung, wenngleich sie nicht wirklich eine Antwort erwartete. Er war seit Bowens und Svarogs Ankunft ziemlich distanziert gewesen.
„Nach Sonnenuntergang auf dem Flugfeld“, antwortete der Drache kurz angebunden und sperrte sie dann wieder aus.

31

Es hatte Amara mehrere Minuten gekostet, die Wachen abzuschütteln, die Tirion auf sie angesetzt hatte. Aber nun war sie endlich auf dem Weg zum Flugfeld. Zu ihrem Glück waren es Soldaten und keine Magier gewesen, sodass sie sie gut abschütteln konnte. Zum ersten Mal war Amara froh darüber, dass sie so wenige Magier in ihren Reihen hatten. Trotzdem wagte sie es nicht, ein Runenlicht oder ihre Flammen zu entzünden. Die Gefahr entdeckt zu werden war zu groß. Also tastete Amara sich beinahe blind über den dunklen Pfad ins Tal. Das spärliche Mondlicht reichte gerade Mal, um die Hand vor den Augen zu sehen.

Die schwarze Lederrüstung schmiegte sich perfekt an ihre Körperform. Nur die dunkle Tunika, die sie darunter trug, war etwas kratzig. Genervt zupfte Amara am Saum des Oberteils. Leider war keine Zeit mehr gewesen eine andere herauszusuchen. Ihre Hand ruhte auf dem Diamanten in Aradyns Knauf, als sie sich weiter von der Burg entfernte.

Wenn sie jetzt jemand hören würde, wäre es vorbei. Sie hatten genau eine Chance und Amara würde sie nicht verlieren, weil ihr Schwert klapperte oder ein anderes trügerisches Geräusch sie verriet! Selbst das Equipment

in ihrem Rucksack war in Stoff gewickelt, um das verräterische Klimpern einzudämmen.
Als Amara am Rande des Tales ankam, sah sie das Bowen schon auf sie wartete.
„Was hat das so lange gedauert?“, zischte er, als sie neben ihn trat.
„Ich musste erst die Wachen loswerden. Tirion hatte welche angesetzt, mich im Auge zu behalten“, murmelte Amara ebenso leise zurück. „Hattest du keine?“
„Er kennt dich gut“, schmunzelte Bowen. „Und nein, ich wurde nicht beschattet.“
Bevor sie noch etwas erwidern konnte, landete Dorkas auf der Wiese. Der Windstoß, den die Flügel des Drachen erzeugten, hätte sie beinahe von den Füßen gerissen.
„Du hast einiges zu erklären!“, fuhr sie ihn an und stemmte die Hände in die Hüfte. *„Ich habe den ganzen Tag versucht dich zu erreichen!“*
„Ich werde deine Fragen beantworten. Versprochen! Aber warte bis wir in der Luft sind“, brummte Dorkas schlecht gelaunt zurück.
„Einverstanden.“, gab sie zähneknirschend nach und nahm einige Schritte Anlauf, um auf den Rücken des riesigen Drachen zu klettern. Amara sah herüber und erkannte, dass Bowen und Svarog schon längst abflugbreit waren. *„Verdammt, sind die schnell.“* Als sie einigermaßen sicher saß, breitete Dorkas die Flügel aus und stieß sich vom Boden ab.

Sie erhoben sich mit einigen mächtigen Flügelschlägen in die Luft und sie spürte das vertraute Kribbeln in ihrem Magen, als sie immer höher in die Wolken stiegen.
„Svarogs Reiter lässt ausrichten, dass wir zuerst Fürst Malvors Anwesend in Domhnall aufsuchen werden, da dort der Kontakt zu der Hexe hergestellt werden kann“, richtete Dorkas ihr aus. Schon ließen sie das Tal hinter sich und die Erde unter ihnen wirkte genau so schwarz, wie der Himmel über ihnen. Anruin war nur noch ein ferner Punkt, der durch das Leuchten einiger Fenster zu erkennen war.
„Wie sieht der Plan aus?“, fragte Amara an den Drachen gerichtet.
„Wenn alles nach Plan läuft, sollten wir vor Sonnenaufgang am Ziel sein. Es ist essenziell, dass wir nicht gesehen werden! Wir fliegen spätestens, bis die ersten Sonnenstrahlen erscheinen und landen dann im Tenebris. Von dort aus ist es nicht mehr weit bis zu dem Palast. Ich war vor einigen Jahrzehnten das letzte Mal dort, aber der Palast steht seit Jahrhunderten, er wird sich nicht viel verändert haben“, sagte Dorkas und erklärte ihr kurz den groben Aufbau des Gebäudes. Die Gärten waren mit Teichen und wunderschönen Statuen verziert. Er zeigte ihr jedoch nur Bilder aus der Luft und von außen, denn um den Palast zu besuchen war selbst Svarog schon zu groß. Sie warf dem kleinen, orangenen Drachen einen Seitenblick zu, um seine Größe besser einschätzen zu können. Svarog war vielleicht gerade so halb so groß wie ihr Begleiter. Er ging Dorkas vielleicht bis zur Schulter.
Als sie eine gute Entfernung zum Drekafjall hinter sich gebracht hatten, nahm Amara das Gespräch wieder auf:

„Du wusstest die ganze Zeit von der Prophezeiung, nicht wahr? Warum hast du nichts davon erzählt!“
Ihre Wut war noch nicht ganz verraucht, aber was noch mehr schmerzte, war der Verdacht, dass er es vor ihr verschwiegen hatte, weil er ihr nicht vertraute.
„Ich wusste davon und habe nichts gesagt, weil es nichts geändert hätte“, gab Dorkas gelassen zurück.
„Nichts geändert?!“, donnerte sie los. *„Das ändert alles! Das Schicksal der Menschen, Reiter und Drachen hängt von uns ab, und du sagst, es ändert nichts!“*
„Hat es das nicht eh schon immer?“, fragte Dorkas ruhig.
Sie hasste es, wenn er Recht hatte. Doch auch wenn Amara seinen Gedankengang verstand, änderte es nichts dran, dass er es vor ihr verheimlicht hatte.
„Wer wusste noch davon?“, fragte sie immer noch etwas eingeschnappt.
„Niemand“, gab er kurz angebunden zurück und seine Antwort überraschte Amara mehr als sie zugeben wollte.
„Nicht einmal –“, setzte sie an, doch Dorkas unterbrach sie, bevor sie den Gedanken zu Ende denken konnte. *„Nein, nicht einmal Kaia.“*
„Oh.“ Dass er seiner Gefährtin nichts davon erzählt hatte, ließ sie stutzen. Es war mehr als ungewöhnlich und erneut fragte Amara sich, was an dieser Prophezeiung wirklich dran sein konnte und welche Rolle sie spielen würde. Erst im nächsten Moment fiel ihr auf, wie selbstverständlich er den Namen vor ihr ausgesprochen hatte – *Kaia.* In diesem einen Wort schwang so viel Wärme und Vertrautheit mit, dass es sie einen

Augenblick innehalten ließ. Für den Moment wirkte selbst die unnahbare Königin der Drachen weniger einschüchternd, vielleicht sogar ein wenig menschlich.
„Wie hat sie es aufgefasst?“, fragte sie vorsichtig.
„Wie erwartet“, brummte Dorkas. Amara schluckte. Sie brauchte keine weiteren Worte, um sich auszumalen, wie der Streit verlaufen war.
Kaida – stolz, feurig von Temperament und Ehrgeiz geleitet – und Dorkas mit seiner eisigen, kontrollierten Ruhe, hinter der sich ein ebenso unbändiges Temperament verbarg. Sie konnte sich beinahe vorstellen, wie die Luft zwischen ihnen gebrannt hatte, als Feuer auf Frost traf und keiner bereit war, nachzugeben. Allmählich wurde ihr bewusst, wieso Dorkas sie so vehement ausgesperrt hatte. Ein Jahrzehnt des Schweigens ließ sich nicht mit einem Geständnis ungeschehen machen.
„Das tut mir leid“, sagte sie beklommen und fragte dann vorsichtig: *„Weiß sie, dass wir aufgebrochen sind?“*
„Natürlich! Aber sie wird uns nicht aufhalten.“ Seine Stimme klang ruhig, doch sie konnte den feinen Bruch darin hören. Und ehe sie weiterfragen konnte, wechselte er geschickt das Thema.
„Wir verlassen jetzt die letzten Ausläufer des Tals. Halt dich jederzeit für einen Angriff bereit“, warnte er und Amara nahm den Themenwechsel kommentarlos hin. So flogen sie einige Zeit schweigend, bevor sie erneut das Gespräch suchte.
„Warte. Hast du mich nur wegen der Prophezeiung gewählt?“ Der Gedanke schmerzte.

„Natürlich nicht", knurrte Dorkas beinahe beleidigt. *„Du solltest wissen, dass nicht mal wir Drachen wissen können, welche Kräfte ein Reiter entwickeln wird."* Er hielt sich weit über der Wolkendecke, als sie weiter nach Süden flogen.
„Aber du hast es geahnt, oder nicht? Warum sonst hättest du, das Risko eingehen sollen, erneut einen Reiter zu wählen?", bohrte Amara weiter nach. Sie musste die Wahrheit wissen, so sehr es sie auch schmerzen würde.
„Ich habe es gehofft", gab er seufzend zu. *„Aber ich habe dich nicht deswegen ausgewählt. Ich habe dich gewählt, weil du eingeschritten bist und die Schwächeren beschützt hast, als jeder andere die Flucht ergriffen hätte. Du hast Mut bewiesen, und dass du das Zeug hast, eine große Reiterin zu werden. Also hör´ endlich auf zu jammern!"* Seine Worte beruhigten sie ein wenig und Amara kam ein anderer Gedanke.
„Kann es sein, dass die Prophezeiung vielleicht doch von Jemand anderen handelt? Wenn ich es richtig verstanden habe, spricht sie nur von schwarzem Feuer", fragte sie, ohne die Hoffnung ganz aufgegeben zu haben, dass das Schicksal des Landes doch nicht auf ihren Schultern ruhen sollte.
„Nein, kann es nicht", sagte der Drache kurzangebunden.
„Aber wieso? Es gibt doch noch andere schwarze Drachen, oder nicht? Und wenn einer von denen einen Reiter wählt, der auch Feuermagie beherrscht, dann kann es sein, dass die Prophezeiung nicht von uns handelt", führte sie ihren Gedanken fort.
Es dauerte einen Moment bis Dorkas antwortete und er hatte seine Worte mit Bedacht gewählt: *„Es gibt noch andere. Aber wir sind wenige. Wir waren schon immer wenige. Über die Jahrhunderte wurden es immer weniger"*, sagte er ruhig, ein leicht bitterer Unterton war in seiner Stimme zu hören.

Nach einer kurzen Pause sprach der alte Drache weiter: *„Und hätte ich nicht geschworen, dir die Wahrheit zu sagen, würde ich dir das, was ich jetzt sage, vermutlich nicht anvertrauen."* Seine Stimme hatte urplötzlich wieder den gewohnten harten Ton angenommen und Amara wurde hellhörig. Ohne was zu sagen, wartete sie, bis der Drache mit seiner Erklärung fortfuhr.

„Es gibt noch vier. Mit mir." Die Zahl erschütterte sie, es war kein Geheimnis, dass schwarze Drachen selten waren. Doch sie hätte nicht damit gerechnet!

„Und keiner von ihnen wird sich in den nächsten Jahren mit einem Reiter verbinden. Zwei sind, selbst für die Maßstäbe der Menschen, noch sehr jung – kaum dem Kükenalter entwachsen. Und selbst wenn sie alt genug wären, um einen Reiter zu wählen, es würde ihnen an Kraft und Erfahrung fehlen, die die Jahrhunderte bringen", erklärte er ruhig. *„Ich kann und werde sie nicht in den Kampf schicken!"* Der letzte Satz kam ein wenig schärfer herüber als der Rest, und da verstand sie. Er schwieg kurz, als wolle er einen Gedanken verwerfen, bevor er leise hinzufügte: *„Einer von ihnen trägt ohnehin kein reines Schwarz. In ihrem Schuppen glimmt Rot, als hätte das Feuer selbst darin Spuren hinterlassen. Du siehst also, dass die Möglichkeiten begrenzt sind."*

„Oh!" Amara brauchte einen Moment, um das Gehörte zu verarbeiten. Doch es ergab durchaus Sinn und erklärte einiges. Es war nicht nur die Verantwortung dem Drekafjall gegenüber, die Kaida und Dorkas davon abhielten, das Gebirge länger zu verlassen, erkannte sie jetzt. Es war ihr zuvor schon aufgefallen, dass scheinbar immer einer von ihnen vor Ort, oder zumindest in der

Nähe des Gebirges war. Sie hatte dies bisher immer auf ihre Verantwortung als Clanoberhaupt zurückgeführt.
„Es sind eure Küken, oder? Deswegen hast du entschieden, selbst wieder in den Kampf zu fliegen?", fragte sie vorsichtig. Es war mehr eine Feststellung als eine wirkliche Frage, denn er hatte ihr die Antwort eigentlich bereits gegeben.
„Ja.", bestätigte Dorkas ihren Verdacht. *„Dieses Wissen darf niemals den Drekafjall verlassen! Wir wissen nicht, ob der Verräter möglicherweise von der Prophezeiung weiß. Und selbst wenn nicht…"*
„Ich verstehe, von mir erfährt keiner was. Du hast mein Wort!", versicherte sie nachdenklich.
„Was ist mit dem anderen? Du hast gesagt es gibt vier?" Es dauerte einen Moment, bis er ihr antwortete.
„Er ist alt und garstig", sagte Dorkas ausweichend.
„Das ist keine Erklärung. Du bist auch alt und zuweilen garstig", stichelte Amara in der Hoffnung, mehr Informationen zu erhalten. Ein Funken Entrüstung war über die Verbindung zu spüren und Amara wusste, dass sie einen Nerv getroffen hatte.
„So alt bin ich gar nicht! Du musst aufhören in den Maßstäben eures kurzlebigen Volkes zu denken", knurrte der Drache gereizt.
„Wenn ich mich recht erinnere, bist du einer der ältesten Drachen im aktiven Dienst", stichelte sie weiter.
„Das stimmt", seufzte Dorkas und setzte dann zu einer Erklärung an: *„Aber Corbin ist –"* er überlegte kurz, wie er es am besten ausdrücken sollte. *„nicht nur alt, er ist uralt."*

Als er merkte, dass Amara immer noch nicht viel damit anfangen konnte, fügte er erklärend hinzu: *„Weit in seinem achten Jahrhundert.“*

„Achthundert Jahre!“, dachte sie erstaunt. Es kam ihr unvorstellbar vor, dass ein Wesen so lange leben konnte. Dorkas ließ sich kurz unter die Wolkendecke fallen, um die Umgebung zu kontrollieren und ihr Magen machte einen Satz bei dem plötzlichen Sturz.

„Danke für die Warnung“, murmelte sie.

„Du hast immer noch nicht erklärt, warum Corbin keine Option für die Prophezeiung wäre“, hakte sie erneut nach.

„Corbin ist das Oberhaupt des Kaldarethclans, weit im Norden an der Grenze zu Xandria“, sagte er und Amara versuchte sich zu erinnern, was sie über den Clan wusste. Dorkas bemerkte ihre Verwirrung und führte seine Erklärung weiter aus: *„Im Kaldarethgebirge leben nur lasair – Feuerdrachen. Die Landschaft ist skrupellos und die harten Bedingungen überleben nur die Stärksten. Die Abgeschiedenheit und Härte des Gebirges haben die dort lebenden Drachen über die Jahrtausende verändert. Sie sind besser an das kalte Klima, die Dunkelheit und die harten Bedingungen ihres Lebensraums angepasst. Corbin und sein Clan werden sich nicht einmischen. Ihre Treue gilt nur ihrem eigenen Blut. Sie würden zu gucken, wie der Rest von uns vernichtet wird, ohne eine Kralle zu rühren“*, erklärte er und Amara hätte schwören können, einen Hauch von Bitterkeit und Verachtung in seiner Stimme mitschwingen zu hören.

„Corbin verabscheut Menschen noch mehr als mich, und das heißt schon was, denn er hasst mich wirklich sehr. Es ist also mehr als unwahrscheinlich, Hilfe von ihm zu erwarten“, beendete Dorkas seine Schilderungen.

Amara runzelte nachdenklich die Stirn, seine Erklärung hatte sie ein wenig stutzig gemacht. Dorkas sprach selten so abschätzig über die Seinen. Selbst den anderen Drachenarten gegenüber zeigte er immer Respekt. Und das war, so viel sie wusste, nicht selbstverständlich. Die Drachen waren untereinander ähnlich zerstritten wie die Menschen. Sie dachte über das Gehörte nach.

„Der Kaldareth war ursprünglich dein Clan, nicht wahr?“, fragte sie vorsichtig, wohlwissend, dass sie sich auf gefährlichem Terrain bewegte.

„Das ist viele Jahrhunderte her. Aber ja“, gab Dorkas nachdenklich zu und zum ersten Mal war sie nicht ganz in der Lage seine Stimmung einzuschätzen.

Er hatte ihre Verbindung jetzt auf ein Minimum reduziert, sodass sie nur noch einen leichten Hauch von Kälte spürte, die von dem Geist des Drachen ausging. Amara hätte gerne weiter gefragt, doch sie ließ das Thema fürs Erste fallen.

„Wie alt bist du eigentlich tatsächlich? In den Aufzeichnungen der Reiter konnte ich dazu nichts finden“, fragte sie nach kurzem Schweigen neugierig geworden. Aber Dorkas überhörte die Frage, wie erwartet, gekonnt.

Er nutzte die günstigen Winde und ging mit weitausgestreckten Flügeln in einen Gleitflug über. Die Zeit verging und sie flogen ohne Rast. Das Land unter ihnen erstreckte sich dunkel im fahlen Mondlicht. Es war so dunkel, dass sie die Hand vor Augen gerade so sehen konnte, und die Dunkelheit löste eine kalte Beklommenheit in ihr aus. Amara hasste es, nichts sehen zu können, auch wenn das Wissen sie beruhigte, dass Dorkas in der

Lage war in der Finsternis zu sehen. So zogen die Stunden zäh dahin. Die Müdigkeit lag schwer auf ihren Gliedern.

32

W*ach auf.*“ Die dunkle Stimme des Drachen riss sie aus dem Schlaf. Amara zuckte hoch und sah sich um. Sie war immer noch auf Dorkas´ Rücken und der Wind pfiff an ihr vorbei. Es war ihr trotz der kalten Nachtluft und ihrer unbequemen Lage gelungen, einzuschlafen, stellte sie verlegen fest.

„*Was ist los?*“, fragte sie schlaftrunken und sah sie blinzelnd um.

„*Wir sind fast da, daher solltest du dich besser festhalten. Die Bäume erschweren die Landung unglücklicherweise*“, erklärte Dorkas, als sie über dem dichten Wald weite Kreise flogen.

„*Wie lange habe ich geschlafen?*“, fragte Amara und bekam ein schlechtes Gewissen, bei dem Gedanken, wie lange der Drache geflogen war.

„*Vier Stunden*“, sagte Dorkas, ohne einen Anflug von Missfallen. Als würde er ihre Schuldgefühle spüren, fügte er hinzu: „*Gräme dich nicht. Ich kann mehrere Tage entspannt ohne Schlaf auskommen. Wir sind nicht so eine bedürftige Spezies wie ihr Menschen.*“

Sie verdrehte die Augen über seinen Kommentar, ließ die Aussage aber unkommentiert.

Nach einigen Minuten hatten sie eine Lichtung gefunden, die groß genug war, damit die beiden Drachen landen konnte.
Dorkas landete unsanft auf dem moosbedeckten Boden, da das dichte Blätterdach es ihm nicht erlaubte, die Flügel zu ihrer vollen Größe auszubreiten. Svarog folgte kurze Zeit später. Der kleinere Drache landete, im Gegensatz zu ihnen, problemlos zwischen den dichten Bäumen. Sie kletterte zu Dorkas´ Schulter und ließ sich dann die letzten Meter bis zum Boden gleiten. Ihre steifen Beine schmerzten bei dem Aufprall und sie freute sich über die Möglichkeit, sich endlich zu bewegen. Schnell fingen sie an, ein Lager aufzuschlagen.
„Wir haben noch gute drei Stunden, bis die Sonne aufgeht und wir zu Malvor aufbrechen. Wir sollten die Zeit nutzen und uns ausruhen“, sagte Bowen zu ich gewandt, als er seine Schlafmatte ausrollte. Amara tat es ihm gleich und legte den Gürtel mit Aradyn und ihren Messern ab.
„Meinst du, wir müssen uns Sorgen machen wegen den Skrim und anderen Kreaturen des Waldes?“, fragte sie besorgt in die Runde.
„Hier mit den Drachen, wird keiner so dumm sein sich an uns anzuschleichen“, versuchte Bowen sie zu beruhigen, blickte aber selbst misstrauisch in die Dunkelheit des Waldes. Svarog ließ sich mit einem dumpfen Aufprall auf den lehmigen Waldboden fallen. Der orangene Drache rollte sich zusammen, seine bronzefarbenen Augen blieben aber aufmerksam auf Bowen und sie gerichtet. Amara hätte gedacht, dass Dorkas es ihm gleichtat,

doch statt sich auszuruhen, verschwand dieser kurz nach ihrer Landung im Unterholz.
„*Wo willst du hin?*“, fragte sie unsicher.
„*Ich gehe auf die Jagd. Svarog passt auf*“, antwortete er kurzangebunden und fügte dann scherzhaft hinzu: „*Sonst überlege ich mir vielleicht doch noch, dass ein Mensch ein annehmbarer Snack ist. Auch wenn an euch nicht sonderlich viel dran ist.*“ Sie ließ seinen Witz unkommentiert und sah, wie seine riesige Gestalt bald mit den Schatten des Waldes verschmolz. „*Großartig.*“
Der Gedanke behagte ihr ganz und gar nicht, doch Amara schluckte den Gedanken herunter. Ihr Blick blieb aber auf die Dunkelheit des Waldes gerichtet.
„Was wissen wir eigentlich über Fürst Malvor?“, fragte sie an Bowen gewandt.
„Ich habe Malvor schon öfter getroffen. Er unterstützt uns im Geheimen, seit Kagan den alten Fürsten bei seiner Machtübernahme hat hinrichten lassen, weil er aufbegehrt hat. Er ist etwas – wie sage ich es am besten?“, überlegte er. „– exzentrisch. Das trifft es, glaube ich, ganz gut“, erklärte Bowen, als er sein Schwert ablegte und es sich auf seiner Schlafmatte bequem machte. Amara starrte noch einen Moment in die Dunkelheit und grübelte über ihre Situation, bevor sie sich ebenfalls auf ihre dünne Matte legte und die Augen schloss.
Es verging fast eine Stunde und doch wollte der Schlaf sie nicht übermannen. Sie rollte sich zum wiederholten Male hin und her.
Ein Blick verriet ihr, dass neben ihr Bowen tief und fest am Schlafen war. Eine innere Unruhe hielt Amara

jedoch davon ab, es ihm gleich zu tun. Der Wald behagte ihr nicht. Die Bäume waren zu dicht und ihre Schatten zu lang. Es fühlte sich an, als ob der Wald von einer dunklen Präsenz beherrscht werden würde. Besucher schienen nicht willkommen zu sein.
Sie richtete sich auf und lehnte sich an einen Baum. Ihr Magen meldete sich knurrend zu Wort und Amara griff nach ihrem Gepäck, als ein Geräusch ihre Aufmerksamkeit erregte. Zuerst vernahm sie nur das näherkommende Rascheln der Blätter und schwere Schritt. Sie griff nach dem Schwert – bereit sich zu verteidigen. Doch nach einigen Sekunden erkannte sie die silbernen Augen im Unterholz aufblitzen und atmete beruhigt auf. Als Dorkas auf die Lichtung trat, erkannte sie, dass der große Drache etwas in den Fängen hielt. Der metallische Geruch von Blut stieg ihr in die Nase.
„Die Jagd war wohl erfolgreich“, stellte sie fest und versuchte den Geruch des Blutes auszublenden. Ihr Hunger war plötzlich nicht mehr so groß, wie zuvor.
Dorkas ließ sich in einiger Entfernung zu dem orangenen Drachen auf den Waldboden fallen. Svarog steckte daraufhin den Kopf unter einen seiner Flügel und versuchte wohl ebenfalls etwas zu schlafen.
Dorkas aber klemmte das blutende Etwas zwischen seinen dunkelgrauen Krallen ein. Bei genauerer Betrachtung erkannte Amara, dass es sich wohl um einen Hirsch handelte. Er hing schlaff in den Klauen des Drachen. Sein Kopf baumelte leblos hin und her, als der Drache sich bewegte.

Die glasigen Augen des Tieres starrten ausdruckslos in ihre Richtung, als Dorkas sich daran machte den Hirsch auseinander zu nehmen. Das Knacken der Knochen jagte ihr eine Gänsehaut über den Rücken und zum ersten Mal seit Monaten wurde ihr wieder wirklich bewusst, dass der Drache ein Jäger war.

Ein Raubtier, welches unmissverständlich an der Spitze der Nahrungskette stand. Der gigantische Drache hob den Kopf und drehte ihn langsam zur Seite, wie um sie besser sehen zu können. Eines seiner leuchtend silbernen Augen fixierte sie mit stechendem Ausdruck. Das Blut des Hirsches tropfte leise auf den Waldboden, als er ein Bein des Tieres in den Fängen hielt. Es kostete Amara mehr Selbstbeherrschung, als sie sich eingestehen wollte, den Blick nicht zu senken.

„Möchtest du auch etwas?", fragte der Drache.

„Nein, danke. Das ist mir doch ein wenig zu frisch", gab Amara so höflich, wie möglich zurück.

„Du könntest es rösten", schlug der Drache vor.

„Wir haben kein Lagerfeuer", versuchte Amara sich rauszureden.

„Du hast Feuermagie" Unglaube spiegelte sich in seiner Stimme wider. Da bemerkte Amara seine Belustigung.

„Ich habe mir in Anruin etwas eingepackt, bevor wir losgeflogen sind", argumentierte sie dennoch weiter und zog ein Stück Brot und Käse aus ihrer Tasche.

„Ich weiß zwar immer noch nicht, was ihr Menschen an diesem gerösteten Getreidebrei so toll findet, aber das geht natürlich auch. Aber iss jetzt endlich was, ich kann deinen Magen bis hierher

knurren hören!", sagte er und wandte sich wieder seinem Hirschen zu.
Svarog regte sich langsam wieder. Seine Flügel raschelten, als er den Kopf erneut hob. Die Schuppen des Feuerdrachen glänzten wie die Morgenröte in der aufgehenden Sonne, als er sich erhob, und seine bronzefarbenen Augen wandten sich in Dorkas´ Richtung.
Dieser ließ ein leises Knurren erklingen, dass die Vögel in den Bäumen aufschrecken ließ und brummte dann an den anderen Drachen gewandt: *„Fang dir selbst was, wenn du Hunger hast. Es ist hell genug, dass auch du sehen kannst!"*
Svarog zog unterwürfig den Kopf ein und machte sich dann auf den Weg. Amara sah zu, wie der orangene Drache im Wald verschwand. Jetzt erst wurde ihr bewusst, dass sie sich geehrt fühlen sollte, dass er bereit gewesen war, ihr etwas von dem Hirsch abzugeben.
Amara nahm das Brot und den Käse und aß ein wenig davon. Ihre Gedanken schweiften wieder zurück zu ihrem Gespräch und ihr kam eine Frage.
„Meintest du das vorhin ernst, dass du mein Magenknurren hören konntest?", fragte sie ein wenig beschämt. Sie konnte sich beim besten Willen nicht vorstellen, dass es stimmte.
„Natürlich, die Frage ist beleidigend! Ich kann Beute mehrere hundert Meter entfernt im Unterholz hören", brummte Dorkas zurück, bevor er seine Konzentration auf das Mahl lenkte.
Sie nahm einen weiteren Bissen von dem Brot und beobachtete, wie der Himmel sich langsam rot färbte und den neuen Tag ankündigte. In Kürze würde sie ihre Antworten bekommen und bis dahin versuchte Amara ihre

Unruhe zu unterdrücken. Sie legte den Gürtel wieder um und kontrollierte, ob ihre Messer noch alle an der richtigen Stelle saßen, bevor sie ihr Lager abbrachen.

***

Der Palast war wahrlich ein eindrucksvolles Gebäude, stellte Amara mit Erstaunen fest, als sie die Dämmerung nutzten, um mehr oder weniger, ungesehen in den Gärten zu landen. Die Grünanlage sah selbst im Dämmerlicht des Sonnenaufgangs imposant aus. Die Hecken waren akkurat geschnitten und ein spektakulärer Springbrunnen sprudelte wenige Schritte von ihnen entfernt. Das Herzstück des Brunnens war ein riesiger, marmorner Drache, der anstelle von Feuer, Wasser spie.
„*Meinst du es war wirklich eine gute Idee, dass du dich hier zeigst?*“, fragte sie Dorkas unsicher, als sie die panischen Blicke der Angestellten bemerkte.
„*Nein, aber ich lass dich definitiv nicht allein in feindliches Territorium gehen. Sie sollen wissen, womit oder besser mit wem sie es zu tun bekommen, wenn sie dir etwas antun*“, antwortete er bestimmt.
„*Fürst Malvor ist ein Verbündeter. Ich glaub nicht, dass er uns was tun wird und abgesehen davon kann ich selbst auf mich aufpassen*“, argumentierte Amara, als sie sich auf den ordentlichen Rasen fallen ließ, auch wenn seine Sorge sie ein wenig rührte.
Eine ältere Magd ließ ihren Korb mit Wäsche fallen und stieß einen erstaunten Schrei aus. Ihr rundliches Gesicht war bleich, als hätte sie einen Geist gesehen. Amara wollte gerade zu ihr gehen und das Wort an sie richten,

als die Frau hastig ihre Röcke raffte und panisch in Richtung des Haupthauses davonrannte.
„So viel zum Thema, keine Aufmerksamkeit erregen", zischte Bowen so leise, dass nur sie es hören konnte und warf dem schwarzen Drachen einen Seitenblick zu.
Die Kunde von ihrer Ankunft hatte sich scheinbar schon herumgesprochen, denn nur kurze Zeit später kam ein kleiner Mann in einem pompösen Gehrock aus dem Gebäude geeilt. Hocherhobenem Hauptes stellte er sich ihr als oberster Kämmerer des Fürsten vor und maß sie zugleich mit einem missfallenden Blick. Amara musste ein Augenrollen unterdrücken.
Bowen schien den Mann zu kennen, denn dieser wandte sich ihm mit einer gewissen Vertrautheit zu.
„Der Fürst erwartet euch und eure Begleiterin im Wintergarten."
Dorkas, der noch immer hinter ihr stand, senkte den Kopf und bewegte ihn in einer schlangenartigen Manier zur Seite, um den Kämmerer mit einem seiner riesigen Pupillen in Augenschein zu nehmen. Dem Mann fiel alles aus dem Gesicht, als er sich dem riesigen Ungeheuer gegenübersah. Dorkas´ Flügel raschelten laut, als er sich allmählich zu seiner vollen Größe aufrichtete und die gigantischen Fänge entblößte, und ein leises Knurren kam aus seiner Kehle.
„Sag ihm, dass wenn sein Herr oder irgendein anderer aus seinem Hofstaat dir zu nahekommt, werde ich den ganzen Palast in Schutt und Asche legen und die Erde mit ihrem Blut tränken", sagte er mit fester Stimme, die keinen Zweifel ließ, dass er das Gesagte in die Tat umsetzen würde.

„Das werde ich definitiv nicht! Wir brauchen das Wohlwollen des Fürsten, damit er uns hilft, Kontakt zu Elysara herzustellen. Und abgesehen davon, reicht dein Anblick schon aus, um die Angestellten in Panik zu versetzen. Sieh dir den Kerl doch mal an! Ich glaube, er fällt gleich in Ohnmacht, wenn du ihn weiter so musterst", zischte sie zurück und schob sich langsam zwischen Dorkas und den Kämmerer. Widerwillig zog der Drache sich ein wenig zurück.

„Sag es ihm, sonst tue ich es und dann hat er vermutlich wirklich einen Herzinfarkt", beharrte er weiter und Amara war sich sicher, dass er seine Drohung wieder mal wahrmachen würde.

„Na gut!", gab sie zähneknirschend nach und sagte dann laut: „Und nur damit das klar ist. Solltet ihr Irgendetwas geplant haben und uns verraten, werden die hier –" Sie zeigte mit einer lässigen Handbewegung auf die Drachen hinter ihnen. „– den Palast niederbrennen und alles, was sich darin befindet."

Der Kämmerer sah sie kurz feindselig an, nickte dann aber und sagte: „Wenn Sie mir dann bitte folgen würden."

„Das ist nicht das, was du ausrichten solltest!", knurrte Dorkas, bevor er sich auf den Rasen niederlegte. Selbst mit den Flügeln eng am Körper, nahm er einen Großteil der Fläche hinter dem Brunnen ein. Sie folgten dem Mann und Bowen sah sie mit einem Ausdruck an, den sie nicht ganz deuten konnte.

„War es Erstaunen oder vielleicht doch Missbilligung?" Sie ließen sich etwas nachhinten fallen und Amara wartete, bis der kleine Mann außer Hörweite war.

„Alles gut?“, fragte Amara leise in Bowens Richtung.
„Ja, du hast mich gerade nur etwas erstaunt“ Er vermied es, ihr direkt in die Augen zu Blicken.
„Tut mir leid, ich wollte keine Szene machen. Dorkas hat darauf bestanden“, antwortete sie entschuldigend und so leise, dass nur er es hören konnte. Bowen öffnete gerade den Mund, wie um etwas zu entgegen. Schien es sich jedoch anders zu überlegt zu haben. Sie hatten ein riesiges Glassgebäude erreicht.
Der Wintergarten war gigantisch und über und über mit den unterschiedlichen Pflanzen gefüllt. Sie sah einen Orangenbaum, der in voller Blüte stand und einige Früchte, die sie noch die zuvor gesehen hatte. Erstaunt riss Amara die Augen auf und versuchte, sich jede Kleinigkeit anzusehen. Es war ein architektonisches und botanisches Meisterwerk!
Sie überquerten eine kleine hölzerne Brücke, die über einen Bach führte. Er floss mitten durch das Gebäude. Das Zwitschern exotischer Vögel erklang wie eine Sinfonie aus den Bäumen und Büschen. Fasziniert sah Amara sich weiter um und erkannte an jeder Stelle neue Wunder.
Mitten zwischen den Bäumen sah sie eine lange Tafel, die mit Früchten und Süßspeisen vollgestellt war. Eine Schar von Angestellten in weißen Kleidern huschte durch den Wintergarten davon.
„Ihr müsst unsere Imperfektion entschuldigen, wir haben euch nicht so früh erwartet“, erklang eine übertrieben heitere Stimme in der Nähe.

Einen Augenblick später erkannte sie den Mann. Vor ihnen stand Fürst Malvor, gekleidet in einen prachtvoll geschmückten Gehrock, die haselnussbraunen Haare frisch frisiert schenkte er ihnen ein freundliches Lächeln. Der Fürst war jünger als sie erwartet hatte. Sie hatte mit jemand Älteres gerechnet, doch der Mann, der jetzt vor ihr stand, war schätzungsweise Anfang dreißig.
„Die Mühe wäre doch gar nicht nötig gewesen, mein Herr", sagte Bowen galant, mit einer leichten Verbeugung. Malvor schenkte ihm ein wohlwollendes Lächeln, bevor er sich Amara zu wandte.
„Welch ein willkommener Anblick!", trällerte er und nahm ihre linke Hand, die mit der Aithne gezeichnet war, vorsichtig in die seine und hauchte einen Kuss auf den Handrücken. „Sie machen allen exotischen Blumen in diesem bescheidenen Garten Konkurrenz, Miss…?"
Fürst Malvor musterte sie aufmerksam und Amara erwiderte seine Begrüßung, ohne den Blick zu senken.
„Ihr seid zu gütig, mein Herr! Hawthorne. Amara Hawthorne", sagte sie erklärend und schenkte ihm ein honigsüßes Lächeln.
„Bitte setzt euch doch Miss Hawthorne, ihr müsst erschöpft von der Reise sein." Mit den Worten führte er sie zu einem Stuhl, direkt neben dem seinen am Kopfende der langen Tafel. Seine Berührung war nur hauchzart, als würde er einen scheuen Vogel in den Händen halten. Bowen ließ sich ihr gegenüber, auf einen Stuhl fallen und sah sie mit hochgezogener Augenbraue an.
Sobald sie saßen, kamen erneut Angestellte wie aus dem Nichts zu ihnen geeilt. Eine junge Frau füllte ihren

Kelch mit einer süßlich riechenden Flüssigkeit. Die Magd starrte wenig subtil mit großen Augen auf Aradyn und ihre Kleidung. Die schwarze Rüstung musste ein ungewohnter Anblick für sie sein – vor allem an einer Frau, stellte Amara fest. Vermutlich hätte schon die schlichte Tatsache, dass sie Hosen anstelle eines Kleides trug, gereicht, um die junge Frau aus der Fassung zu bringen. Doch das Schwert und die Messer an ihrer Seite ließ die Magd blass werden. Sie wich einen Schritt zurück, als könne schon ihre Nähe Ärger bedeuten. Amara dankte der Frau mit einem ehrlichen Lächeln, nahm den Kelch in die Hand und roch an der dunklen Flüssigkeit.
„Das riecht herrlich. Was ist das?“, fragte sie neugierig an den Fürsten gewandt und setzte den Kelch an die Lippen. Eine wunderbare Süße breitete sich in ihrem Gaumen aus und ließ ihre Geschmacksnerven klingen.
„Das meine Liebe, ist der Saft der Kybabeere. Ich habe vor einigen Jahren einen Baum aus den Tiefen der Fásachwüste hierherbringen lassen. Ich kann ihn euch zeigen, wenn ihr es wünscht“, erklärte der Fürst und die Begeisterung in seiner Stimme war unüberhörbar.
In der Nähe zwitscherten die Vögel und Amara genoss die Atmosphäre des Gartens. Es fiel ihr immer schwerer, Vorsicht walten zu lassen und sie musste sich zusammenreißen ihre Deckung zu wahren.
Bowen jedoch schien unberührt von dem Zauber des Ortes zu sein, stellte sie mit einem Blick in seine Richtung fest.

„Wann können wir erwarten, Elysara treffen zu können? Wir sind schließlich deswegen hier“, sagte er und schien ernster als sonst.
„Nur mit der Ruhe, mein alter Freund. Ich habe bereits einen Boten ausgesandt, der sie von eurer Ankunft unterrichtet hat und dafür gesorgt, dass ein Treffpunkt vereinbart wird“, erwiderte Malvor ungerührt und nahm sich ein Törtchen von dem Teller vor ihnen.
„Greift zu! Meine Köche haben sich die größte Mühe gegeben, die Mahlzeit zu dieser frühen Stunde zu zubereiten. Es wäre eine Schande, wenn ihre Taten umsonst gewesen wären“, fügte er noch hinzu.
Amara lief beim Anblick der wundervolldekorierten Törtchen und Süßigkeiten das Wasser im Mund zusammen. Die meisten waren mit Früchten garniert, die nur dank des warmen Klimas des Gewächshauses verfügbar waren. Sie warf Bowen einen fragenden Blick zu. Dieser zuckte fast unmerklich mit den Schultern und nahm sich ein Törtchen. Malvors Aufmerksamkeit wandte sich wieder ihr zu.
„Verzeiht mir meine Neugierde. Wie kommt es, dass eine so hübsche junge Frau, wie ihr einem so gefährlichen Handwerk nachgeht?“, fragte er und fügte dann hinzu: „Mit eurem Auftreten, könntet ihr mindestens eine Gräfin oder sagen wir Fürstin sein.“
„Was für ein Spiel spielt er?“, fragte sie sich im Stillen. Beim letzten Satz fiel Bowen fast das Törtchen aus dem Mund und Amara warf ihm einen ärgerlichen Blick zu. Ebenso höflich wie der Fürst, antwortete sie mit einem

charmanten Lächeln: „Ihr seid zu freundlich, mein Herr. Doch ich habe den Weg der Kriegerin gewählt."
„Gesprochen, wie eine wahre Politikerin", konterte er und sein Blick fiel auf die Aithne. Der schwarze Drache, der sich ihren Unterarm hinauf schlang, blitzte unter ihrem Ärmel hervor.
„Darf ich?", fragte er andächtig und als Amara nickte, schob er vorsichtig ihren Ärmel hoch und betrachtete die Zeichnung genauer.
„Dann stimmt es also wirklich, was die Bedientesten flüstern", hauchte er ehrfürchtig.
„Der schwarze Tod ist zurück. Dorchadas fliegt wieder, nicht wahr?", fragte er fasziniert und sah ihr wieder in die Augen. Ein Hauch von Angst lag in seinem Blick.
Amara zog ihre Hand langsam zurück und senkte den Ärmel über die Aithne. Das Mal wand sich um ihrem Arm und der Drache kletterte langsam bis zum Ellenbogen hinauf, bis er außer Sicht war.
Sie nickte stumm und sagte dann mit fester Stimme: „Und wir werden den Usurpator, der in Naaida herrscht, stürzen und dem Land wieder Freiheit und Gerechtigkeit bringen."
Eine winzige Flamme züngelte auf der Spitze ihres Zeigefingers, als sie den Arm mit dem Ellenbogen auf dem Tisch auflehnte. Malvor starrte sie mit einer Mischung aus Angst und Faszination an.
Es dauerte nur einen Augenblick, bis er sich wieder gefangen hatte und mit seinem charmanten undurchdringlichen Lächeln sagte: „Wie ich sehe, seid ihr eine noch seltenere Blume als angenommen. Es ist ein wenig wie

in den alten Geschichten, oder nicht? Gerade als wir dachten, dass keiner mehr es mit Kagan und seinem Drachen aufnehmen kann, taucht ihr aus dem Nichts auf. Mit dem König der Drachen an euerer Seite und genug Kraft, um das gesamte Reich zu vernichten."

„Hoffen wir, dass es nicht so weitkommt. Es wäre unglücklich, wenn nichts von dem Land mehr übrig wäre", erwiderte Amara mit belegter Stimme.

„Da muss ich euch recht geben", stimmte Malvor ihr zu und sie konnte den Klang in seiner Stimme nicht recht einordnen.

„Es braucht nicht immer ein Inferno. Manchmal reicht ein einzelner Funke, um das Feuer der Revolution neu zu entfachen", raunte sie und ließ die Flamme zwischen ihren Fingern versiegen.

Ein Diener füllte die Kelche nach und Malvor hob ihn in die Luft und richtete das Wort wieder an sie: „Auf euer Wohl und die Erfüllung eurer Ziele." Amara tat es ihm gleich und nahm einen großen Schluck von dem Getränk. Es schmeckte etwas anders als der Saft zuvor, weniger süßlich als die Kybabeeren.

„Was hältst du von dem Fürsten?", fragte sie Dorkas über ihre geistige Verbindung, als sie ein paar Früchte und Törtchen auf ihren Teller lud. Seine Antwort kam prompt und Amara wusste, dass er das ganze Gespräch mitverfolgt hatte.

„Ich kann ihn nicht ausstehen. Er ist gerissener als seine Vorfahren. Der Fürst spielt ein Spiel. Er hält euch hin, aber ich kann nicht sagen zu welchem Zweck – noch nicht. Sei vorsichtig!", brummte er und Amara musste dem Drachen in seiner

Einschätzung zu stimmen. Der Fürst versuchte, sie um den Finger zu wickeln.
„Dann spielen wir sein Spiel und ändern die Regeln", teilte Amara ihm ihre Idee mit.
„Einverstanden! Ich warte auf euch."
Es verging noch ein wenig Zeit, in der sie schweigend aßen, bevor sie sich dran machte ihren Plan in die Tat umzusetzen. Amara warf dem Fürsten ein liebliches Lächeln zu und fragte dann: „Haben wir schon eine Antwort von der Hexe erhalten?"
„Leider nicht, meine Teuerste. Aber ich könnte euch die Gärten zeigen, bis wir Neuigkeiten erhalten. Sie sind exquisit." Galant hielt er ihr seine Hand hin. Malvor nahm ihr gerade einen Großenteil ihres Plans ab.
Sie nahm seine Hand und sah zu Bowen. Dieser sah Amara nur verwirrt an, folgte ihr aber, ohne zu fragen.
„Es läuft alles nach Plan", teilte sie Dorkas mit und musste ein zufriedenes Grinsen unterdrücken, als sie dem Fürsten nach draußen folgte. Malvor ließ sie kurz im Garten stehen, um den Bediensteten einige Befehle zu erteilen und Bowen schloss zu ihr auf.
„Was für ein Spiel spielst du hier?", zischte er leise.
„Ich spiele dasselbe Spiel wie alle hier. Das Spiel der Macht", antwortete Amara kühl und warf ihm einen warnenden Blick zu, aber Bowen war nicht fertig mit der Unterhaltung.
„Wie kommt es, dass du, ohne zu zögern mit den mächtigsten Männern des Reiches flirten kannst, aber kein Wort rausbekommst, sobald Kieran in der Nähe ist?",

meckerte Bowen kopfschüttelnd, als Malvor abgelenkt war – dann verstand er.
„Du hast wirklich Gefühle für ihn!“, stieß er hervor und sah sie fassungslos an.
Ihr Schweigen war Antwort genug.
Bowen sah sie mit großen Augen an und wollte gerade etwas sagen, doch Amara flüsterte herausfordernd: „Und wenn? Eifersüchtig?“
Ihr Blick war noch immer auf den Fürsten gerichtet, der in ein Gespräch verwickelt war, als sie kühl hinzufügte: „Wir haben jetzt keine Zeit, um über Gefühle oder mein Liebesleben zu reden! Nicht, dass es dich was angeht!“
Als Malvor fertig war, Anweisungen an die Bediensteten weiterzugeben, nahm er ihren Arm wieder und Amara schenkte ihm ein strahlendes Lächeln.
„Sag bitte Svarog, dass er Bowen den Plan mitteilen soll“, richtete sie sich an Dorkas, als sie aus dem Wintergarten traten.
„Schon erledigt.“
Sie warf Bowen einen Seitenblick zu und wartete auf seine Reaktion. Und nur kurze Zeit später, folgte diese prompt. Seine Augen weiteten sich kurz und einen Moment später wurde seine Miene wieder ausdruckslos.
Sie wanderten durch die Gärten und ihr Blick fiel auf die wunderbarverzierten Statuen. Die Gärten von Domhnall waren einzigartig und unübertroffen in ihrer Vielfalt. An jeder Ecke entdeckte sie neue kleine Wunder. Der Anblick ließ ihr Herz unwillkürlich höherschlagen. Ihre Finger streiften sanft über die Blätter einer großen Blume, die trotz des noch jungen Sommers schon

blühte, als sich ihr Bauch schmerzlich zusammenkrampfte. Sie zog die Luft zischend ein und fing sich wieder.

„Was ist los?", fragte Dorkas besorgt, als er ihren Schock gespürt hatte. Sie hörte das Rascheln der Hecke, als eine Taubenschar hochschreckte, weil der Drache den riesigen Kopf gehoben hatte und über die Hecken blickte.

„Es ist nichts!", versicherte sie ihm und schob eine erneute Welle des Schmerzes zur Seite.

„Bist du dir sicher? Du könntest vergiftet worden sein", hakte er nach und sie merkte, wie seine Sorge wuchs.

„Ganz sicher. Dasselbe Spiel wie jeden Monat", sagte sie ruhig. Die Bauchschmerzen waren ihr vertraut, wenn auch vielleicht etwas verfrüht. Amara atmete einmal tief durch und zwang ihre Konzentration wieder auf ihre Umgebung.

Bowen schloss zu ihnen auf und griff nach ihrem Arm. Malvor führte gerade einen langatmigen Monolog zur Historie der einzelnen Statuen, als Bowen sie zurückhielt.

Dorkas fixierte diesen und ließ ein kaum hörbares Knurren erklingen.

„Schon gut!", schimpfte Amara und warf dem Drachen einen warnenden Blick zu.

„Was soll das?!", zischte er ihr so leise zu, dass nur sie es hören konnte. Malvor schien nicht gemerkt zu haben, dass sie zurückgeblieben waren. Er war weiterhin darin vertieft seiner eigenen Stimme zu lauschen.

„Er spielt ein Spiel mit uns, siehst du es nicht?! Er hält uns hin, zu welchem Zweck auch immer. Svarog hat dir den Plan gesagt?", wisperte Amara zurück und befreite ihren Arm mit einem heftigen Ruck. *„Das gibt vermutlich einen blauen Fleck."*

„Ja, aber ich halte das für eine sehr schlechte Idee. Vielleicht sollten wir wieder aufbrechen." Ein gehetzter Ausdruck war auf seine Züge getreten. Amara sah ihn stirnrunzelnd an.

„Alles gut?", fragte sie, doch bevor er antworten konnte, wandte der Fürst sich ihnen zu und lächelte Bowen an.

„Wie geht es eigentlich eurer Schwester?", erkundigte er sich unvermittelt. Bowen warf ihm einen eisigen Blick zu.

„Mir wäre es lieber, wenn wir Liana aus dem Spiel lassen würden", antwortete dieser gefährlich leise.

„So leicht reizbar", schmunzelte der Fürst. „Dabei wollte ich nur höfliche Konversation betreiben. Ich habe sie bei meinem letzten Besuch in der Hauptstadt getroffen, müsst ihr wissen."

Ihr Blick wanderte von dem Fürsten zu Bowen.

„Was geht hier vor?", fragte Amara sich irritiert. Sie wollte gerade das Wort an Bowen wenden, da kam ein Bote zu ihnen geeilt. Der Junge in der mausgrauen Uniform sah sie und Bowen neugierig an, als er dem Fürsten einen Brief überreichte. Er war nicht älter als zehn, wie sie verwundert feststellte.

„So wie es aussieht, haben wir hier eure Antwort", sagte Malvor vergnügt und reichte Bowen den Brief. Dieser las ihn und reichte ihn dann an Amara weiter.

„Wir sollten so bald wie möglich aufbrechen. Uns bleibt nicht viel Zeit."

Sie überflog die Worte, die in einer eleganten Handschrift geschrieben waren und sie zu einem Treffen am heutigen Nachmittag einluden.
„Einer meiner Bediensteten wird euch hinführen“, bot der Fürst an. „Und natürlich werden Pferde für euch vorbereiten.“
„Wir werden keine Pferde brauchen“, lehnte Amara höflich, aber bestimmt ab.
„Allein werdet ihr, ihr Versteck nicht finden, daher wäre es ratsam, zu Pferd zu reisen“, warf der Fürst ein und Amara sah sich hilfesuchend zu Bowen um.
Doch dieser stimmte Malvor zu ihrer Verwunderung zu und sagte nur: „Es wäre wirklich weiser das Angebot anzunehmen. Die Drachen können zu uns aufschließen, wenn wir wissen, wohin.“
„Was meinst du?“, fragte sie Dorkas nachdenklich.
„Mir gefällt es nicht. Aber ich sehe keine akute Gefahr, solange du deine Krallen in Reichweite hast. Svarog und ich bleiben dicht über den Baumkronen“, gab Dorkas missmutig zu. Amara hob eine Braue. Er meinte natürlich ihre Messer – und doch lag in seiner Wortwahl etwas, das sie traf. Als hätte er sie, wenigstens für diesen Moment, als ebenbürtige Kämpferin anerkannt.
„Abgemacht! Ich behalte meine Messer in Reichweite und du fliegst bitte hoch genug, dass die Menschen Domhnalls dich nicht sehen“, bat sie ihn, als sie Bowen ihre Zustimmung gab.

33

Sie folgten dem jungen Boten zu den Stallungen und schon von Weitem stieg ihr der Geruch von Pferden und Stroh in die Nase. Das Gebäude war ebenso beeindruckend, wie der Rest des Anwesens. Auch wenn es Amara ein wenig betrübte, die edlen Rösser hier angebunden zu sehen, statt draußen auf den üppigen Wiesen der Ländereien.

Auf dem Hof bei Elsum, hatten sie auch zwei Pferde gehabt. Doch ihre Eltern hatten nichts von der gängigen Haltungsform gehalten. Sie hatten eine große eingezäunte Wiese mit einigen Bäumen gehabt, auf der die Pferde wild gelebt hatten. Die Erinnerung löste sofort ein Gefühl der Wehmut in ihr aus und ließ ihr warm ums Herz werden. Ihr Vater hatte immer gesagt, dass diese Tiere einzusperren, fast ein genauso großes Verbrechen wäre, wie einen Drachen an eine Kette legen zu wollen. Amara strich einer grauen Stute, die ihr gegenüber stand, nachdenklich über den kräftigen Hals, als ein Junge an ihrem Ärmel zog. Sie sah zu ihm herunter „Miss, dieses hier ist euers“, sagte er förmlich und führte sie zu einer moorbraunen Stute mit einer ebenso langen brauen Mähne. Sie dankte dem Jungen und nahm die Zügel des Pferdes entgegen. Bowen war eine schlanke, fuchsfarbene Stute zugewiesen worden. Amara führte ihr Pferd

aus dem Gebäude und schwang sich einigermaßen elegant in den Sattel.
Es war ein ungewohntes Gefühl, nach so vielen Jahren wieder im Sattel zu sitzen. Während ihrer Flucht hatte sie kein Geld für die Reise zu Pferd gehabt und die letzten Monate in Anruin war sie ausschließlich mit Dorkas geflogen. Amara griff die Zügel nach, bis sie einen leichten Kontakt zum Pferdemaul hatte und sah sich nach Bowen um.
Es dauerte ein paar Minuten, bis sie sich an das Pferde gewöhnt hatte. Aber bald saß sie wieder auf im Sattel, als hätte sie die letzten Jahre nichts anderes getan. Zu ihrem Erstaunen, erkannte sie, dass der junge Bote ebenfalls ein Pferd bestiegen hatte und zu ihnen aufschloss. Das Pony des Jungen war kräftig gebaut und ein gutes Stück kleiner, als die Stute auf der sie saß.
„Begleitest du uns zu Elysara?“, fragte sie den Jungen skeptisch. Dieser nickte nur und gab seinem Pony die Sporen. Ein starker Windhauch verriet ihr, dass die Drachen gestartet waren.
Amara trieb ihr Pferd mit einem leichten Druck der Wade vorwärts und sah sich erneut nach Bowen um, der auffällig verkrampft im Sattel saß.
„Alles in Ordnung?“, erkundigte sie sich.
„Ja, ich fühle mich bloß nicht sonderlich wohl auf einem Pferd“ Zerknirscht fasste er die Zügel kürzer.
„Jetzt im Ernst?!“, fragte Amara ihn ungläubig und fügte hinzu: „Du bist ein Drachenreiter! Du reitest einen riesigen feuerspeienden Drachen, mehrere Hundert Meter

über der Erde und willst mir erzählen, dass du Angst vor einem Pferd hast."
„Ja, aber bei Svarog, weiß ich wenigstens einigermaßen, was er vorhat. Bei dem hier -" Er deutete herunter auf das Pferd unter ihm. „ist es unmöglich zu wissen."
Kopfschüttelnd ließ sie sich zu ihm zurückfallen und zeigte auf die Zügel.
„Du hältst sie falsch. Ich zeig dir, wie es geht." Mit ruhiger Stimme erklärte sie ihm die Zügelführung.
„Ich wusste gar nicht, dass du eine Schwester hast", sagte sie nach einer kurzen Pause und konnte den Funken Neugierde nicht unterdrücken. Sie blickte zu Bowen und musterte ihn, gespannt auf seine Reaktion.
„Wir haben uns halt nie über unsere Familien unterhalten", erwiderte er ausweichend.
„Beherrscht der Rest deiner Familie auch Magie?" Sie passierten mittlerweile die Felder am Rand der Stadt.
„Nein, zum Glück nicht. Ich war der Erste in der Familie. Es war eine wirkliche Überraschung und keine Gute." Sein Gesicht zeigte eine Spur Verbitterung.
„Meine Familie wohnt in der Hauptstadt. Ich hatte nur Glück, dass meine Kräfte sich gezeigt haben, als ich mit meinem Vater zur See gefahren bin. Sonst hätte ich keine Chance gehabt. Meine Schwester hat, soweit ich weiß, bisher keine Magie gezeigt. Zum Glück."
„Ich verstehe", sagte Amara leise und schluckte. So nahe an Kagan und seinen Reitern gab es kein Entkommen für Magier – es war ein Todesurteil.
Sie hatten das Anwesen und die umliegenden Felder schon längst hinter sich gelassen, als sie am Rande des

Tenebris in einen lockeren Trab fielen. Amara sah sich erneut nach Bowen um, bevor ihr Blick zum Himmel schweifte und sie meinte einen riesigen Schatten durch die Wolken lugen zu sehen. Ein leichtes Lächeln schlich sich auf ihre Lippen, als sie so daher ritten.
Die Freiheit, die sie im Sattel spürte, war wunderbar! Zwar nicht so stark, wie im Flug mit Dorkas, aber nichts destotrotz wunderbar! Das Blätterdach schloss sich bald über ihnen und der Wald wurde dichter, als sie in den Galopp fielen und den verwundenen Pfaden folgten. Sie ritten an vielen eindrucksvollen Steinformationen vorbei, die aus dem Boden sprossen wie Pilze. Ihr Bauch krampfte sich erneut schmerzlich zusammen und ihr wurde leicht übel.
„Ganz schlechter Zeitpunkt", dachte sie zerknirscht und merkte Dorkas´ Sorge. Er sagte aber nichts weiter. Es war so schon anstrengend genug, ohne ihn von ihrem Wohlbefinden überzeugen zu müssen. Bowen sah zu ihr herüber und fragte: „Geht es dir gut?"
„Es ist nichts", antwortete Amara ausweisend. Sie brauchte nicht noch jemanden, der auf sie einredete. Und Bowen gab sich zu ihrer Überraschung mit dieser Antwort zufrieden. Der Junge führte sie sicher über allen Kreuzungen.
„Er muss oft hier unterwegs sein", überlegte sie misstrauisch. Wie viel Kontakt hatte Malvor wohl zu den Hexen?
So ritten sie einige Zeit durch den düsteren Wald, bevor der Bote sein Pony unvermittelt zum Schritt durchparierte und einen immer schmaler werdenden Pfad zu ihrer Rechten folgte. Amara schloss die Augen für einen

Moment, um sich besser konzentrieren zu können und schickte ihren Geist aus. Sie folgte dem unsichtbaren Band, dass ihre Verbindung zu Dorkas darstellte und fand den Drachen weit über den Wolken, aber ziemlich zielsicher, über ihnen. Beruhigt zog sie sich zurück und untersuchte ihre Umgebung.

Dieser Teil des Waldes war alt – uralt und der Boden mit dunklem Moos überzogen. Es bedeckte Stein, Erde und zum Teil sogar die Bäume. Der Wald wirkte wenig einladend und wie ein gutes Versteck für alles Böse, wie sie fand. Ihre Nackenhaare stellten sich auf, als sie tief im Wald ein Krächzen hörte.

„Was war das?", fragte Amara und versuchte sich ihren Schreck nicht anmerken zu lassen. Doch der Junge zuckte nur mit den Schultern. Es erzürnte und schockierte sie gleichermaßen, dass Malvor ein Kind bis hier hinaus in den finsteren Wald schickte. Und das augenscheinlich nicht zum ersten Mal.

Dieser Ort war das perfekte Versteck für Nachtmahre, die das finstere Dämmerlicht bevorzugten, dachte sie schaudernd. Sie bogen noch einige Male ab und Amara hielt sich bereit, wenn nötig Aradyn zu ziehen. Gerade als sie sich fragte, wie lange sie noch unterwegs sein würden, breitete sich vor ihnen eine Lichtung aus.

Erleichtert stellte Amara fest, dass sie groß genug war, damit die Drachen landen konnten, auch wenn es eng werden würde.

Sie schickte Dorkas einen Eindruck von der Lichtung und es dauerte nicht lange, bis sein riesiger Schatten den Himmel verdunkelte. Ihr Blick fiel auf die Höhle, die sich an eine der riesigen Steinformationen schmiegte. Ihr Eingang war gerade eben groß genug, dass sie aufrecht hindurch gehen könnte. Sie ritten zum Rande der Lichtung und stiegen von den Pferden. Es dauerte nicht lange und der riesige schwarze Drache landete wenig elegant.

„Nächstes Mal sucht ihr gefälligst einen Treffpunkt, an dem man besser landen kann", beschwerte er sich und stieß ungehalten eine Rauchwolke aus den Nüstern. Die Pferde scheuten erschrocken und sie hatten Mühe, die Tiere wieder zu beruhigen. Ihre Stute schnaufte aufgeregt und riss Amara gut einen Meter rückwärts, weg von dem Drachen, bevor sie die Kontrolle zurückgewann. Auch der Junge wirkte so, als würde er am liebsten die Flucht antreten.

„Verdammt noch mal?!", rief Amara ärgerlich und gab sich gar nicht erst die Mühe, auf Gedankenebene zu wechseln. Dorkas antwortete nicht. Er trat bloß zur Seite und machte Svarog so viel Platz, wie möglich zum Landen. Der orangene Drache hatte es, auf Grund seiner geringeren Größe, zwar einfacher, doch selbst er kämpfte mit der Landung.

Der Junge nahm ihnen die Zügel der Pferde ab und ohne die Drachen aus den Augen zu lassen, sagte er: „Sie erwartet euch in ihrem Heim."

Er deutete mit einem seiner kleinen Finger auf die Höhle gegenüber von ihnen, bevor er mit den Pferden im Wald verschwand.

„Der war aber nicht gerade gesprächig", merkte Bowen an, als sie sich daran machten die Lichtung zu überqueren.

„Das kannst du laut sagen", stimmte Amara ihm abwesend zu und packte Aradyns Heft fester. Ihre volle Konzentration lag auf der Höhle und ein ungutes Gefühl beschlich sie.

„Lass die Hexe zu uns rauskommen", orderte Dorkas an und positionierte sich kampfbereit am Rande der Lichtung.

„Das wird sie nicht tun. Ich würde es an ihrer Stelle auch nicht, ihr seid eine zu große Gefahr. Indem sie uns trennt, gleicht sie das Spielfeld zu ihren Gunsten aus", antwortete Amara und der Blick, den er ihr zuwarf, verriet, dass er ihre Ausführung für unnötig erachtete.

„Das ist klar. Aber sie möchte etwas von dir, sonst hätte sie sich nicht die Mühe gemacht, den Kontakt herzustellen. Nutze das und verschiebe den Treffpunkt zu deinen Gunsten", warf der Drache ein und sie konnte sein Augenrollen förmlich sehen.

„Das Problem ist, dass wir ihre Unterstützung brauchen! Nicht nur wegen der Prophezeiung, sondern auch wegen meinen Kräften. Du weißt genau so gut wie ich, dass wir eine Hexe brauchen, damit ich lernen kann, die Energie aus der Natur vernünftig zu kanalisieren. Das kann mir kein Reiter beibringen und auch kein gewöhnlicher Magier!", erinnerte sie Dorkas.

Der Platz auf der Lichtung reichte nicht für Svarog, um den gewohnten Abstand zu dem schwarzen Drachen zu wahren.

Amara spürte seine Anspannung und warf Dorkas einen unauffälligen Seitenblick zu. Er atmete flacher, als würde die Luft zu dicht werden. Jeder Herzschlag schien sich gegen die Enge zu stemmen, ruhig, aber mit der Präzision eines Kriegers, der jeden Muskel unter Kontrolle hatte. Eine innere Unruhe hatte von ihm Besitz ergriffen und die Selbstbeherrschung des Drachen beeindruckte sie. Hätte Amara es nicht über ihre Verbindung spüren können, wäre sie nie auf die Idee gekommen, was für ein Sturm in ihm tobte.

Auch Svarog wirkte sichtlich gestresst. Der orangene Drache, hielt sich so weit wie möglich am Rand der Lichtung, die Flügeln leicht gesenkt. Er ließ Dorkas nicht aus den Augen, auch wenn er den direkten Augenkontakt vermied. Als wüsste er, dass ein einziger falscher Atemzug genügen konnte, um den alten Drachen an die Grenzen seiner Beherrschung zu bringen.

„Warum hat er so eine Angst vor dir?“, fragte Amara vorsichtig, als sie auf die Höhle zu traten.

„Jetzt ist nicht die Zeit. Konzentriere dich auf die Aufgabe vor dir!“, brummte Dorkas ausweichend, ohne ihre Frage zu beantworten. Seine Worte wirkten beinahe schnippisch, doch die Spannung dahinter war greifbar – kein Ärger, nur die Mühe ruhig zu bleiben. Amara warf ihm erneut einen besorgten Seitenblick zu, musste ihm aber widerwillig zustimmen. Je schneller sie hier fertig wurden, desto besser!

Sie standen vor dem Eingang, der im Felsen klaffte. Amara hielt ihren Begleiter zurück, als er eintreten wollte.

„Warte“, sagte sie leise, bevor sie ihre Magie in Form von Funken in Richtung der Höhle aussandte und nach einem anderen Wesen suchte. Ihre Magie streifte durch die Höhle und sie spürte, dass der Tunnel in mehrere größere Kammern führte. Dennoch war bisher kein Lebenszeichen spürbar. Ein dumpfer Schmerz pulsiert plötzlich in ihrem Kopf.

„Mist!“, zischte sie und ihre Hand zuckte hoch zu ihrem Kopf.

„Konntest du etwas aufspüren?“, fragte sie Bowen, in der Hoffnung, dass er mehr Erfolg gehabt hatte. Doch dieser schüttelte bedauernd den Kopf.

„Nein, vielleicht hat sie einen Schutzzauber über den Ort gewirkt, der es verhindert den Geist aufzuspüren“, überlegte er.

„Mir gefällt das nicht!“, knurrte Dorkas. *„Wir sollten aufbrechen! Ich spüre deine Schmerzen, du bist nicht in der Verfassung dich der Hexe zu stellen“*, fügte er besorgt hinzu und trat einen Schritt auf sie zu. Sie warf ihm einem warnenden Blick zu und der Drache blieb stehen.

„Ich werde nicht so kurz vor dem Ziel aufgeben!“, sagte Amara bestimmt und legte ihre ganze Willenskraft in die Worte.

„In Ordnung“, gab Dorkas zu ihrer Verwunderung nach. Sie war dankbar, dass er ihre Entscheidung akzeptierte – auch wenn er es nur widerwillig tat.

Amara atmete noch einmal tief durch und schob die Aufregung und das Unwohlsein zur Seite, als sie Aradyn zog und Bowen stumm zu nickte. Er verstand sofort und gemeinsam betraten sie die Höhle.

***

Aradyns schwarze Klinge glänzte im Dämmerlicht, dass durch die Öffnung im Gestein fiel. Schweigend durchquerten sie den ersten Tunnel und jeder Muskel in ihrem Körper war bereit, bei dem leisesten Anzeichen von Gefahr, zu kämpfen.

„Die Hexe würde eine nicht zu unterschätzende Gegnerin sein, sollte es zum Kampf kommen", dachte Amara, als sie vorrückten. Sie versuchte sich zu erinnern, was die Hexen des östlichen Zirkels auszeichnete. Sie bevorzugten den Tenebris als Wohnort und waren tief mit der Natur verbunden, wie die meisten Hexen. Also konnte sie hauptsächlich mit Angriffen durch Erdmagie und dem Geist rechnen. Ihr Blick schweifte prüfend über die Steinwände der Höhle, als sie in die erste Kammer traten. Amara stellte gerade verwundert fest, dass die Kammer leer war, als mehrere Dinge gleichzeitig passierten.

Ein heftiger Schmerz brannte in ihrer linken Schulter, der ihr den Atem verschlug. Es dauerte eine Sekunde, bis Amara verstand, dass es nicht ihr eigener Schmerz war, den sie spürte. Bevor sie den Gedanken verfolgen konnte, hörte sie das bekannte Geräusch von Schwertern, die gezogen werden.

„Verräter!", rief Dorkas ihr warnend zu, bevor er die Verbindung auf ein Minimum reduzierte, um keinen von Beiden im Kampf abzulenken. Sie parierte den ersten Schlag blind und erschrak, als sie die tieforangene Klinge des Breitschwerts erkannte.

„Bowen! Wieso?!", stieß sie ungläubig hervor, als sie seinen Schlag parierte. Ihre Klingen kreuzten sich klirrend, als er sie angriff.

„Es tut mir leid!“, presste Bowen gequält hervor. Ihre Schwerter verkeilten sich und sie sah ihn an. Angst funkelte in seinem Blick. Ihre Instinkte warnten sie gerade rechtzeitig, bevor das Schwert auf ihre Schulter niederfuhr. Amara schob Bowen von sich weg und stieß Aradyns Klinge mit Kraft nach hinten. Der Widerstand und das darauffolgende Geräusch des fallenden Körpers verrieten ihr, dass sie ihr Ziel getroffen hatte.

Gerade rechtzeitig zog sie ihr Schwert erneut hoch, um einen von oben kommendem Schlag zu parieren. Mit der freien Hand zog sie ein Messer aus ihrem Gürtel. Als sie zum wiederholten Male aufeinandertrafen, stieß sie Bowen das Messer mit genug Wucht, um durch die Lücke in seiner Rüstung zu dringen, in die Schulter seines Schwertarms. Mit grimmiger Zufriedenheit sah Amara, wie sein schmerzverzehrter Blick panisch auf sie fiel, als sein Arm erschlaffte und die Klinge klappernd zu Boden fiel.

Sie ihr Blick huschte von ganz allein kurz in Richtung des Ausgangs, als sie das Brüllen der kämpfenden Drachen hörte. Zu ihrem Entsetzen mischten sich noch andere Geräusche dazwischen.

„Skrim!“, dachte Amara, als sie das unverkennbare Kreischen der Ungeheuer erkannte. Ihr gefror das Blut in den Andern.

Bowens Verletzung hatte ihr eine kleine Feuerpause eingeräumt, doch sie wehrte nicht lange. Der Kreis der Angreifer schloss sich immer enger um sie. Amara hob die linke Hand hoch über den Kopf und beschwor das Feuer herauf. Nichts!

Kein Knistern, kein vertrautes Brennen unter der Haut – nur Leere. Es war, als ob das Feuer in ihrem Adern erloschen war. Einen Moment glaubte sie, sich getäuscht zu haben. Sie versuchte es erneut, beinahe verzweifelt griff sie nach der Magie. Nichts.
„Dorkas!“ Der Name entrang ihr beinahe wie ein Schrei, halb Ruf, halb Gebet.
Stille.
Ein kalter Stich fuhr ihr durchs Herz. Kein Echo, kein Hauch seiner Gegenwart. Panik flammte in ihr auf – nicht vor den Angreifern, sondern vor dem, was das Schweigen bedeutete. Wenn sie seine Bewusstsein nicht spüren konnte, dann… Nein.
Sie wagte nicht den Gedanken auszuformulieren.
Das war das Zeichen, auf das ihre Gegner gewartet hatten. Ihre Zurückhaltung wich mit der Erkenntnis, dass Amara sie nicht verbrennen konnte. Sie war machtlos!
„Bitte antworte mir!“, flehte sie und bittere Panik stieg in ihr auf. Amara kämpfte mit mehr Verbissenheit als je zuvor. Blut spritzte ihr ins Gesicht, als sie einem Mann den Kopf abschlug. Doch jedes Mal, wenn ein Kämpfer fiel, trat ein neuer an seine Stelle.
Sie würde der Übermacht nicht lange standhalten können. Amara zog erneut ein Messer und warf es. Es landete mit einem Knirschen in der Brust eines Angreifers, der gurgelnd zusammensackte. Sie holte gerade zum erneuten Schlag aus, als ein heller Schmerz in ihrem Kopf explodierte und ihr wurde schwarz vor Augen.

34

Blut floss ihr zähflüssig und brennend die Stirn hinunter, als Amara an ihren dröhnenden Kopf fasste. Ein heller Schmerz blitzte durch ihren Schädel, als sie vorsichtig die Augen öffnete. Es dauerte einen Augenblick, bis sie sich zurückerinnerte.

„*Dorkas!*“, rief sie in die Dunkelheit und wartete einen Herzschlag…zwei Herzschläge…, doch es kam keine Antwort.

Die Tränen brannten ihr in den Augen.

„*Er konnte nicht. Nein! Er durfte nicht tot sein!*“ Verzweiflung kroch ihr die Kehle hinauf. Amara klammerte sich weiter an den Gedanken und die leise Hoffnung in ihrem Herzen. Es konnte nicht sein! Nein, denn sonst, dass wusste sie, würde sie vor Trauer und Wut wahnsinnig werden. Amara blickte auf und sah sich um. Ihre Augen brauchten einen Moment, um sich an das Dämmerlicht zu gewöhnen. Ihr Kopf dröhnte schmerzhaft.

Sie lag in einer Zelle. Die dicken stählernen Gitterstäbe waren verrostet, sahen aber robust aus. „*Diese Zelle wurde für stärkere Wesen als Menschen gebaut*“, dachte sie mit einem Schauern. Ihre Finger strichen über die Abdrücke großer Krallen, die die letzten Insassen im Steinboden hinterlassen hatten. Zwei Wachen standen mit dem Rücken zu ihr am anderen Ende des Raumes. Amara setzte

sich vorsichtig auf und lehnte sich mit dem Rücken gegen die kalte Steinwand. Sie musste sich noch immer in der verdammten Höhle befinden, stellte sie fest, als sie das Grau vor ihrer Zelle betrachtete. Es war ein kahler Raum. Die einzigen Möbelstücke waren ein alter Tisch und halb zerfallene Stühle. Zu ihrer Linken meinte Amara, einen weiteren Tunnel erkennen zu können.
Sie strich sich das Blut von der Stirn und betrachtete die rote Spur auf ihren Fingern. Eine Bewegung am Tisch lenkte ihre Aufmerksamkeit auf sich.
Weiter hinten im Schatten musste Jemand gesessen haben. Dieser Jemand war nun aufgestanden und kam auf sie zu. Beim Näherkommen erkannte Amara, dass es sich um einen Mann handeln musste. Erschrocken stellte sie fest, dass sie seine Gegenwart nicht eher gespürt hatte.
Instinktiv griff sie nach Aradyn, aber das Schwert und auch ihre Messer waren natürlich nicht da. Sie öffnete die Hand und versuchte Aradyn heraufzubeschwören, doch das Schwert reagierte nicht. *„Verdammt!“*
Kein Echo von Dorkas´ Kraft – nicht einmal der schwache Funke ihrer Hexenmagie regte sich. Eine kalte Leere breitete sich in ihr aus, dort, wo sonst seine Magie brannte.
Ihr Blick fiel auf die seltsame Haltung des Mannes und als er im Dämmerlicht nähertrat, erkannte sie ihn. *„Bowen!“*
Er presste ein Tuch auf die Stelle, an der sie ihn mit dem Messer verwundet hatte und sein Blick wirkte gehetzt. Wut und Hass gaben ihr die Kraft, auf die Füße

zuspringen. Stark schwankend wäre sie fast gestürzt, als der Boden sich unter ihren Füßen drehte.

„Du schlangenzüngiger Verräter!“, zischte sie und ihre Stimme bebte vor Wut, als sie die Gitterstäbe hart genug packte, dass ihre Knöchel weiß hervortraten. Er war zu ihrem Bedauern schlau genug, einige Schritte vor den Gitterstäben entfernt stehen zu blieben.

„Es tut mir leid! Ich hatte keine Wahl!“, flüsterte Bowen flehend.

„Spar´ es dir!“, fauchte sie und spuckte ihm eine Ladung Blut ins Gesicht.

„Bitte! Ich hatte keine Wahl, sie werden Liana umbringen, wenn ich nichts tue!“, flehte er und wischte das Blut weg, ohne es weiter zu beachten.

„Du hast uns verraten! Ihr habt uns verraten!“, schrie Amara ihn an und merkte selbst, wie ihre Stimme brach. „Und dafür werde ich dich umbringen. Dich und deinen verräterischen Drachen! Bete, dass sie mich töten. Denn ich werde nicht aufgeben, bis einer von uns unter der Erde ist“, schwor sie mit eisiger Stimme. Als sie ihm in die Augen sah, erkannte sie ein Aufleuchten von Angst, welches sie normalerweise zufrieden gestimmt hätte. Doch Amara spürte nichts.

Die Wut war einer Ohnmacht gewichen, die allumfassend war. Ihre Hände schrien danach, sich um Bowens Kehle zu legen und zuzudrücken, bis der letzte Atem aus seinem Körper gewichen war. Gelegentlich merkte sie den stechenden Schmerz in ihrem Herzen. Sie schob den Schmerz und die Trauer zur Seite und konzertierte

sich auf ihre Wut. Sonst, dass wusste sie, würde sie in der Trauer ertrinken und letztlich zerbrechen.
„Ich habe dir vertraut!", stieß Amara hervor und hörte selbst, wie ihre Stimme erneut brach.
Ihr Kopf dröhnte schmerzhaft und Bowen setzte gerade an, um etwas zu sagen, als sie schwere Schritte durch den Raum hallen hörten.
„Das war dein erster Fehler. Vertrauen ist für Kinder. Doch du, meine Liebe, bist eine Reiterin, eine Soldatin", sagte eine kalte, herablassende Stimme.
Diese Stimme. Amara hätte sie überall erkannt! Der Mann in der grünen Rüstung, die ihrer eigenen und Bowens so schmerzlich ähnlich war, trat näher.
Mit langsamen, bedächtigen Schritten, seinen Auftritt sichtlich genießend, trat Aldwin näher. Bowen wich eingeschüchtert zurück und warf ihr einen wehleidigen Blick zu. Amara hätte ihm am liebsten ein Messer ins Herz gerammt – schön langsam!
Aldwin strich sich mit den Fingern durch die kurzen Haare, als er sie ansah und sagte: „So sieht man sich wieder kleine Hexe. Du hast es weit gebracht, von Whitebridge bis hier hin. Doch das endet jetzt!" Sein süffisantes Lächeln machte sie krank! Amara packte die Gitter stärker, um nicht erneut zu straucheln.
„Wie ich sehe, hat unser Gift dir nicht so gut bekommen. Aber das sind nun mal die Nebenwirkungen, die man hinnehmen muss, um seine Magie blockierende Eigenschaft nutzen zu können. Ein bisschen Orientierungslosigkeit hier. Ein wenig Schwindel da. Es ist erstaunlich, wie viel eine kleine Blume auslösen kann. Die

Dosis Fingerhut hätte gereicht, um einen ausgewachsenen Mann zu töten, doch bei uns Magiern ist es nicht so einfach“, erklärte Aldwin schulterzuckend.

Ihr Verstand dröhnte und es fiel ihr schwer einen Gedanken zu greifen, aber sein letzter Satz blieb ihr dröhnend im Kopf.

„Dorkas hatte Recht gehabt.“ Tränen brannten Amara erneut in den Augen.

Aber sie würde Aldwin nicht die Genugtuung geben und weinen. Sie kam sich so dumm vor!

In dem Versuch Stärke zu zeigen, hatte sie die Warnung ihres eigenen Körpers ignoriert. Und selbst als Dorkas sie darauf hingewiesen hatte, war sie nicht gewillt gewesen zuzuhören.

„Es ist wirklich eine Schande, Dorchadas war eine Legende! Ihr hättet das Ruder tatsächlich rumreißen können. Doch die Zeiten sind wohl vorbei“, sagte er und sein schleimiges Lächeln wurde noch breiter.

„Ich werde dir dein Lächeln aus dem Gesicht wischen, wenn ich dir das Herz herausschneide!“, knurrte Amara gerade eben laut genug, dass er und Bowen es hören konnten.

„Pass auf kleine Hexe, sonst komm ich herein und bringe dir Manieren bei“, sagte Aldwin und zeigte drohend mit dem Finger auf sie.

„Mach doch oder hast du Angst, von einem kleinen Mädchen verprügelt zu werden“, reizte sie ihn und hoffte, dass Aldwin seine Drohung wahrmachen würde.

Es sprach gegen jede Logik und eine Stimme in ihrem Kopf warnte, dass sie nicht in der Lage war zu kämpfen,

doch Amara sehnte sich danach, ihre Fäuste und ihre Wut an seinem Fleisch auszulassen. Ihre Finger kribbelten bei dem Gedanken, die Nägel in seinen Augen zu versenken. Purer Blutdurst durchströmte sie.
Doch Aldwin würde ihr diesen Gefallen nicht tun, realisierte sie schnell. Er war zu vorsichtig und ließ sich nicht von ihr aus der Ruhe bringen. Die Enttäuschung brannte heiß wie Asche, als sie diese Tatsache erkannte.
„Du bist entschuldigt", sagte Aldwin herablassend zu Bowen, als er sich auf einen der Stühle fallen ließ und einen Apfel aus seiner Tasche zog.
„Verschwinde jetzt!", knurrte er, als Bowen sich nicht weiter rührte. Mit einem Seufzen legte Aldwin die Füße auf den Tisch. Er hatte sie genau da, wo er sie haben wollte.
Bowen ging ohne ein weiteres Wort davon, die Hand immer noch auf die blutende Schulter gedrückt. Aldwin polierte gedankenversunken den Apfel an seinem Umhang, als er sie musterte.
„Was hat er nur in dir gesehen?", fragte er spöttisch und mehr zu sich selbst. Mit einem letzten Lächeln biss er in den Apfel. Das Knacken hallte ungewöhnlich laut von den Wänden der kahlen Höhle wider und jagte ihr eine Gänsehaut über den Rücken. Es erinnerte sie beinahe an das Kacken von brechenden Knochen.
Ein Kreischen, vermutlich von einer Harpyie, wehte zu ihnen herein und Amara versuchte angestrengt zum Eingang der Höhle zu blicken. Doch sie sah nur Stein. Selbst Aldwin blickte für einen Moment hoch, bevor er sich wieder zu ihr umwandte.

„Es wird ein Fest werden, eure kleinen Rebellenfreunde abzuschlachten. Wie das Ungeziefer, was ihr seid", sagte er beinahe nebenläufig. Amara wurde hellhörig. Aldwin musste ihre Regung gesehen haben, denn ein leichtes Lächeln erschien auf seinen Zügen.
„Oh ja, dank unserem gemeinsamen Freund Bowen, wissen wir von eurem Versteck. Es war wirklich schlau, das alte Schloss zu verzaubern. Aber das sieht Tirion ähnlich. Er hat schon immer gerne mit den kleinen Künsten herumgespielt. Doch das endet jetzt! Wenn der König mit dir fertig ist, können wir endlich aufbrechen", erklärte Aldwin mit einem hungrigen Ausdruck in den Augen und griff nach einen Kelch auf dem Tisch. Amara sah in seinem Blick einen Funken von dem Monster, dass vor ihr stand. Verborgen hinter den Manieren und Gebaren eines Edelmannes, versteckte sich ein Monster, das sich danach sehnte, seinen Blutdurst zu stillen.
Die Erkenntnis sollte ihr Angst machen, aber zu ihrer eigenen Verwunderung, spürte sie nichts. Nur eine Frage spukte weiterhin in ihrem Kopf.
„Was ist mit Elysara?", stieß Amara hervor, als sie sich wieder auf den Boden sinken ließ. Ihre Beine drohten, doch noch nachzugeben.
„Die Hexe? Die mussten wir natürlich beseitigen. Sie war uns schon lange ein Dorn im Auge. Als sie Kontakt zu Bowen hergestellt hatte, um dich zu treffen, war es die perfekte Gelegenheit, zwei Fliegen mit einer Klappe zu erledigen", erklärte er und zeigte mit einer wegwerfenden Handbewegung auf den Boden zu ihren Füßen.

Ihr wurde flau im Magen, als Amara den dunkeln Fleck auf dem Steinboden erkannte.
„Es war mir eine persönliche Freude, ihr die Kehle durchzuschneiden. Das alte Waschweib war tatsächlich auf eurer Seite. Dumm von ihr“, sagte er ungerührt. Amara unterdrückte den Drang, ihren Mageninhalt auf dem Steinboden entleeren zu müssen. Ihr ganzer Körper rebellierte gegen das Gift und die Grausamkeit, die er so offen zur Schau stellte.
Eine Weile lehnte sie weiter schweigend an der kalten Steinwand, als eine Bewegung sie ablenkte.
Eine der Wachen, gekleidet in den Farben des Königs, trat hervor. Er verbeugte sich vor Aldwin, ohne sie eines Blickes zu würdigen. Ein versiegelter Brief lag in seinen Händen. Das Pergament war feinsäuberlich gefalten und Amara hörte das Knacken des Wachssiegels, als Aldwin den Brief öffnete.
Neugierig geworden sah sie auf, aber sein Gesicht zeigte keine Regung beim Lesen des Briefes. Er schob das Pergament in die Tasche seines Umhangs und erhob sich anschließend stöhnend von seinem Stuhl.
„Auf das ich dich, bei unserem nächsten Treffen, auf den Scheiterhaufen brennen sehe“, sagte er grinsend und prostete ihr süffisant zu.
„Welch´ ein passender Tod, für eine Feuerbändigerin“, schmunzelte er selbstzufrieden und wandte sich der Wache zu.
„Passt auf, dass sie da bleibt, wo sie ist, bis ich zurückkehre. Ich muss mein Geschwader auf den Angriff vorbereiten“, befahl Aldwin und warf ihr bei dem letzten

Satz wieder ein grausames Lächeln zu. Ein leichter Windhauch ging durch den Raum, als er verschwand. An der Stelle, wo Aldwin eben noch gestanden hatte, war mit einem Mal nur noch leerer Raum.

***

Ihr Herz schmerzte bei jedem Schlag. Das Einzige, was sie tun konnte, war an der Steinwand zu lehnen und auf den grauen Stein zu starren. Die Tränen brannten in ihren Augen. Verbissen hielt Amara sie zurück. Jetzt war nicht die Zeit zum Trauern! Sie würde bis zum letzten Atemzug kämpfen. Sie würde kämpfen, bis sie ihre Rache bekommen hatte. Für Dorkas, ihre Familie, ihre Kindheit, für die getöteten Magier, die auf den Scheiterhaufen verbrannt sind. Sie würde sie alle rächen oder im Kampf dafür sterben!

„Ich werde Kagan und seinen verräterischen Untergebenen das Herz herausschneiden. Genauso, wie sie es bei mir getan haben", schwor Amara sich und die Wut brannte kalt in ihrem Herzen.

Als sie nun doch wieder aufsah, waren die beiden Wachen in ein Gespräch verwickelt.

Gespannt lauschte sie, als einer der Männer eine Pfeife aus seinem grauen Waffenrock zog und entzündete. Der Geruch von Tabak hin schwer in der Luft und ihr Schädel fing erneut an zu pochen. Erstaunt stellte sie fest, dass der andere Mann, sehr jung aussah. Vermutlich sogar jünger als sie selbst. Sein Waffenrock war locker und sein Körper war nicht muskulös, wie der eines Mannes, der sein Leben lang trainiert hatte, Er wirkte eher

schlaksig. Selbst in ihrem jetzigen Zustand sollte sie in der Lage sein ihn zu besiegen, überlegte Amara.
„Ey, Darren. Meinst du das Ungeheuer ist schon tot?", fragte der Ältere und Darren wurde blass, als er zum Ausgang der Höhle blickte und zögerlich mit den Schultern zuckte. Ein kleiner Hoffnungsschimmer flackerte in ihr auf.
„Ist er vielleicht doch noch am leben?", fragte sie sich. Der Gedanke war fast zu schön, um wahr zu sein. Amara konzentrierte sich schnell wieder auf die Unterhaltung.
„Meinst du, wir sollten nachsehen gehen?", wollte Darren gerade mit großen Augen wissen und sie konnte die Angst in seiner Stimme hören.
„Na, einer von uns sollte hierbleiben und auf sie aufpassen. Schließlich ist das unsere Aufgabe. Du solltest nachsehen gehen. Mein alter Rücken macht das ganze Laufen nicht mehr so mit", antwortete der Ältere mit einer abschätzigen Handbewegung in ihre Richtung, bevor er sich auf seine Pike lehnte.
Darren strich sich nervös durch seine hellbrauen Haare und sah zwischen der anderen Wache und Amara hin und her.
„Meinst du wirklich, dass das nötig ist? Sie sieht nicht unbedingt gefährlich aus, und abgesehen davon, ist sie ja eingesperrt. Können wir nicht zusammen nachsehen gehen?", beharrte Darren, als er seine Hände nervös an dem Saum seiner Kleidung trockenwischte.
„Es ist egal, ob ich es für nötig halte – es ist ein Befehl", zischte der Alte hart und schlug dann vor: „Wir könnten es auslosen."

Darren nickte eifrig und Amara sah entgeistert zu, wie die beiden eine Runde Schere, Stein, Papier spielten.
„Das könnte meine Gelegenheit sein", dachte sie und bereitete sich mental auf das Blutvergießen vor, was folgen würde.
Wenn alle Wachen *so* waren, hätte sie vielleicht eine Chance. Sie wäre verdammt, wenn sie es nicht wenigstens probieren würde.
„Die restliche Höhle wird vermutlich voller Wachen sein. Und sie sind vielleicht schlauer als diese zwei." Doch sie würde nicht hier herumsitzen und auf ihre Hinrichtung warten. Wenn sie schon sterben musste, dann würde sie kämpfend untergehen!
Die beiden Wachen hatten ihre Partie beendet und von dem Blick des Jungen ausgehend, hatte er verloren. Darren packte seine Pike fester, als er mit blassem Gesicht auf den Ausgang zuschritt. Amara wartete, bis er verschwunden war und stand dann auf.
„Könntet ihr mir vielleicht etwas Wasser geben? Ich bin am Verdursten", sagte sie mit brüchiger Stimme und ließ sogar ein paar Tränen über ihr Gesicht laufen.
Die Tränen herbeizurufen, war nicht schwer gewesen. Sie hatten nur auf eine Chance gewartet, an die Oberfläche zu kommen. Der Alte wandte sich zu ihr um und sie sah in seinen Augen den Kampf, der in ihm tobte.
Es dauerte einen Moment, aber dann ging er zu dem Tonkrug und füllte einen Becher. Amara trat näher an die Gitterstäbe und atmete tief durch. Bereit zu tun, was getan werden musste.

Als der Mann in Reichweite kam, packte sie seinen Kragen und zog ihn mit aller Kraft gegen die Stäbe. Das Knacken, als sein Schädel brach, hallte in ihrem Kopf wider. Sein schlaffer Körper sank lautlos zu Boden. Die Schuldgefühle packten sie im selben Moment mit voller Wucht, als sie auf ihn hinunterblickte. Amara atmete zitternd ein und rief sich erneut in Erinnerung, warum dies nötig gewesen war.

Sie streckte sich, soweit es die Gitter zu ließen, und durchsuchte seinen Waffenrock nach dem Schlüssel. Einige schmerzhaft lange Herzschläge dauerte es, dann hatte sie den Schlüsselbund gefunden.

Mit zittrigen Fingern zog sie die Schlüssel in ihre Zelle. Das Metall klapperte verräterisch, während sie die Schlüssel durchging, bis sie den richtigen fand.

Das Knarzen der Tür ging ihr durch Mark und Bein. Erschrocken zuckte sie zusammen, sammelte ihre Kräfte und trat durch die Tür. Amara verschwendete keine Sekunde. Gehetzt suchte sie den Raum nach ihren Waffen ab. Probeweise streckte sie ihre Hand erneut aus, und versuchte Aradyn herbeizurufen. Doch wie zuvor – ohne Erfolg. Das Gift hatte ihre Magie noch immer fest im Griff.

„Das könnte ein Problem werden“, dachte Amara und hatte den Gedanken noch nicht ganz ausformuliert, da hörte sie die schweren Schritte von vielen Menschen herbeieilen.

„Verdammt nochmal!“, stieß sie ärgerlich hervor und bereitete sich auf den Kampf vor. Mit schnellen Bewegungen griff sie nach der Pike des Alten. Vor ihren

Augen blitzten helle Lichtpunkte und der bekannte Schmerz dröhnte in ihrem Schädel, als sie sich bewegte. Die ersten Schatten zeichneten sich im Kerzenschein an der Höhlenwand ab und die dazugehörigen Wachen ließen nicht lange auf sich warten. Sie zählte mindestens zehn bewaffnete Männer, die aus den umliegenden Kammern herbeiströmten. Sie wirkten erschrocken bei ihrem Anblick.
„Weswegen sind sie hier, wenn nicht wegen mir?“, fragte Amara sich verwundert. Routiniert nahm sie eine Angriffsposition ein und wappnete sich auf den Ansturm.
Sie parierte die ersten Schläge. Jeder Aufprall ließ sie die Zähne stärker zusammenbeißen vor Schmerz. Sie stieß dem ersten Mann die Pike in die Brust. Die Wache ging zu Boden. Doch die Feuerpause währte nicht lange. Die Anderen rückten zügig näher und umkreisten sie.
Es dauerte nicht lange, bis sie aus mehreren kleinen Schnitten blutete. Als Amara sich umsah, lagen mehrere der Wachen regungslos am Boden. Der Mann, dem sie gerade die Pike ins Knie gerammt hatte, stand auch nicht wieder auf. Der Blutverlust in Kombination mit ihren anhaltenden Kopfschmerzen, machten das Kämpfen fast unerträglich.
Der Ansturm ließ nicht nach und eine junge Wache zielte auf ihre Brust. Amara wich mit knapper Not aus. Der Schlag streifte dennoch ihren Arm. Die Wunde brannte, doch sie ignorierte den Schmerz. Sie holte zu einem Gegenschlag aus. Da zog eine Bewegung ihre Aufmerksamkeit auf sich. Die Schatten, sie bewegten sich nicht so, wie sie sollten.

„Spielen meine Sinne mir jetzt auch noch Streiche?“, dachte Amara ärgerlich und verfluchte das Gift innerlich. *„Oder ist es vielleicht…?“* Sie hatte den Gedanken noch nicht ganz zu Ende formuliert, da parierte sie den nächsten Schwert hieb. Ihr Gegner verzog mit einem Mal das Gesicht und das Schwert glitt zu Boden. Eine Klinge durchdrang seinen Brustkorb. Das Blut tropfte in dicken Schlieren von dem dunkelroten Metall des Schwertes. Die Klinge fuhr zurück und der Mann fiel mit einem dumpfen Aufprall reglos zu Boden. Ein Blick reichte, um ihren Verdacht zu bestätigen.

„Du bist gekommen!“, hauchte sie ungläubig. Kieran stand ihr direkt gegenüber. Das blutige Schwert in der Hand und einen Ausdruck von Zorn im Gesicht, der sich in dem Moment, als ihre Blicke sich trafen, ein wenig legte. Erleichterung und Dankbarkeit machten sich, bei seinem Anblick in ihr breit.

„Natürlich.“ Seine Stimme klang bei den Worten beinahe beleidigt. In stiller Übereinkunft erledigten sie gemeinsam die restlichen Gegner. Kieran setzte Zweien nach, die versuchten tiefer in die Höhle zu fliehen. Seine Magie folgte ihnen. Die schwarzen Ascheschwaden packten die beiden Männer an den Fußgelenken, sodass sie der Länge nach hinfielen. Er erledigte sie mit einem kräftigen Hieb seiner Klinge. Erschrocken zuckte Amara zusammen, als sie sah, wie sein Schwert durch Haut schnitt, wie Papier. Ihr Kopf dröhnte erneut und sie lehnte sich erschöpft auf die Pike.

Als Kieran wieder auf sie zutrat, war jede vertraute Freundlichkeit aus seinen Zügen gewichen. Geblieben war nur der Krieger. Seine Augen glühten von der Magie, die er freigesetzt hatte, um die Männer zu töten und ihr Instinkt schrie förmlich danach zurückzuweichen. Doch sie tat es nicht. Als sein Blick auf Amara fiel, veränderte sich seine Miene schlagartig.

„Wie schlimm bist du verletzt?“, fragte Kieran besorgt.

„Mir geht es gut“, stieß sie zwischen zusammengepressten Zähnen hervor und richtete sich schwer atmend auf.

„Das stimmt nicht und das wissen wir beide!“, sagte Kieran scharf. Seine Magie züngelte weiterhin angriffsbereit in der Luft.

„Ein paar kleinere Verletzungen, nichts lebensgefährliches“, gab Amara zurück und versuchte ein beruhigendes Lächeln auf ihre Lippen zu bringen, doch es gelang ihr nicht. Er sah sie prüfend an und sein Blick verriet, dass er ihr nicht ganz glaubte.

Der Schwindel kam ohne Vorwarnung und hätte sie fast von den Füßen gerissen. Kieran reagierte prompt. Sein Schwert fiel klappernd zu Boden, als er sie auffing und einen Arm um ihre Taille legte.

„Wir sollten hier verschwinden!“

Sie wollte ihm erst zu stimmen, doch dann kam ihr ein anderer Gedanke.

„Mein Schwert!“, stieß Amara hervor und wandte sich in die andere Richtung, tiefer in die Höhle.

„Kannst du es nicht herbeirufen?“, fragte er und sah sie verwundert an. Amara schüttelte den Kopf.

„Das Gift blockiert die Magie“, erklärte sie ein wenig lallend und schob die Übelkeit bei Seite.

„Du wurdest vergiftet?!", stieß er erschrocken hervor und sah sie aus großen Augen besorgt an. Doch er folgte ihr ohne Widerrede tiefer in das Labyrinth der Höhle.
Zu ihrem Glück stießen sie bald auf eine Kammer, in der sich die gesuchten Waffen befanden. Auf einem alten verwitterten Schreibtisch lag nicht nur Aradyn, sondern auch ihre Messer waren dort zu finden. Erleichtert gürtelte Amara die schwarze Klinge und sammelte die Messer ein. Das vertraute Gewicht des Metall an ihrer Seite beruhigte sie ein wenig.
„Was ist mit Bowen?", fragte Kieran vorsichtig.
„Er hat uns verraten. Wo er jetzt ist, weiß ich nicht." Die Worte waren bitter in ihrem Mund, als sie sie aussprach.
„Verdammt!", antwortete er heiser, als sie den Tunnel entlangeilten.
„Wir müssen uns beeilen, sie stellen eine Streitmacht auf und werden Anruin angreifen", stieß Amara hervor und versuchte sich an die Dinge zu erinnern, die Aldwin gesagt hatte.
Der Boden schwankte bei jedem Schritt, den sie machte und es fiel ihr schwer sich auf den Füßen zu halten. Kieran legte ihr einen Arm um die Hüfte und stützte sie, als auf den Ausgang zu eilten.
„Wie lange ist unser Aufbruch her?", fragte Amara, auch wenn ihr eine andere Frage auf der Seele brannte. *„Lebt Dorkas?"*
Doch sie brachte es nicht über sich diese Frage laut zu stellen. Es ausgesprochen zuhören, könnte sie nicht ertragen. Auch, wenn sie wusste, dass sie das Unausweichliche nur herauszögerte.

„Es sind fast zwei Tage vergangen", bestätigte Kieran tonlos ihren Verdacht. Sie hatte fast einen ganzen Tag in dieser gottverdammten Zelle verbracht. Bei dem Gedanken wurde ihr erneut schlecht. Sie stolperten immer wieder an gefallenen Wachen vorbei, deren Körper in seltsamen Winkeln verbogen auf dem kalten Stein lagen.
„Die Sonne ist erst vor wenigen Stunden aufgegangen. Kaida und ich sind sofort losgeflogen, als sie gemerkt hat, dass etwas nicht stimmt", erklärte Kieran.
„Wie soll ich Kaida nur unter die Augen treten?" Der Gedanke an Dorkas´ Gefährtin ließ den Schmerz in ihrem Herz erneut in einer Welle der Trauer anschwellen.
Am Ende des Tunnels schien ihr das Sonnenlicht gleißend hell entgegen. Amara presste die Augen zusammen, als der Schmerz bei dem Anblick wieder aufflammte.
Ihre Augen hatten sich gerade an die Helligkeit des Tageslichts gewöhnt, als ihr Blick auf etwas am Boden fiel. Schwarzverkohlt und bis zur Unkenntlichkeit verbrannt, lag dort die Leiche der jungen Wache – Darren war sein Name gewesen. Der Gestank von verkohltem Fleisch stieg ihr in die Nase und ihr wurde erneut übel. Mitleidig blickte sie auf den Körper, als sie über die Leiche stieg und auf das Licht zu eilte.
Doch die Grausamkeit, der Gestank und das Gift zusammen waren einfach zu viel für ihren Körper gewesen.
Amara stieß sich von Kieran ab und lehnte sich gegen den Felsen, als die Übelkeit sie erneut überkam. Der klägliche Rest ihres Mageninhalts entleerte sich auf dem

Steinboden, bis sie nur noch Blut spuckte. Sie wischte sich die Tränen aus den Augenwinkeln und schnappte nach Luft. Als Amara sich schwankend wieder aufrichtete, spürte sie eine Hand auf ihrem Rücken, als Kieran sie vorsichtig wieder stützte.

„Wir sollten so schnell wie möglich einen Heiler für dich finden", sagte er besorgt. Als sie ihn ansah, stellte sie erschrocken fest, dass er kreidebleich geworden war.

„So schlimm also?", fragte Amara mit einem gequälten Lächeln.

„Du siehst aus, als ob du gleich zusammenbrichst", gab er ernst zurück.

Sie gingen die letzten Meter zum Höhlenausgang, als sie eine Regung in ihrem Geist spürte. Amara versuchte diesen Funken zu fassen, doch es gelang ihr nicht. Das Licht blendete, als sie heraustraten und als sie die Augen öffnete, könnte sie nicht glauben, was sie vor sich sah. Die Lichtung war über und über mit Körpern gepflastert und zwischen den Leichen saßen Dorkas und Kaida. Nah nebeneinander wie immer.

Dorkas´ schwarze Schuppen waren blutbesudelt. Doch scheinbar, war das meiste nicht von ihm.

Die Erleichterung, die sie bei dem Anblick des alten Drachen spürte, war nicht in Worte zu fassen. Amara strauchelte über das Schlachtfeld und fiel ihm um den Hals, als Dorkas den Kopf senkte, um sie zu begrüßen. Erst jetzt bemerkte sie die tiefe Wunde an seiner linken Schulter und der Anblick schnürte ihr die Kehle zu.

„Es tut mir leid!", flüsterte sie und Tränen der Erleichterung stiegen ihr in die Augen. Es war ungewohnt laut mit ihm zu reden, doch ihre Verbindung war immer noch von dem Gift beeinträchtigt.

Sie wischte sich die Tränen aus den Augen und sah sich um. Auf der Lichtung lagen mehrere dutzend Körper verstreut – Skrim, Harpyien, Nachtmahre und noch andere Gestalten waren unter den Leichen.

„Kagan hat also wirklich einen Weg gefunden, sie zu kontrollieren“, stellte Amara mit heiserer Stimme fest.

„Du hast recht gehabt! Auch wenn es nicht möglich sein sollte!“, gab Kieran tonlos zurück.

35

Der Wald war ruhig, als hätte das Massaker nie stattgefunden. Und doch hatte es alles geändert! *„Wie sollen wir gegen eine solche Armee bestehen? Nicht nur Drachen und Reitern, sondern auch noch Schattenwesen?"* Der Gedanke ließ sie schaudern.

Kaida sah sie unverhohlen feindselig an. Der Blick aus ihren goldenen Augen brannte, als sie ein leichtes Knurren aus ihrer Kehle dringen ließ. Amara trat einen Schritt zurück. Sie war nicht so dumm, sich mit ihr anzulegen. Abgesehen davon, hatte Kaida jeden Grund wütend zu sein.

Die beiden Drachen saßen, wie gewohnt, eng beieinander. Dorkas warf seiner Gefährtin einen besänftigenden Blick zu und stupste sie vorsichtig an. Kaida ließ Amara widerwillig aus den Augen und das Knurren verstummte allmählich zu einem leisen Grollen. Sie stieß einen letzten wütenden Rauchschwall in ihre Richtung, bevor sie behutsam die Geste erwiderte.

Kaum war Kieran auf den Rücken der Drachendame geklettert, breitete diese schon die weinroten Flügel aus. Es dauerte nur einen Augenblick, dann hatten die beiden Gefährten sich in die Lüfte erhoben.

Amara wollte gerade, wie gewohnt Anlauf nehmen und an Dorkas´ linken Vorderbein hinaufklettern. Doch

bevor sie sich bewegen konnte, ließ der riesige Drache sich auf die Lichtung fallen.
„*Nimm die rechte Seite*“, hallte seine dunkle Stimme müde in ihrem Kopf wider. Es klang, als ob er weit entfernt war, doch sie war mehr als erleichtert wieder mit ihm kommunizieren zu können. Der plötzliche Abfall des Gifts ließ sie stutzen, doch traf sie die Erkenntnis.
„*Ich muss die Reste des Gifts ausgewürgt haben*“, stellte Amara fest und kam sich etwas dumm vor, warum sie nicht eher auf die Idee gekommen war.
„*Es hätte einiges einfacher gemacht, hätte die Wirkung eher nachgelassen*“, dachte sie, als sie vorsichtig die Seite wechselte. Das Gras war rutschig vor Blut und ihr Herz krampfte sich bei dem Anblick schmerzlich zusammen.
„*Pass auf! Mein Blut wird dir die Haut verbrennen, wenn du nicht aufpasst*“, warnte Dorkas sie müde, als Amara auf die andere Seite trat und Anlauf nahm. Es kostete sie einiges an Kraft, sich auf den Rücken des Drachen zu ziehen.
„Kannst du so fliegen?“, fragte sie besorgt, als sie einen Blick auf den tiefen Riss warf, der sich quer über seine linke Schulter zog.
„*Das ist nur ein Kratzer, natürlich kann ich fliegen. Ich lebe seit über vier Jahrhunderten und haben mehr Kriege angeführt und gewonnen als jeder andere lebende Drache. Es braucht schon ein bisschen mehr als diesen kleinen Verräter, um mich am Boden zu halten*“, gab Dorkas pikiert zurück, bevor er aufstand und die Flügel ausbreitete.
„Ein Einfaches Ja, hätte gereicht“, erwiderte sie kopfschüttelnd. Aber sie war froh, über seine Redseligkeit, es

war ein gutes Zeichen. Dennoch war Amara sich nicht so sicher. Von ihrer Position aus wirkte es so, als ob der lange Flügelmuskel ebenfalls verletzt worden war.
Aber sie widersprach dem Drachen nicht, auch wenn sie sich Sorgen machte. Amara vertraute darauf, dass er seine Grenzen kannte, so wie er dasselbe von ihr erwartete. Trotzdem bereitete sie sich auf einen harten Flug vor.
„Vierhundert Jahre?!“, fragte sie erstaunt. Doch wie erwartet überhörte Dorkas ihre Frage gekonnt.
Sie hatten sich gerade in die Lüfte erhoben, da hörte sie den unverkennbaren Schrei einer Harpyie. Erschrocken sah Amara sich um. Das geflügelte Ungeheuer war riesig, größer als ihre gefallenen Verwandten, die tot auf der Lichtung lagen. Dieses Exemplar, konnte es gut und gerne mit Kaida aufnehmen, stellte sie schockiert fest. Das vogelartige Wesen steuerte genau auf sie zu! Dorkas machte dennoch weder Anstalten auszuweichen noch bereitete er sich auf einen Kampf vor.
Im nächsten Augenblick sah sie nur noch rot. Kaida war direkt an ihnen vorbeigeschoss. Nur knapp einen Meter an ihnen vorbei.
Sie packte die Harpyie mit ihren Fängen und Amara hörte das Knacken, als sie mit ihrem kräftigen Kiefer das Genick des Wesens brach. Blut spritzte heiß in alle Richtungen, als sie die Kehle der Harpyie zusätzlich herausriss und den schlaffen Körper in die Tiefe stürzen ließ.
Amara sah schockiert zu dem tiefroten Drachen. Ihr Blut gefror in den Adern, als Kaida ihr erneut einen bösen Blick im Vorbeifliegen zuwarf.

„Erinnere mich bitte daran, mich niemals mit ihr anzulegen“, stellte sie tonlos fest, als Dorkas höher stieg.
„Und das fällt dir erst jetzt auf?“, fragte er amüsiert. *„Wir müssen höher steigen, sie wittern das Blut. Kaida hält uns zwar den Rücken frei, doch wir sollten weitere Zusammenstöße besser vermeiden“*, erklärte er dann und stieg über die Wolkendecke.
Hier gingen sie in einen ruhigen Gleitflug über und Dorkas ließ sich mehr vom Wind tragen, als dass er selbst seine Muskelkraft nutzte. Kaida holte bald auf und flog neben ihnen. Ihr besorgter Blick glitt immer wieder zu ihnen herüber.
Der Flug war eine einzige Tortur für ihren Kopf – der Schwindel war allgegenwärtig. Dorkas ging es aus nicht besser, vermutete sie. Er war ungewöhnlich schweigsam, ob es an ihrer gestörten Kommunikation lag oder an den Schmerzen, die er zweifellos haben musste, wusste sie nicht. Er hielt die Verbindung zwischen ihnen aufrecht, aber nie stark genug, dass sie erahnen konnte, wie stark der Schmerz wirklich sein musste. Sorge schnürte ihr die Kehle zu. Immer wieder verlor der alte Drache an Höhe und fing sich nach wenigen Metern wieder. Ihr Schädel protestierte heftig, als sie mehrere Meter absackten und kurz vor der Wolkendecke wieder aufstiegen.
„Bist du wirklich sicher, dass du den Heimweg schaffst? Wir sollten eine Pause einlegen!“, warf Amara besorgt ein, nachdem er einige Meter an Höhe verloren hatte.
„Ganz sicher“, brummte Dorkas zurück. Als er merkte, dass sie erneut ansetzen wollte, fügte er hinzu: *„Wir*

haben keine Zeit für Schwäche. Die anderen könnten schon jetzt einer Übermacht gegenüberstehen. Wir müssen vor Kyrells Geschwader da sein!"

„Was machen wir, wenn Kagan und Kyrell selbst in den Kampf fliegen? Du bist verletzt und ich dank des Gifts immer noch machtlos", fragte sie besorgt.

„Wir werden kämpfen", gab der Drache ruhig zurück.

***

Sie flogen Stunde um Stunde. Mit jedem Kilometer, dem sie Anruin näherkamen, wuchs ihre Unruhe. Ein Gedanke ließ Amara nicht los.

„Was ist, wenn wir zu spät kommen?" Sie sprach den Gedanken nicht aus. Nicht einmal über die geistige Verbindung mit Dorkas. Doch die Angst saß ihr im Nacken. Immer wieder sah sie Bilder von blutigen Schlachten vor ihrem geistigen Auge.

Ohne ihre Magie war es ihr nicht möglich, sich vor dem kalten Gegenwind abzuschirmen und so fror sie erbärmlich. Amara zog den Kragen ihrer Jacke hoch und versuchte auf diesem Weg, so viel wie möglich, von ihrem Gesicht in der Jacke zu vergraben. Ihre Beine schmerzten von der stundenlangen Anspannung, die sie brauchte, um sich zu halten. Auch wenn Dorkas sich große Mühe gab, ruhig zu fliegen, war es durch die unterschiedlichen Winde nicht immer möglich und einige Male wäre sie fast heruntergerutscht, da ihre Kommunikation noch nicht wieder richtig funktionierte. Dorkas hatte sie jedoch jedes Mal wieder mit seiner Magie gefangen. Es war, als ob ein unsichtbarer Magnet sie wieder in Position gezogen hatte, bevor sie stürzen konnte.

Amara sah sich um, der Tag war schon weit fortgeschritten und der Himmel klärte sich auf, sodass sie Kilometer weit sehen konnten.

Sie sah kein Zeichen einer näher rückenden Streitkraft, was hoffentlich ein gutes Zeichen war. Ein Blick zu Kaida verriet ihr, dass Kieran sie immer noch besorgt beobachtete. Sein Blick war in den letzten Stunden immer wieder zu ihr hinüber gewandert. Als wartete er nur darauf, dass sie jeden Moment von Dorkas´ Rücken stürzen würde. Doch seit sie das Gift ausgewürgt hatte, ging es ihr mit jeder Stunde, die verging, besser. Der Schmerz in ihrem Kopf verklang zwar quälend langsam, doch er versiegte.

Immer wieder testete Amara ihre Kräfte, noch wollte es ihr jedoch einfach nicht gelingen, einen Zauber zu wirken. Ihre Magie gehorchte ihr nicht. Angesichts der drohenden Schlacht bereitete es ihr mehr und mehr Sorge, dass sie nicht in der Lage sein würde, das Feuer heraufzubeschwören. So konnte sie nicht kämpfen.

Beim Versuch sich abzulenken, streifte ihr Blick über die Landschaft unter ihnen, oder zumindest das, was sie davon erkennen konnte. Dorkas´ Größe machte es für sie schwer, das Land unter ihnen zu erkennen. Einen Großteil ihres Blickfelds, wurde von den Obsidian-schwarzen Schuppen und den gräulich schimmernden Flügeln des Drachen blockiert. Doch das, was sie sah, verriet ihr, dass sie in der Nähe des Drekafjalls sein mussten. Die

besiedelten Orte wurden immer seltener und die Vegetation immer grüner, bis sie die ersten Berge erblickte. Es dauerte noch einige Zeit, bis sie die Einmündung des Tals erreichten und ihr Blick fiel auf den leuchtendroten Drachen, der auf einem Felsvorsprung am Rande des Gebirges saß. Dorkas ließ sich einige Meter nach hinten fallen, als sie die Schlucht passierten.
„Sie sind noch nicht hier", sagte er sichtlich erleichtert und Amara fiel ebenfalls ein Stein vom Herzen.
„Sehr gut, vielleicht besteht ja doch noch Hoffnung. Kannst du schon Kontakt zu Lyall herstellen?", fragte sie an Dorkas gewandt. Als er ihre Frage bejahrte bat sie ihn dann: *„Frag sie bitte, ob sie Aiden zu uns aufs Flugfeld schicken kann?"*
Seine Heilkräfte würden von Nöten sein, wenn sie in wenigen Stunden in den Kampf fliegen müssten. Die Sonne stand schon tief am Himmel, als Anruin endlich in Sicht kam. Erst jetzt wurde ihr bewusst, wie sehr ihr der Anblick gefehlt hatte.
Die alte Burg war ihr in den letzten Monaten zu einem Zuhause geworden. Dorkas breitete seine Flügel zu ihrer vollen Spannweite aus und landete sanft auf der Wiese des Flugfeldes. Amara entging nicht, wie der Drache beim Landen das linke Vorderbein entlastete.
„Warte bitte noch kurz", bat sie ihn und hoffte, dass er ihrer Bitte folgen würde. Amara ließ sich auf den weichen Boden fallen, ihre Beine und ihr Kopf schmerzten beim Aufprall und sie verfluchte erneut ihr Unvermögen, Magie zu wirken. Als sie sich umsah, erkannte sie, dass sie schon erwartet wurden. Und wie erhofft, war auch Aiden vor Ort. Sie wandte sich zu Kieran.

„Ich komme sofort nach, aber zuerst muss Aiden mir bei etwas helfen“, sagte sie und warf erneut einen besorgten Blick auf Dorkas, der das linke Vorderbein, weiterhin entlastete.
„Ich verstehe. Ich halte sie dir so lange wie möglich vom Hals“, versprach Kieran mit einem wissenden Nicken. Sie wussten beide, wie schwierig es werden konnte, den Drachen zu überzeugen sich von Aiden heilen zu lassen. Dorkas war zu groß, als das Aiden die Wunde vom Boden aus erreichen konnte und der Drache würde es nicht ohne Diskussion zu lassen, dass der fremde Reiter aufsteigen würde. Sie trat vor und zog Aiden zur Seite.
„Ich brauche deine Hilfe“, raunte Amara und erklärte ihm das Problem. Aiden sah sie mit großen Augen an.
„Du willst mich umbringen, nicht wahr?“, fragte er erschrocken, den Blick auf Dorkas gerichtet.
„Wenn wir den kommenden Kampf überleben wollen, sehe ich keinen anderen Weg. Kagans Geschwader könnte jeden Moment hier ankommen und Dorkas ist nicht in der Verfassung zu fliegen, geschweige denn zu kämpfen. Wir haben keine Zeit zu verschwenden“, flüsterte sie entschuldigend, als sie Aiden zu dem Drachen führte.
Dorkas fixierte sie mit seinen leuchtend silbernen Augen und beobachtete jeden Schritt, den sie nähertraten. Ihr lief eine Gänsehaut über den Rücken. Trotz ihrer Verbindung war sie sich in diesem Moment schmerzvoll bewusst, wie gefährlich er war, besonders verletzt.
„Ich weiß, was du vorhast. Denk nicht Mal drüber nach!“, knurrte der Drache gefährlich leise.

„Wir haben keine Zeit dafür!“, zischte sie zurück und straffte die Schultern. *„Und das weißt du ganz genau! Du weißt ebenso gut wie ich, und vermutlich noch besser, dass wir nur noch Stunden haben, bis eine Streitmacht von unbekannter Größe hier ist. Also leg deinen Stolz endlich bei Seite und lass Aiden die Wunde heilen!“*
Sie hielt Dorkas´ eisigen Blick stand und wartete auf seine Antwort. Doch als sie einen Schritt näherkam, stieß der Drache ein warnendes Knurren aus und Amara schob sich vor Aiden.
„Alter Griesgram!“, schimpfte sie so laut, dass sie sicher war, dass der Drache sie gehört haben musste. Ihr Herz schlug schnell und jede Faser ihres Körpers bat sie zu fliehen! Doch sie hielt stand.
„Bitte! Anruin und der Drekafjall haben keine Chance, wenn du nicht bei Kräften bist. Und ich werde nicht zu sehen, wie du in einen Kampf ziehst, den du unmöglich gewinnen kannst!“, schimpfte Amara und verfluchte seine Sturheit.
„Bitte! Lass mich helfen!“, flehte sie jetzt beinahe verzweifelt. Und zu ihrer gleichermaßen Erleichterung und Erstaunen ließ Dorkas sich wieder auf den Rasen fallen und brummte dann wenig begeistert: *„Na gut.“*
Sie atmete erleichtert auf und zog Aiden, der blass geworden war, weiter.
„Komm jetzt, bevor er es sich doch noch anders überlegt“, zischte sie ihm zu und gemeinsam traten sie an die linke Seite des Drachen. Um ihn weiterhin von dem Drachen abzuschirmen, achtete sie darauf, zwischen Aiden und Dorkas´ Kopf positioniert zu bleiben.

„Kommst du vom Boden aus heran?“, fragte Amara besorgt, aber sie wusste selbst, wie unwahrscheinlich das war. Sie selbst musste bereits den Kopf in den Nacken legen, um überhaupt hoch genug zu sehen. Aiden schüttelte stumm den Kopf und sah den Drachen besorgt an. Dorkas wiederum stieß eine kleine Rauchwolke aus den Nüstern und warf ihnen einen eisigen Blick zu.
Amara ging mit Aiden zur rechten Seite des Drachen, um sich hochziehen zu können – ohne Gefahr zu laufen ihn weiter zu verletzen. Sie half Aiden mit einer Räuberleiter hinauf und nahm dann selbst Anlauf und kletterte hinterher.
Sie kletterten über den Rücken des Drachen und Amara achtete stets darauf schützend vor dem anderen Drachenreiter zu stehen. Nicht weil sie dem Drachen misstraute, sondern weil sie wusste, wie schnell Schmerz in Feuer umschlagen konnte. Dorkas sollte Chance haben Aiden doch noch packen oder verbrennen zu können. Wenigstens nicht ohne vorher auch seine Reiterin zu verletzen.
Aidens Augen weiteten sich, als er das Ausmaß der Verletzung erkannte, die Svarog ihm zugefügt hatte. Es war ein schrecklicher Anblick. Der lange Schnitt, vermutlich ein Krallenhieb, war ziemlich tief und blutete noch immer, obwohl bereits einige Stunden vergangen waren. Die Wunde hatte, durch den Kampf und das stundenlange Fliegen, keine Chance gehabt zusammenzuwachsen.

„Ein kleinerer Drache wäre vermutlich schon an Blutverlust gestorben", dachte sie und ihr Herz krampfte sich zusammen vor Schuldgefühlen.
Aiden legte die Hände über die Wunde und Amara beobachtete fasziniert, wie Muskeln, Haut und Schuppen langsam, aber stetig zusammenwuchsen.
Es dauerte schmerzhaft lange, bis die Wunde vollumfänglich verheilt war. Aiden zeigte deutliche Spuren seiner Anstrengung. Bald zitterten seine Finger und ihm liefen Schweißperlen über die Stirn.
Ohne eine Sekunde zu verschwenden, ließen sie sich anschließend gemeinsam von Dorkas´ Rücken fallen.
Aiden war die Erleichterung deutlich anzusehen, als sie sich von dem Drachen entfernten.
„Danke!", sagte sie an Aiden gewandt. Amara wusste was für eine Überwindung es gewesen sein musste, sich dem riesigen und vor allem wütenden Drachen zu nähern.
Sie machte sich keine Illusionen. Er hatte gerade sein Leben riskiert, um ihnen zu helfen! Der Luftstrom, der entstand, als Dorkas sich mit einigen mächtigen Flügelschlägen in die Luft erhob, hätte sie fast von den Füßen gerissen. Aiden sah sie ernst an und fragte dann so leise, dass nur sie es hören konnte: „Wie zur Hölle habt ihr so den Rückweg geschafft?"
Seine Stimme war dünn und der Schock saß ihm noch in den Knochen.
„Ehrlich gesagt, weiß ich es nicht", gab Amara tonlos zu und erst jetzt wurde ihr wirklich bewusst, wie knapp sie tatsächlich mit dem Leben davongekommen waren. Ihr

Ehrgeiz hätte ihnen allen fast das Leben gekostet. Das durfte nie wieder vorkommen.

36

Kieran hatte die Anwesenden gerade so lange ablenken können, dass sie und Aiden sich um Dorkas´ Verletzung kümmern konnten. Doch jetzt prasselten die Fragen auf sie ein. Sie warf Kieran einen dankbaren Blick zu, bevor sie sich Astoria, Tirion und dem Rest des Rats zuwandte.

„Ihr seid fürs Erste entschuldigt“, sagte Astoria an Aiden und Kieran gewandt. Aber der junge Drachenreiter dachte gar nicht daran zu gehen. Astoria warf ihm einen warnenden Blick zu und befahl dann scharf: „Wegtreten.“

Aidens Blick schweifte zwischen Astoria und Kieran hin und her.

„Aber…“, setzte er an, doch Tirion unterbrach ihn.

„Du hast sie gehört. Wir werden später über die Befehlsverweigerung sprechen“, sagte Tirion kalt und Amara hörte die Enttäuschung in seiner Stimme.

Zu ihrem eigenen Erstaunen fügte sich Kieran dem Befehl und warf ihr einen entschuldigenden Blick zu, bevor er sich abwandte und Aiden zur Burg folgte. Als beide schließlich außer Sichtweite waren, konzentriere sich die Aufmerksamkeit der anwesenden Drachenreiter auf sie und Amara schluckte nervös. Sie stand nun einigen der mächtigsten Magiern des Landes gegenüber.

Die Blicke schwankten zwischen schockiert, wütend und enttäuscht, als sie die Geschehnisse der letzten Tage schilderte. Nachdem Amara verstummt war, brach eine Welle von Fragen auf sie ein. Nur einer schwieg – Tirion.

Der ältere Reiter räusperte sich und sagte dann mit fester Stimme: „Es ist später noch genug Zeit für Nachfragen. Wir müssen uns auf den Angriff vorbereiten!"

Die Ratsmitglieder verstummten und alle Blicke ruhten auf ihm. Tirion sah zu ihr und sagte dann: „Amara, geh dich ausruhen, solange es noch geht. Wir werden nach der Schlacht sprechen." Der letzte Satz klang fast wie eine Drohung. Jede Wärme war aus seiner Stimme gewichen. Amara wollte widersprechen, sie wollte helfen! Tirion warf ihr jedoch einen warnenden Blick zu und fügte dann scharf hinzu: „Das war ein Befehl!"

Seine Stimme ließ absolut keinen Raum für Diskussionen, also gehorchte Amara widerwillig und schritt den Weg zur Burg hinauf. Erst jetzt bemerkte sie, wie müde sie wirklich war. Die Nachwirkungen des Gifts setzten ihr noch immer zu. Mit einem Blick zum Himmel erkannte sie, dass der Tag fast vorbei war. Das letzte Licht der Sonne wurde von der Schwärze der Nacht abgelöst.

Zu ihrer Überraschung warteten Kieran und Aiden kurz vor der Burg auf sie.

„Was macht ihr hier?", fragte sie erschöpft, aber erfreut über die Überraschung.

„Der da wollte auf dich warten", sagte Aiden schmunzelnd und stieß Kieran in die Rippen. Doch dieser warf

ihm nur einen bösen Blick zu, der glatt mit Kaidas mithalten konnte.
„Ich hab´ dir gesagt, dass du vorgehen solltest!“, brummte er missmutig. Aiden ignorierte ihn gekonnt und fuhr fort: „Ich bin neugierig. Was hat der Rat gesagt?“
„Sie bereiten die Schlacht vor und über meine Befehlsverweigerung reden wir nach dem Kampf“, erklärte sie knapp und fügte dann hinzu: „Vorausgesetzt wir überleben den kommenden Tag.“
„Ich bin mir noch nicht sicher, ob du für das aufkommende Blutvergießen dankbar sein solltest. Sie waren echt richtig sauer, dass ihr verschwunden seid. Die Stimmung glich einer neuen Eiszeit“, grübelte Aiden und Amara sah ihn verwirrt an, aber dann verstand sie.
„Du bist auch einfach verschwunden?“, erkannte sie leise und sah zu Kieran.
„Ich glaube, dass ist mein Zeichen doch zu verschwinden“, warf Aiden ein, nachdem sein Freund ihm erneut einen bösen Blick zugeworfen hatte.
„Danke nochmal!“, sagte sie an Aiden gewandt, welcher aber nur abwinkte.
„Immer gerne. Beim nächsten Mal solltest du dein Vorhaben vielleicht eher mit deinem Monstrum von Drachen klären. Ich habe nicht unbedingt Lust, mich umbringen zu lassen.“
Er verschwand in Richtung der Burg und einen Augenblick herrschte Stille.
„Wie geht es dir?“, fragte Kieran vorsichtig und ein Hauch Sorge schwang noch immer in seiner Stimme

mit, als er einem Arm um ihre Taille legte und sie vorsichtig in eine Umarmung zog.

„Es geht schon“, antwortete Amara ausweichend, als sie seinen vertrauten Geruch einatmete und für einen Moment beruhigt die Augen schloss. Sie atmete tief durch und hob dann ihre linke Hand ein Stück. Eine kleine Flamme tanzte zwischen ihren Fingern, was ihr ein leichtes Lächeln auf die Lippen zauberte.

„Siehst du, meine Magie ist zurück. Das Gift muss fast vollständig aus dem Blutkreislauf sein“ stellte sie beruhigt fest.

„Mein Feuer ist zurück“, teilte sie Dorkas ebenfalls mit.

„Sehr gut, dass wird uns den kommenden Kampf erleichtern“, stellte er ruhig fest und sie hörte die Müdigkeit in seiner Stimme.

„Geh dich ausruhen“, tadelte der Drache noch, bevor er ihre Verbindung beendete.

„Du hast meine Frage noch nicht beantwortet“, erinnerte sie Kieran und löste sich widerwillig aus seinen Armen. Sie wollte seine Reaktion sehen.

„Das war mehr eine Feststellung als eine Frage“ meinte er ruhig, „aber um sie zu beantworten: Ja, Kaida und ich sind gegen den Willen des Rates aufgebrochen.“

„Ich konnte dich doch nicht im Stich lassen, Prinzessin“, fügte er mit dem Anflug eines Schmunzelns hinzu, das seine Stimme jedoch nicht ganz erreichen wollte. Nach einer kurzen Pause zuckte er mit den Schultern.

„Kaida wäre so oder so geflogen. Also konnte ich mich auch nützlich machen und mitkommen.“ Amara hob den Blick. In seinem Gesicht lag derselbe Versuch von

Gelassenheit, der sie sonst zum Lächeln brachte – doch dieses Mal hielt es nicht lange.
Kieran wurde schnell wieder ernst. Sein Blick blieb an ihr hängen, wachsam, als würde er sie auffangen, sollte sie wieder straucheln.
„Ich dachte für einen Moment, ihr schafft es nicht zurück." Seine Stimme klang rau und ein gequälter Ausdruck trat bei den Worten auf seine Züge. In diesem Augenblick begriff Amara, was er riskiert hatte, um sie zu retten. Und sie wusste, dass Worte dafür kaum ausreichten.
„Ich weiß und es tut mir leid", flüsterte sie dennoch leise und schenkte ihm ein entschuldigendes Lächeln.
Er wollte gerade etwas erwidern, doch Dorkas unterbrach sie: *„Ciringa hat ein fremdes Geschwader gesichtet. Sie sind keine zwei Flugstunden von der Talmündung entfernt gelandet"*, warnte er. Als sie zu Kieran sah, stellte sie fest, dass Dorkas oder vermutlich eher Kaida ihn ebenso informiert haben musste.
„Wir sollten uns auf den Weg machen", stellte er tonlos fest. Amara musste ihm zu stimmen. Gemeinsam schritten sie durch die näher rückende Dunkelheit zur Burg hinauf.
„Du solltest dich ausruhen gehen", ermahnte Dorkas sie erneut. *„Sie werden nicht in der Dunkelheit angreifen. Wir haben bis zu den frühen Morgenstunden Zeit."*
„Wie kannst du dir so sicher sein?", fragte Amara unsicher.
„Sie wären dumm, wenn sie in der Dunkelheit angreifen. Die Finsternis ist mein Gebiet", erklärte der Drache ruhig. In seiner Stimme lag kein Stolz, nur die ruhige Gewissheit

eines Wesens, das die Nacht besser kannte als jeder andere sonst.
Einen Herzschlag lang glaubte sie, dass etwas in der Luft lag, das älter war als alles, was sie kannte – kein Feuer. Es fühlte sich schwerer, viel dunkler an.
Amara stutzte, als sie plötzlich begriff, dass seine Arroganz oft nicht echt war. Sie war ein Werkzeug und seine Art, den anderen die Angst zu nehmen. Überheblichkeit machte ihn auf gewisse Weise menschlich. Und das nutzte der alte Drache, so wie alles, mit eiskalter Präzision.

37

In Anruin herrschte ein heilloses Durcheinander. Die Vorbereitungen liefen auf Hochtouren. Menschen rannten durcheinander, beladen mit Waffen oder auf dem Weg in die Katakomben unter der Burg, um sich dort in Sicherheit zu bringen.

Sie und Kieran hatten sich kurz nach dem Betreten der Burg trennen müssen, da er und seine Magie gebraucht wurden. Er war mit einigen Soldaten zu den Wehrgängen geeilt. Amara lief durch die große Halle, als sie im geschäftigen Treiben auf Ilaria stieß. Diese erkannte sie sofort, riss die Augen auf und stürmte auf Amara zu.

„Amara!“, rief sie, bevor sie sie in eine feste Umarmung schloss. Für einen Moment hielt Ilaria sie einfach nur umklammert, als müsste sie sich versichern, dass sie wohlbehalten zurück war.

„Zum Glück bist du wieder da!“, stieß sie erleichtert hervor. „Ich habe das von Bowen gehört. Es tut mir leid. Ich weiß, wie nahe ihr euch standet.“

Erst als sie sich voneinander lösten, wich die Erleichterung aus Ilarias Gesicht, und ein Anflug von Ärger trat an ihre Stelle. Mit einem Mal boxte sie ihr auf den Arm.

„Aua! Wofür war das denn?“, entfuhr es Amara erschrocken.

„Das war dafür, dass du uns nicht in deinen Plan eingebunden hast! Wir haben uns Sorgen gemacht!“, schimpfte Ilaria empört. Ein Blick auf ihre Kleidung verriet Amara, dass sie schon für den Kampf gerüstet war. Sie hatte ihr grünes Schwert gegürtelt und trug ein Kettenhemd unter der Rüstung, dass bei jedem Schritt leicht klimperte.
„Das ist eine Aufgabe für Drachen und Reiter!“, donnerte Tirions Stimme durch die Halle und einige Leute hielten neugierig inne. Amara wandte sich ebenfalls um, als sie Tirion mit einem der Soldaten streiten hörte.
„Alle die nicht auf den Wehrgängen gebraucht werden ziehen sich in die Katakomben zurück!“, befahl er und seine Stimme ließ keinerlei Diskussionsspielraum.
„Was ist da los?“, fragte sie Ilaria leise. Diese folgte ihrem Blick und nickte wissend.
„Einige weigern sich, Schutz in den Katakomben zu suchen. Sie wollen kämpfen. Doch dieser Kampf wird in den Lüften gefochten.“ Ilaria hatte recht, Fußsoldaten waren nicht von Nutzen in einer Schlacht zwischen Drachen.
„Dieser Kampf wird von Drachen gefochten und wenn Drachen in den Krieg ziehen, wird die Welt brennen. Es ist kein Ort für Menschen. Wir werden Jeden kampfbereit brauchen, wenn wir ausrücken. Doch dieser Tag ist nicht heute!“, erklärte Tirion absichtlich laut genug, dass alle ihn hören konnten, bevor er sich von dem Soldaten abwandte. Der Blick, des älteren Reiters fiel auf sie und sein Blick verfinsterte sich.

„Oh, oh“, murmelte Amara leise und versuchte gerade heimlich zu verschwinden, als er bereits vor ihr stand. Erschrocken zuckte sie zusammen – sie hatte Tirion noch nie seine Kräfte nutzen sehen.
„Hatte ich dir nicht einen Befehl erteilt? Es wäre empfehlenswert, wenn du ihn wenigstens dieses Mal befolgen würdest“, sagte er schärfer als gewohnt.
„Ich war gerade auf dem Weg“, versuchte sie sich aus der Affäre zu ziehen. Sein Blick verriet ihr, dass er keins ihrer Worte glaubte.
„Das hoffe ich doch. Wir erwarten dich kampfbereit auf dem Schlachtfeld in wenigen Stunden. Du solltest mittlerweile wissen, wie gefährlich es sein kann, nicht ausgeruht in den Kampf zu ziehen“, tadelte der Anführer der Drachenreiter, bevor er sich an Ilaria wandte und sie als Hilfe in die Katakomben abkommandierte. Tirion verschwand genau so plötzlich, wie er erschienen war und Ilaria drehte sich zu ihr um.
„Was war das denn?“, fragte sie überrascht.
„Der ganze Rat ist ziemlich wütend, aber besonders Tirion und Astoria. Ich bin ohne ihre Einwilligung verschwunden und habe auch noch einen direkten Befehl missachtet. Und, dass ich dabei fast den mächtigsten Drachen auf Seiten der Rebellen und mich selbst umgebracht habe, macht die Sache nicht gerade besser. Oh, und, dass Kieran auch noch in die ganze Sache mit hineingezogen wurde, weil er und Kaida uns zur Hilfe geeilt sind, macht es sogar noch schlimmer – wenn das überhaupt möglich ist“, gab Amara zu und fuhr sich fahrig

durch die Haare. „Aber hey, sonst wären wir nicht auf den bevorstehenden Angriff vorbereitet."

Ilaria starrte sie mit offenem Mund an.

„Verdammt! Du musst mir die ganze Geschichte erzählen, wenn wir das hier überlebt haben. Ich möchte jedes Detail hören, vor allem wie Kieran dir zur Hilfe geeilt ist. Das klingt irgendwie romantisch", stellte diese nachdenklich fest. Nun musste Amara doch fast schmunzeln – Ilaria war wirklich eine heillose Romantikerin!

„Aber jetzt solltest du wirklich gehen. Ich glaube, wenn Tirion dich immer noch hier stehen sieht, wenn er zurückkehrt, teleportiert er dich dieses Mal vermutlich einfach weg." Ilaria warf einen Blick auf Amaras blutverschmierte Kleidung und immer noch bleiche Gesicht.

„Da hast du vermutlich recht. Du bekommst alle Einzelheiten, wenn wir die Schlacht überstanden haben, versprochen!", versprach sie ihrer Freundin und verabschiedete sich hastig.

***

Auf dem Weg zu ihrem Zimmer traf sie auf viele Burgbewohner, die sie neugierig anstarrten.

„Es hat sich wohl schon herumgesprochen", stellte Amara müde fest, als sie in das vertraute Zimmer trat. Ihre Sachen waren immer noch genau da, wo sie sie zurückgelassen hatte.

Ein schneller Blick durch den Raum verriet ihr, dass Lynn nicht da war. Erleichtert, keine Fragen beantworten zu müssen, trat sie ins Bad. Ihr Blick fiel sehnsüchtig auf die Badewanne. Sie hätte alles für ein ausgiebiges

Bad gegeben. Einfach im warmen Wasser liegen und den Dreck und die Anspannung der letzten Tage wegwaschen. Doch dafür blieb ihr keine Zeit. Dorkas und Tirion hatten recht.

Sie sollte versuchen so viel wie möglich zu ruhen, bevor die Hölle losbrechen würde. Also wusch sie sich nur schnell das Blut und den Dreck von der Haut und schlüpfte in frische Anziehsachen. Der schwarze Stoff schmiegte sich weich und kühl an ihre Haut, als sie ihre Rüstung und den Gürtel mit ihren Waffen auf einen Stuhl neben ihr Bett legte.

Amara ließ sich ins Bett fallen und zog sich die Decke bis unter das Kinn. Die Unruhe lag ihr jedoch noch immer in den Knochen. Sobald sie die Augen schloss, verfolgten sie die Bilder der vergangenen Tage.

Sie war zurück in der Zelle, in der Höhle, roch das Blut, die verkohlten Leichen und immer wieder Aldwin, wie er auf sie hinabblickte. Einen Moment später wechselte das Bild. Sie sah Visionen von Schlachten, mal vom Boden, dann von Dorkas´ Rücken aus.

Unruhig wälzte sie sich im Bett hin und her. Egal was sie tat, ihre Nerven waren zum Reißen gespannt. Die Unruhe in ihren Knochen wollte einfach nicht weichen. Seufzend schlug sie die Augen auf und sah aus dem Fenster. Der Himmel war noch schwarz und die Berge nur schemenhaft zu erkennen.

„Du solltest dich wirklich ausruhen!“, schimpfte Dorkas und unterdrückte ein Gähnen. Sie spürte seine eigene Müdigkeit. Als sie weiter in seinen Geist drang, spürte sie eine

weitere Präsenz – Kaida. Sie schlief tief und fest, ihr Geist war nur eine entfernt glimmende Präsenz.
„Tut mir leid, ich wollte dich nicht wecken. Ich finde einfach keine Ruhe", sagte Amara entschuldigend und blickte verdrossen zur Zimmerdecke.
„Legt sich die Unruhe vor der Schlacht irgendwann?", fragte sie und merkte die Unruhe wie heiße Steine in ihrem Magen rollen.
„Das kommt mit der Zeit", erklärte der Drache jetzt etwas milder und fügte dann hinzu: *„Wenn du schon nicht schlafen kannst, dann such dir wenigsten eine Ablenkung und lass mich in Ruhe! Soweit ich weiß, ist der Aschebändiger noch wach."*
„Du bist unmöglich!", schimpfte Amara kopfschüttelnd, als sie verstand. Doch ihre Verbindung war stumm geworden und sie wusste, dass der alte Drache sich wieder schlafen gelegt hatte. Amara lag noch kurze Zeit wach im Bett und grübelte, bevor sie aufgab.
Sie stieß sich vom Bett ab und legte ihre Rüstung an. Das schwarze Leder schmiegte sich leicht an ihre Kurven an. Sie schloss die Schnallen mit routinierten Handgriffen. Ihre Finger strichen über die punzierten Muster, die ihre Rüstung an der ein oder anderen Stelle schmückten. Die Schulterplatten knarzten leicht, als Amara sich bückte, um die schweren Stiefel zu schüren. Zuletzt sortierte sie ihre Messer und gurtete Aradyn.
Die Aufregung beherrschte noch immer ihre Gedanken, aber die routinierten Bewegungen hatten ihr geholfen, etwas Ruhe in das Chaos zu bringen. Leise, um Lynn nicht zu wecken, die erst vor wenigen Stunden ins Bett gekommen war, schlich sie vorsichtig aus dem Raum.

***

Die Flure waren jetzt wie leergefegt, von der geschäftigen Vorbereitung, die noch wenige Stunden zuvor geherrscht hatte, war nichts mehr zu sehen. Alle nutzten die letzten Stunden der Ruhe um sich für die Schlacht zu wappnen.

Ihre Hand ruhte auf dem silbrigen Diamanten in Aradyns Knauf, als sie dem Weg folgte, den Dorkas ihr vorhin gezeigt hatte. In diesem Teil der Festung war sie noch nie gewesen, stellte sie erstaunt fest, als sie eine gewundene Wendeltreppe hinaufkletterte. Gerade als sie dachte, die Treppe würde nie enden, stand Amara vor einer kleinen Dachluke. Verwundert packte sie den Griff der metallenen Tür und stieß sie auf. Die Luke knirschte leise, als sie aufging, und sie kletterte die letzten Meter auf der Leiter hinauf.

Ein Blick hinaus verriet ihr, was sie schon vermutet hatte. Sie ließ den Blick über Schindel des Daches schweifen, bis sie entdeckte, wonach sie gesucht hatte.

Kieran saß einige Meter von ihr entfernt auf den Schindeln. Er hatte die Füße gegen die Reling gelehnt und sein Blick war verwundert auf sie gerichtet.

„Darf ich mich zu dir gesellen?“, fragte sie vorsichtig und erklärte dann: „Ich konnte keine Ruhe finden.“

Er nickte stumm und winkte sie herbei. Amara kletterte vorsichtig darauf bedacht, nicht auf den glatten Dachschindeln auszurutschen, zu ihm herüber.

„Dich hat es also auch wachgehalten, Prinzessin?“, stellte er fest.

„Nenn´ mich nicht so", schimpfte Amara halbherzig und stieß ihm den Ellenbogen leicht in die Rippen. „Aber ja, ich konnte keinen Schlaf finden, Dorkas hat mich hierhergeschickt."
„Das sieht den beiden ähnlich", schmunzelte Kieran und Amara bemerkte, dass auch er seine Rüstung bereits trug. Das rote Schwert steckte kampfbereit an seinem Gürtel. Und sie fragte sich, seit wann er schon hier saß.
„Wie weit ist deine Magie zurück?", fragte Kieran, ohne den Blick vom Sternenhimmel abzuwenden.
„Achtzig Prozent schätze ich", überlegte sie nachdenklich und ließ eine kleine Flamme über ihre Finger tanzen. „Mit etwas Glück, bin ich bis zum Kampf wieder bei voller Stärke."
„Hoffen wir es", stimmte Kieran ihr leise zu und schenkte ihr ein müdes Lächeln.
„Wir werden ihnen einen Kampf liefern, den sie so schnell nicht vergessen werden", fügte er grimmig entschlossen hinzu und wechselte dann unverwandt das Thema.
„Sind die Sterne heute nicht besonders schön?", fragte er den Blick erneut auf den Sternenhimmel gerichtet und ließ sich mit dem Rücken auf die Schindeln des Dachs fallen. Er wandte den Blick für einen Moment von den Sternen ab und sah sie kurz an, so als würde er sie gerade zum ersten Mal sehen.
„Es ist fast so, als wüssten sie, dass es vielleicht unsere letzte Gelegenheit ist, sie zu bewundern", stimmte sie ihm nachdenklich zu und legte sich ebenfalls mit dem

Rücken auf das Dach. Den Blick hatte sie bewundert dem strahlenden Nachthimmel entgegen gerichtet.
Der samtschwarze Himmel war über und über mit Sternen gesprenkelt. Es war ein atemberaubender Anblick, der ihr Herz erfreute und Puls beruhigte. Sie spürte Kierans Präsenz neben sich. Das leise Geräusch seiner Atemzüge ließ die Unruhe weiter weichen. Die wolkenlose Nacht gab einen perfekten Blick auf das Firmament frei. Amara atmete die kühle Nachtluft tief ein und zu ihrem Erstaunen spürte sie keine Angst mehr, sondern nur noch Frieden.
Eine innerer Losgelassenheit, wie sie es sonst nur hoch oben zwischen den Wolken verspürte, wenn sie mit Dorkas flog. Vergessen waren die Unsicherheiten und Ängste vor dem kommenden Tag – alles was noch zählte, war das hier und jetzt.

38

Es geht los.“ Dorkas´ Stimme riss sie aus dem Schlaf. Amara fuhr hoch und sah sich um. Sie hatte gar nicht gemerkt, dass sie eingeschlafen war. Sie befand sich immer noch auf dem Dach mit Kieran. Er saß mit angezogenen Knien an der Relling und starrte auf den näherkommenden Sonnenaufgang. Sie wand sich mit Bedauern aus dem warmen Wollstoff seines Umhangs, als sie sich aufsetzte, und unterdrückte ein Gähnen. Er sah zu ihr und reichte ihr wortlos die Hand. Einen Augenblick lag nur Stille zwischen ihnen – schwer, gespannt, beinahe greifbar. Das gedämpfte Rauschen des Windes war alles, was sie hörte.

„Bereit?“, fragte Kieran leise, seine Stimme kaum mehr als ein Hauch, während sie gemeinsam über die Schindeln zur Dachluke kletterten. Amara spürte, wie sich die Anspannung in ihrer Brust erneut zusammenzog, scharf und schwer zu gleich.

„Ist man für so etwas je bereit?“, gab Amara die Frage zurück und rang sich ein Lächeln ab, das jedoch nicht recht gelingen wollte. Kieran zuckte mit den Schultern, den Blick auf den Horizont gerichtet.

„Vermutlich nicht“, sagte er nach einer Weile, die Stille zwischen ihnen dichter als Nebel. „Aber sollte es jemals leichtfallen ein Leben zu nehmen, sind wir nicht besser

als unsere Feinde.“ Für einen Moment blieb die Welt still. Nur das leise Zittern des kommenden Krieges lag in der Luft.
Die Burg war nun wie ausgestorben, keine Menschenseele war mehr auf den steinernen Gängen zu sehen. Sie eilten schnellen Schrittes aus der Festung und den Pfad zum Flugfeld hinunter. Ein Blick nach oben verriet ihr, dass die riesigen Armbrüste, die auf dem Wehrgang und den Zinnen postiert wurden, bereits mit mehreren Soldaten bemannt waren.
Der Weg kam ihr qualvoll lang vor, als sie über den schmalen Trampelpfad eilten, der durch das umliegende Land führte. Der erste Blick auf das Tal, erschien ihr wie ein heilloses Durcheinander. Es waren mehr Drachen versammelt, als sie je zuvor gesehen hatte. Selbst am Tag der Auswahlzeremonie waren es nicht so viele gewesen. Neue Hoffnung durchfuhr sie.
Ihr Blick schweifte durch die Menge, auf der Suche nach schwarzen Schuppen, aber Dorkas war nicht in Sicht. Sorge machte sich erneut in ihr breit.
„Er kann unmöglich wieder bei Kräften sein. Es war nicht genug Zeit gewesen, um sich von den Strapazen der letzten Tage zu erholen“, dachte Amara zähneknirschend.
Dutzende von Menschen in verschiedenfarbigen Rüstungen eilten wie Ameisen zwischen den Drachen über das Feld. Kaida stand in der Mitte des Flugfeldes, aber der Platz neben ihr blieb frei. Amara sah sich besorgt um.
„Wir sehen uns auf dem Schlachtfeld. Versprich mir auf dich aufzupassen!“, sagte Kieran leise. Seine Stimme

zitterte kaum merklich, aber Amara verstand das Unausgesprochene darin. Dann beugte er sich vor und küsste sie – nur ein Hauch, eine flüchtige Berührung, die dennoch all das trug, was Worte nicht fassen konnten. Es war ein Versprechen, dass sie sich wiedersehn würden. Ihr Herz schlug heftig gegen die Rippen, als wolle es die Stille zersprengen, die sich bleischwer zwischen sie legte. Als sich ihre Blicke trafen, lag etwas in seinen Augen, dass sie nie zuvor dort gesehen hatte. Sorge, vermischt mit dem Wissen, dass dies vielleicht ihr letzter Moment sein könnte.

Für einen Atemzug hielten sie inne, gefangen zwischen Hoffnung und Furcht. Dann löste er sich von ihr. Kaida wartete schon, ihre goldenen Augen blitzten ungeduldig im Morgengrauen und doch verstehend.

„Du auch!“, hauchte Amara und zwang sich zu einem Lächeln, dass nicht lange hielt. Sie sah zu, wie er auf Kaidas Rücken kletterte und hoffte inständig, dass sie sich unversehrt wiedersehen würden.

„Wo bist du?“, rief sie Dorkas nun doch besorgt zu.

„Im Ladeanflug“, antwortete der Drache und erklärte: *„Sie haben die Talmündung fast erreicht. Kyrell ist nicht dabei. Es sind hauptsächlich jüngere Drachen und Reiter unter Perraths Führung. Aber es wird vermutlich nicht bei Drachen bleiben.“*

Als Amara sich erneut umsah, erkannte sie ihn in der Ferne. Der riesige schwarze Drache kam von Süden herangeflogen, aus Richtung der Talmündung. Dorkas landete mit weitausgebreiteten Flügeln neben seiner Gefährtin und alle Köpfe drehten sich in seine Richtung. Die Welt selbst schien für einen Moment den Atem

anzuhalten. Ehrfurcht und Hoffnung lagen in der Luft, als Drachen, Reiter und Soldaten in ihrer Bewegung stockten und verstummten.
Dorkas schien diese plötzliche Veränderung der Atmosphäre jedoch gar nicht wahrzunehmen. Er senkte den Kopf und begrüßte seine Gefährtin liebevoll mit einer sanften Berührung. Eine schlichte und doch so bedeutungsschwere Geste. Für einen Moment schien die Welt still zu stehen. Nur die beiden standen da, verbunden durch etwas, dass älter war als Worte.
Dann trat Kaida zurück.
Der Schritt war klein und doch hallte seine Bedeutung über das Feld. Sie hatte die Befehlsgewalt abgegeben.
Der Ceannaire, ihr General, war zurück und hatte die Führung über seine Streitmacht übernommen.
Kaida stand hocherhobenen Hauptes auf der Wiese und ihre Schuppen funkelten in der aufgehenden Sonne wie gefallenes Blut. Ihr Blick schweifte über die versammelten Drachen, als sie ihre Stimme erhob.
„Der heutige Tag wird in die Geschichte eingehen, als ein Tag des Blutvergießens. Diese Schlacht ist erst der Anfang eines wieder aufflammenden Krieges und wir werden unsere Heimat bis auf den letzten Drachen und Reiter gegen die Verräter und Eindringlinge verteidigen!“, verkündete sie stolz und das Tal hallte von dem Gebrüll der versammelten Drachen wider, die auf ihren Ruf antworteten – ein uraltes Echo aus Feuer und Zorn, das die näherkommenden Feinde in der Ferne erzittern lassen sollte. Doch Amara hörte den feinen Hauch von Bitterkeit in ihrem Ton.

Ihre Ohren klingelten von dem Gebrüll und als sie sich unter den versammelten Menschen umsah, erkannte sie, dass es ihnen nicht besser ging.
Ein kalter Wind schlug ihr ins Gesicht, als sich die ersten Gestalten in die Luft erhoben. Als hätten sie nur auf Dorkas´ Zustimmung gewartet, flogen sie hoch über der Burg in Stellung. Unter ihnen erkannte sie Ciringa, Aesira und Tebinth. Ethans und Ilarias Walddrachen und Lynns Winddrache stiegen mit den anderen hoch über die Festung. Ihr Herz wurde schwer bei dem Gedanken, dass sie ihre Freunde vielleicht nie wiedersehen würde.
Amara eilte über die Wiese und kletterte ohne Zeit zu vergeuden auf Dorkas´ Rücken. Ihr Herz schlug wild in ihrer Brust, als sich an ihrem gewohnten Platz hinter den Schultern des Drachen fallen ließ.
„Wie lautet der Plan?"
„Wir greifen in drei Geschwadern an, Kaida und Aeryn führen die ersten beiden an und wir das Dritte", erklärte Dorkas sachlich, als er sich von Boden abstieß und in die Luft stieg.
„Wir?!", stieß Amara erschrocken hervor. Sie war alles andere als bereit, eine Streitmacht anzuführen.
„Ich.", korrigierte Dorkas ruhig, bevor er sich an die versammelten Drachen wandte.
In diesem Moment wurde Amara erst wirklich bewusst, was es für sie bedeutete, mit dem Ceannaire des Drekafjalls verbunden zu sein. Sie würden immer an vorderster Front kämpfen.
„Auf Position!", rief Dorkas. Seine Stimme hallte ruhig und bestimmt in ihrem Kopf wider. Ein Blick nach unten verriet ihr, dass ein Drittel der versammelten

Streitmacht ihm daraufhin gefolgt war. Sie stiegen hoch über die Festung und hinter die Reichweite der Armbrüste auf den Wehrgängen.
Amara zog Aradyn aus der Scheide und packte das Heft des Schwertes fester.
Die anderen Geschwader waren ebenfalls gestartet. Ein Meer von schimmernden bunten Schuppen überflutete den Himmel und die Luft war erfüllt von dem Geräusch schlagender Flügel.
„Keine Gnade, keinen Gefangenen!“, stellte der Drache kalt klar und richtete sich dann über ihre Verbindung ausschließlich an Amara.
„Es kommen schätzungsweise zwei von ihnen auf jeden von uns. Die Zahl unserer kampfbereiten Drachen und Reiter ist gering. Die meisten von ihnen sind auf verschiedene Außenposten im ganzen Gebirge verteilt. Sie werden nicht rechtzeitig hier sein. Wir haben zwanzig Drachen in jedem Geschwader“, wies Dorkas sie ein.
„Ist das gut oder schlecht?“, fragte Amara unsicher.
„Ich habe schon mit weniger gearbeitet“, gab er ruhig zurück, wirkte aber nicht sonderlich begeistert.
Die Sonne stand noch tief und färbte den Himmel in das breite Spektrum von Orange- und Rottönen, als sie meinte, die Gestalten der herannahenden Streitmacht erkennen zu können.
„Bereit fürs Blutvergießen?“, hörte sie Kaidas klare Stimme in ihren Kopf.
„Bereit, wenn du es bist“, antwortete Dorkas.
Sie fuhr kurz zusammen, sie hatte nicht damit gerechnet, dass die Drachendame sich ihr öffnen würde.

Angesichts der Schlacht war es aber wahrscheinlich nicht ungewöhnlich, dass sie ihre Verbindung ausweitete. Vier Augen sehen schließlich mehr als zwei und in ihrem Fall waren es sogar acht.

Sie spürte die Verbindung zu Kaida nicht so klar, wie die zu Dorkas. Trotzdem war es ungewohnt, so stark mit ihrem Bewusstsein verbunden zu sein. Ihre Gedanken waren so anders als die von Dorkas.

Die gegnerischen Drachen waren allmählich so nah, dass Amara die Reiter auf ihren Rücken schemenhaft erkennen konnte.

„Haltet euch bereit!“, donnerte Dorkas. Sie hörte das Rascheln von Flügeln, als die Drachen in Formation flogen. Ein Blick verriet ihr, dass sie, hinter und über den Wehrgängen Stellung bezogen hatten, gerade so, dass die Schützen genug Platz hatten. Die metallenen Armbrustbolzen glänzten in der Morgensonne, der Ruf des Krieges wurde laut – Laute der herannahenden Drachen wurden immer gegenwärtiger. Dorkas´ Größe machte es ihr schwer, mehr zu erkennen und sie versuchte über seine Schulter zu blicken. Die Schützen würden nur eine Chance bekommen, so viele wie möglich auszuschalten. Sobald die Schlacht tobte, war es zu riskant, denn sie könnten einen der eigenen Drachen treffen.

Richtig gezielt, machte die Kombination aus Geschwindigkeit und Kraft die Armbrustbolzen zu tödlichen Projektilen, selbst für Drachen von Dorkas´ Größe. Sie hörte das Knarzen, als die Sehnen gespannt wurden.

Der Gegner war nur noch weniger als hundert Meter entfernt. Dorkas hielt seine Position an der Front des

Geschwaders und schwebte mit schweren Flügelschlägen einige Meter über der Streitmacht. Den Blick auf die herannahenden Gegner gerichtet, wanderte sein Bewusstsein immer wieder zu den hinter ihnen positionierten Drachen.

„Position halten", tadelte er, als einer der jüngeren Drachen an Höhe verlor. Amara sah im Augenwinkel, wie die kleine orangene Gestalt links von ihnen wieder an Höhe gewann.

Ihr Gegner war jetzt so nah, dass sie die gegnerischen Reiter genau erkennen konnte. Sie trugen alle dasselbe Wappen auf der glänzenden Rüstung, den silbernen Drachen – Kagans Wappen, das Wappen ihres Königs. Ein Zischen erklang unter ihnen und die Armbrustbolzen surrten durch die Luft. Amara hörte das dumpfe Geräusch des Aufpralls, als einige Bolzen ihr Ziel fanden. Die schlaffen Körper der Getroffenen stürzten vom Himmel. Amara wollte sich gerade umsehen, als sie merkte, wie Dorkas sich anspannte. Wenige Sekunden nachdem die Pfeile ihre Ziele getroffen hatten, hallte seine dunkle Stimme ruhig und kraftvoll durch die Menge: *„Angriff."*

***

Die Wucht des Aufpralls ließ sie fast das Gleichgewicht verlieren, als Dorkas mit einem mittelgroßen hellgrünen Drachen kollidierte. Der Grüne stieß einen Flammenstrahl in ihre Richtung und sie beschwor einen Schild herauf, um sich vor den Flammen zu schützen. Aber Dorkas war schneller.

Ohne seinem Gegner nur die Chance zur Verteidigung zu geben, packte er ihn mit den riesigen Fängen. Das Genick des Drachen brach mit einem lauten Knacken. Er fiel wie eine Marionette, dessen Fäden durchtrennt worden waren der Erde entgegen. Die Schreie seines Reiters wurden vom Wind weitergetragen. Grauen packte sie. Sie starrte mit großen Augen, dem in den Wolken kleiner werdenden grünen Punkt hinterher. Dann erregte ein reiterloser olivgrüner Drache ihre Aufmerksamkeit.

„Ich hätte schwören können, dass er noch vor wenigen Sekunden einen Reiter getragen hat“, sagte sie und Dorkas folgte ihrem Gedanken.

„Wanderer.“, stellte er fest. Amara kannte den Begriff. Er meinte damit jene, die mit Hilfe ihrer Magie im Bruchteil einer Sekunde durch den Raum springen können. *„Das ist Perrath.“*

„Aber wo ist sein Reiter? Wo ist Aldwin?“, fragte Amara besorgt. Einen Moment später erblickte sie ihn. Heiße Wut stieg bei seinem Anblick in ihr auf – Aldwin hatte sich auf den Rücken eines Drachen teleportiert. Als Amara ihn ins Blickfeld bekam, zog er gerade das grüne Schwert aus der Brust seines Gegners.

„Schalten wir den Anführer aus?“, fragte sie und erhielt als Antwort nur einen Eindruck von grimmigem Ehrgeiz und Blutdurst.

„Ich wehrte das als ein ja“, stellte Amara leicht schaudernd fest. Sie wollten sich gerade an die Verfolgung der Gegner machen, als es blau um sie wurde. Blau? Ein riesiger Flügel schoss knapp am ihrem Gesicht vorbei – ein

großer Drache hatte Dorkas frontal gerammt. Sie nutzte die günstige Gelegenheit und riss der Kreatur mit Aradyn den Flügel auf.
Die Ablenkung wirkte und Dorkas befreite sich aus dem Griff des anderen Drachen. Er stieg höher, über das Schlachtfeld und schickte ihr einen warnenden Gedanken, kurz bevor er sich in einer spiralförmigen Bewegung abwärts fallen ließ.
Er stieß erneut mit dem Blauen zusammen und grub die Klauen in seinen Gegner. Der Drache jaulte auf und Dorkas nutzte die Kraft des Aufpralls, um ihn in die Felswand des Berges zu schleudern. Eine Staubwolke explodierte. Ein Teil des Steines löste sich von der Felswand. Geröll regnete nieder. Der Blaue fiel zusammen mit den Trümmern in die Tiefe und versank hunderte von Metern unter ihnen im See.
Ein plötzliches Kreischen ließ Amara eine Gänsehaut über den Rücken fahren. Sie kannte das Geräusch!
„Du hast recht, es sind nicht nur Drachen!“, rief Amara über den Kampflärm hinweg.
„Wie zur Hölle tut er das? Es sollte nicht möglich sein, sie so zu kontrollieren!“, überlegte sie gleichzeitig erschrocken und fasziniert.
„Für Grübeln ist später noch Zeit!“, ermahnte Dorkas sie streng. Ein Blick über das Schlachtfeld reichte, um ihr zu verraten, wie schlimm es um ihre Verbündeten stand. Dorkas fegte durch die Menge und riss Drachen, Skrim und Harpyien gleichermaßen in Stücke und bald rann das Blut in dicken Tropfen von seinen Krallen und

Fängen. Er hatte gerade eine Harpyie an einem gefederten Flügel gepackt, als eine zweite ihn von der Seite angriff.
„Achtung!", rief Amara schrill und ließ einen Feuerschwall auf das Wesen los. Sie war zu weit entfernt. Amara bereitete sich darauf vor, ihre Magie im richtigen Moment erneut freizusetzen. Sie würde nur eine Chance bekommen, die Harpyie zu erwischen!
Das gefiederte Wesen zielte auf Dorkas´ Flügel und er war nicht in der Position, sich zu verteidigen. Mit seinen Krallen hatte er noch immer den anderen Gegner im Griff.
Amara spürte ihre Präsenz, bevor Kaida nur wenige Meter von ihnen entfernt, emporschoss und dem kleineren Wesen die Kehle mit einem gezielten Biss herausriss. Blut sprühte durch die Luft. Der emporsteigende Luftstrom von Kaidas Flügeln verschlug ihr für einen Moment den Atem. Das Kreischen der anderen Harpyie riss sie schmerzhaft aus ihrer Trance, als Dorkas ihr den Flügel ausriss und das Wesen in den Tod stürzen ließ.
Amara schob das Grauen verbissen zur Seite und sah sich um.
Zu ihrer Rechten sah sie, wie zwei grüne Drachen kollidierten, und einen Moment später erkannte sie die beiden. Es waren Ciringa, Ilarias kleinen Walddrachen und Perrath.
Zu ihrem Schock war Aldwin nicht auf dem Rücken seines Drachen. Er hatte sich fort teleportiert, als Ilaria ihre Messer in seine Richtung gesandt hatte. Die Klingen flogen wie von unsichtbaren Schnüren gezogen durch die

Luft. Die tödlichen Projektile gingen ins Leere. Genau an der Stelle, wo vor wenigen Sekunden noch der Reiter gesessen hatte.

Ciringa fügte dem anderen Drachen einige Bisswunden zu und kämpfte verbissen. Sie waren sich ebenbürtig. Die beiden stürzten ineinander verkeilt auf die Erde zu und Ciringa gab widerwillig den anderen Drachen frei, um den Sturz abzufangen. Amara wollte gerade einen Warnschrei ausstoßen, als sich Aldwin auf Ciringas Rücken materialisierte. Ilaria sprang brüllend auf und kreuzte die Klinge mit ihm, bevor er sein Schwert in der Wirbelsäule des Drachen versenken konnte.

Amara verlor sie im Getümmel der Schlacht, als Dorkas von einem orangenen Drachen angegriffen wurde. Ihre Aufmerksamkeit gehörte in das hier und jetzt.

„Svarog?“, dachte sie kurz und heißer Zorn stieg, beim Gedanken an Bowens kleinen Feuerdrachen, in ihr auf. Doch der Drachenreiter war ihr fremd.

Die Drachen verkeilten sich ineinander und der fremde Reiter kam in ihre Reichweite. Ohne Zeit zu verschwenden, stieß sie einen Feuerball in seine Richtung. Die Flammen züngelten harmlos an ihm vorbei, als der Mann sich duckte. Er stieß mit seinem Schwert zu und sie parierte seinen Schlag. Dorkas und der Orangene kämpften verbissen und sie verloren immer mehr an Höhe.

Noch schätzungsweise hundert Meter, bevor sie zu tief kämen, um rechtzeitig hoch ziehen zu können. Der orangene Drache war zwar kleiner, doch ein nicht zu unterschätzender Gegner! Er nutzte seine Wendigkeit

und schaffte es, Dorkas mehrere tiefe Kratzer zuzufügen.
Amara sammelte ihre Kräfte und schoss dem Reiter eine Flammenwand entgegen. Der Mann wich erneut aus, aber genau damit hatte sie gerechnet und stieß mit ihrem Schwert nach dem Reiter. Sie spürte den Widerstand, als die Klinge auf Fleisch traf und hörte dann das markerschütternde Wimmern des Drachen.
Dorkas nutzte die Ablenkung, packte zu und tötete seinen Gegner. Die Reaktion des gegnerischen Drachen hatte Amara geschockt. Kurz erinnerte sie sich, was Dorkas ihr vor längerer Zeit, über den Tod eines Reiters erklärt hatte: *„Es ist, als würde dir jemand einen kleinen Teil deines eigenen Herzens herausreißen."* Ebenso gequält hatte das Wimmern des Drachen geklungen. Ihr blieb nicht lange Zeit darüber nachzudenken. Dorkas gewann wieder an Höhe und stieg über das Schlachtfeld.
Ihr Magen macht einen Satz, als er abrupt in der Luft stehen blieb, um sich einen Überblick zu verschaffen. Bestürzt sah Amara, wie viele Verbündete aber auch Gegner gefallen waren. Immer wieder sah sie am Boden das Aufblitzen von bunten Schuppen. Es drehte ihr den Magen um.
Ihr Blick suchte auf dem Schlachtfeld nach Ilaria und Ciringa, die zuletzt in einem Kampf mit Aldwin und Perrath verwickelt waren. Einige Sekunden später fand Amara die beiden grünen Drachen. Zu ihrer Erleichterung hielt Ilaria sich tapfer gegen den Wanderer. Aldwin teleportierte sich immer wieder von Perrath weg, um anzugreifen, doch Ilaria hielt stand.

„Wir müssen ihnen helfen. Lange halten sie es, glaube ich, nicht mehr durch!“, rief sie Dorkas zu.
Zu ihrer Erleichterung stimmte er ihr zu, flog eine enge Schlaufe und hielt auf die kämpfenden Drachen zu. Als sie näherkamen, erkannte Amara, dass ihre Freundin schon aus einigen Wunden blutete. Es wirkte nicht dramatisch, dennoch krampfte sich ihr Herz bei dem Anblick zusammen.
Perrath wandte den Kopf in Dorkas´ Richtung. Er ließ von Ciringa ab, aber nicht, ohne ihr noch einmal heftig in den Flügel zu beißen, den er noch immer zwischen den Fängen hielt. Amara hörte das Knacken, als er brach.
„Nein!“, stieß sie schockiert hervor, als der grüne Drache zu Boden stürzte. Sie merkte, wie ihr die Farbe aus dem Gesicht wich, als sie zusah, wie sie auf der harten Erde aufschlugen.
„Der Sturz war nicht allzu tief, sie werden es überleben“, beruhigte Dorkas sie, doch Amara hörte die Sorge, die in seiner Stimme mitschwang, als er sich an die Verfolgung machte. Bald mussten sie jedoch feststellen, dass Perrath durch seine geringe Größe einfach zu schnell für sie war. Ein brauner Drache ohne Reiter schoss wenige Meter entfernt an ihnen vorbei, um Ciringa zu unterstützen. Amara verlor ihn aus den Augen, da sie alles daran setzten Perrath nachzujagen.
Dorkas brummte etwas Unverständliches und es brachte einen Moment, bis sie verstand, dass er eine ihr unbekannte Sprache benutzt hatte.

„Was bedeutet das?", fragte sie verwundert, weil er in ihrer Gegenwart recht selten, die Sprache der Drachen nutzte.
„Eine genaue Übersetzung gibt es nicht, aber es war ein Fluch", erklärte er knapp. *„Wir müssen Perrath und seinen Reiter ausschalten. Wenn sie aus dem Weg sind, werden die Skrim nicht mehr angelockt. Siehst du, wie sie den beiden folgen?"*
Und tatsächlich! Jetzt, wo sie das Muster verstand, erkannte Amara ebenfalls, dass die Skrim dem grünen Drachen gehorchten und begannen, den Drachen gegen seine Angreifer abzuschirmen.
Dorkas wandte seine Aufmerksamkeit plötzlich erneut zu Ciringa und Ilaria am Boden. Er ließ sich zur Seite fallen und hielt auf den grünen Drachen zu.
„Verdammt!", fluchte er besorgt. Sie folgte seinem Blick, konnte auf die Entfernung aber nichts erkennen.
„Was ist los?", fragte Amara und merkte, wie ihre Stimme schriller wurde.
„Ich weiß es nicht genau, aber ich vermute nichts Gutes. Hoffe, dass ich unrecht habe!", sagte Dorkas, als sie auf den Boden zuglitten. Er landete mit einigen starken herabgeführten Flügelschlägen, um sein Tempo abzufangen.
Ilaria war blass, stand zu ihrer Erleichterung aber auf den Füßen, als Amara von Dorkas´ Rücken sprang.
„Geht es dir gut?", rief sie verunsichert, als sie auf ihre Freundin zu rannte. Ilaria nickte und wischte sich das Blut aus dem Gesicht.
„Alles in Ordnung", stieß diese erschöpft hervor und schenkte Amara ein müdes Lächeln. Amara atmete erleichtert auf und wollte gerade die letzten Meter Distanz zwischen ihnen überwinden, als diese in die Knie ging.

„Bitte nicht!“, hauchte sie und hechtete nach vorne. Ihre Arme schlossen sich um Ilaria und sie gingen gemeinsam zu Boden. Amara hatte selbst nicht mehr die Kraft, sie beide aufrecht zu halten.

Sie spürte die warme klebrige Flüssigkeit an ihren Fingern, bevor sie es sah.

„Bitte nicht!“, flehte sie erneut. Tränen stiegen ihr in die Augen, als sie das Blut sah.

„Das darf nicht sein!“

Eines ihrer eigenen Messer steckte Ilaria mittig zwischen den Schulterblättern. Amara sah sich hilfesuchend um und ihr Blick fiel auf die Drachen.

Dorkas ließ den Kopf ein Stück sinken, bevor er sprach.

„Es tut mir leid.“

„NEIN! Das darf nicht sein!“, schluchzte sie und strich Ilaria eine blutbesudelte Haarsträhne aus dem Gesicht. Ilaria schenkte ihr erneut ein müdes Lächeln.

„Ich bin froh, dich eine Freundin nennen zu dürfen“, sagte sie matt und griff nach Amaras Hand. Ihr Griff war nicht mehr als der Hauch einer Berührung.

„Mach diese Welt zu einem besseren Ort.“ Mit dem letzten Satz wandte sie ihren Blick ein letztes Mal zu ihrem Drachen und eine Träne rollte über ihre Wange, bevor ihre Augen starr wurden. Ciringa stieß ein leises Wimmern aus und die großen bronzefarbenen Augen des Drachen starrten bekümmert zu ihnen herunter.

„Nein! Bitte, bleib bei mir!“, rief Amara.

„Es kann nicht sein! Es darf nicht sein! Nicht Ilaria!“ Ihre Gedanken waren ein einziges Chaos. Das konnte einfach nicht sein. Das durfte nicht sein!

„Sie ist fort…“, sagte Dorkas mitfühlend.

***

Amara saß noch immer auf der Wiese, Ilaria in den Armen. *„Das darf nicht sein!“* Verzweifelt sah sie sich erneut hilfesuchend um. Ihr Blick fiel flehend auf die Drachen. Ciringa sah sie noch immer aus traurigen Augen an, aber ihr Blick flog immer wieder besorgt nach oben. Über ihnen kreisten Kaida und ein brauner Walddrache in geübter Formation, sie hielten ihnen den Rücken frei. Ihre Hände zitterten. Sie konnte den Blick nicht von ihren Händen lösen. *„Blut. So viel Blut.“*

„Zieh dich zurück, Ciri!“, rief Kaida dem grünen Drachen zu und Angst schwang in ihrer Stimme mit. Amara zuckte erschrocken zusammen, als sie die Stimme der Drachendame in ihren Gedanken widerhallen hörte. Sie sah auf und erkannte an ihrem entschlossenem Blick, dass Ciringa eine Entscheidung getroffen hatte. Der grüne Drache blickte trotzig zu ihrem Clanoberhaupt hinauf.

„Ich kämpfe bis zu meinem letzten Atemzug an der Seite meiner Familie! Es tut mir leid, Kaia“, widersetzte sie sich dem Befehl mit fester Stimme.

„Nicht mit einem gebrochenen Flügel!“, mischte Dorkas sich mit fester Stimme ein. *„Branoc, Ciri zieht euch zurück. Beide!“* Er warf dem kleinen Drachen einen warnenden Blick zu. Ciringa hielt seinem kalten Blick stand. Ihre Entscheidung blieb bestehen. Plötzlich bebte die Erde. Ein Blick über die Ebene verriet ihr, dass der braune Drache zu Boden gegangen war. Die dunklen Augen des

Wesens starrten leer zum Himmel. Ciringa stieß ein herzzerreißendes Klagen aus und kroch auf den Drachen zu. Ihr rechter Flügel schleifte nutzlos über den Boden und wirbelte den Staub hoch, während sie sich nach vorne zog. Sie ging zitternd neben dem Brauen zu Boden. Er war ihr Gefährte, realisierte Amara und sah, wie der Atem des grünen Drachen schwerfällig ging, als sie zu Dorkas hochblickte.

„Ciri!“, rief Kaida heiser.

Amara merkte den stechenden Schmerz und die Trauer von Kaida, die weit über ihnen kreiste und sie weiter vor Angriffen abschirmte.

„Bitte, denk an unsere Vereinbarung!“, hauchte Ciringa und die Verzweiflung in ihrer Stimme war allumfassend. Sie bemerkte, wie Dorkas überlegte die Verbindung zu Amara zu kappen, doch im Gefecht war es zu gefährlich, sodass er stattdessen in die raue Sprache der Drachen wechselte. Seine Stimme klang beunruhigend dünn, als er einige Sätze mit Ciringa austauschte und ihr Atem stockte als Amara hörte, wie seine Stimme brach. Auch wenn sie die Worte nicht verstanden hatte, war ihr doch klar geworden, was Ciringa da von ihm verlangte. Die Drachendame behielt das letzte Wort.

Ciringa hob den Kopf und sah Dorkas in die Augen. Der Blick aus ihren bronzefarbenen Augen war matt und von Schmerz, Kummer und Verzweiflung gezeichnet. Dorkas ließ den Kopf sinken. Er gab nach. Amara merkte den Widerwillen und Kummer, der von ihm ausging, als er einen Moment später näher an die beiden

Drachen trat. Sie wandte den Blick ab, wissend was nun folgte.

Das Knacken, als das Genick des grünen Drachen brach, hallte laut über den Kampfeslärm der Schlacht und ihr rollten erneut die Tränen über die Wangen. Als Amara den Blick wieder hob, hatte Dorkas Ciringas Kopf sanft auf Branocs Schulter gelegt und war einige Schritte zurückgetreten.

„Wir müssen los“, sagte er heiser, den Kopf immer noch gesenkt. Sie sah auf Ilaria herunter und stieß dann mit rauer Stimme hervor: „Wir können sie nicht so hier liegen lassen!“

„Die Zeit, die Toten zu Betrauern und zu bestatten wird kommen. Aber nicht jetzt, wir müssen diese Schlacht beenden!“, sagte Dorkas sanft zu ihr. In seiner Stimme hörte sie seinen Schmerz und Trauer, die ihre eigene widerspiegelte. Er hatte recht, auch wenn sie es nicht wahr haben wollte.

Amara holte schluchzend Atem, hob ihre Freundin dann in die Arme und stand auf. Das zusätzliche Gewicht ließ sie fast erneut in die Knie gehen, aber sie stemmte sich hoch und schritt zu dem grünen Drachen. Sie lehnte Ilaria sanft gegen den Flügel ihres Drachen und trat zurück.

„Wir werden diese Welt zu einem besseren Ort machen, versprochen“, hauchte sie mit bebender Stimme und wandte sich ab. Als sie auf Dorkas zu trat, wischte sie sich die Tränen aus dem Augenwinkel.

„Wir werden dafür sorgen, dass sie nicht umsonst gestorben sind“, versprach Dorkas und sie spürte die tröstliche Präsenz des Drachen. Er stand wenige Schritte hinter ihr. Immer

noch mit gesenktem Kopf, sodass sie auf Augenhöhe waren. Ohne ein weiteres Wort wandte Amara sich ab und kletterte auf seinen Rücken.

Sie stiegen hoch in die Luft, um sich erneut in die Schlacht zu werfen. Amara wusste, dass sie nicht die Einzige war, die in diesem Moment eine gute Freundin verloren hatte. Sie spürte Kaidas Schmerz, der ihren eigenen widerspiegelte, fasst noch mehr als Dorkas´.

39

Die Schlacht zog sich schon einige Stunden hin und Amara wusste nicht, wie lange sie es noch aushalten konnte, ohne einen verheerenden Fehler zu begehen. Die Müdigkeit zerrte an ihren Knochen und das Schwert wurde mit jeder Stunde schwerer. Sie hatte sich immer gefragt, wie die Schattenwesen eine so große Bedrohung, für die um ein Vielfaches stärkeren Drachen sein konnten. So gefährlich, dass sie sich einst mit den menschlichen Magiern verbündet hatten. Doch nun sah sie es.

Es war ein Massaker!

Die Ungeheuer kämpften in Schwärmen und ohne durchschaubare Logik. Es interessierte sie nicht, ob sie lebten oder starben, solange sie einen der Drachen mit vom Himmel nahmen. Amara hatte in ihrem Leben noch nie eine solche Raserei gesehen – es war ein Blutbad!

Bald war der Boden mit Blut getränkt und überall, wo sie hinsah, waren die schillernden Leiber gefallener Drachen zu sehen.

Sie wollten sich gerade wieder in das Schlachtgetümmel schmeißen, da blitzte etwas Dunkles in ihrem Augenwinkel auf. Amara sah sich um. Ein dunkler Schatten huschte am Himmel entlang.

Dorkas´ Kopf ruckte nach oben. Ein Schwall eiskalte Angst durchzog sie urplötzlich, so heftig, dass sie die Panik selbst körperlich spüren konnte. Ohne zu zögern, legte er die Flügel eng an und stürzte hinab. Seine stumme Warnung traf sie den Bruchteil einer Sekunde, bevor er die Flügel zur vollen Größe ausbreitete und dem anderen Drachen frontal den Weg abschnitt.

Amara wurde nach vorne geschleudert, als der Drache plötzlich in der Luft verharrte. Sie hob den Blick und hatte das Gefühl, ihr Herz würde einen Schlag aussetzen.

Vor ihnen schwebte ein kleiner Feuerdrache, kaum größer als ein Walddrache. Er war winzig und viel zu jung, um hier zu sein.

Dorkas´ Aura flackerte unruhig – Wut, Angst und Sorge mischten sich, sodass es ihr den Atem verschlug.

Amara schluckte, als ihr Blick über die pechschwarzen Schuppen des kleinen Wesens glitt. Der silbern lodernde Blick des Jungdrachen war ihr nur allzu vertraut.

„Ich, ich… glaub´, ich sehe doppelt!“, stieß sie erstaunt hervor und blinzelte ungläubig.

Der kleine Drache war eine beinahe vollkommene Kopie von Dorkas – dieselben geschwungenen Hörner, dieselbe obsidianschwarze Färbung der Schuppen – nur die Narben fehlten. Vor allem die samtenen Flügel des Jungdrachen standen im starken Kontrast zu Dorkas, dessen Flügel durch unzählige Löcher und Naben vergangener Schlachten gezeichnet waren.

Für einen Augenblick stockte ihr der Atem. Es war, als sähe sie eine viele Jahrhunderte jüngere Version des alten Drachen. Trotz der brennenden Anspannung, die in der Luft lag, spürte sie einen Moment stille Faszination. Dann bemerkte sie Kaidas Unruhe, wie ein gedämpfter sorgenvoller Widerhall in ihrem Geist.

„Was tust du hier?!", knurrte Dorkas wütender, als sie ihn je zuvor gehört hatte. In seiner Stimme lag ein ungewohnt scharfer Ton, und zum ersten Mal hörte Amara, wie deutlich sein Akzent durchbrach, wenn seine Disziplin zu bröckeln begann. Nur das Chaos um sie herum verhinderte, dass er die Verbindung zu ihr kappte. Sie wusste, dass er sie aus dem Gespräch ausgeschlossen hätte, wäre es nicht zu gefährlich.

Der kleinere Drache zog zu ihrem Erstaunen nicht den Kopf ein, sondern antwortete mit fester Stimme: *„Ich wollte helfen."* Seine Stimme klang jung und immer noch etwas kindlich, aber mit einem Selbstbewusstsein, dass sie stark an Kaida erinnerte. Es bestätigte ihren Verdacht. Unter Dorkas´ Wut mischte sich jetzt Stolz, auch wenn er es sich nach außen nicht anmerken ließ.

„Caelion, wo sind Kamari und Asra?", fragte er scharf und stieß ein leises Knurren aus.

„In Sicherheit", gab Caelion ausweichend zurück. Die Antwort schien Dorkas gar nicht zugefallen, aber er hakte nicht weiter nach.

„Verschwinde hier, bevor du verletzt wirst oder deine Mutter dir den Kopf abreißt!", schimpfte er und fügte dann weniger scharf hinzu: *„Wenn du helfen möchtest, halt dich von dem Schlachtfeld fern und hör auf deine Schwester!"*

Bei den letzten Worten hatte seine Stimme allmählich wieder den gewohnt ruhigen Tonfall erreicht – doch

sein Blick verriet die eigentliche Drohung: Warte nur, bis Kaida davon hört. Ihre bloße Erwähnung sorgte bei dem, jetzt verlegen dreinblickenden, Jungdrachen für mehr Wirkung, als die Warnungen des alten Generals es vermocht hatten.
Plötzlich zog eine Bewegung ihre Aufmerksamkeit auf sich. Dorkas registrierte es ebenfalls. Er stürzte sich auf den Skrim, der von unten auf sie zu schoss, und riss dem Biest, ohne zu zögern, die ledrigen Flügel aus. Es stürzte mit einem markerschütternden Schrei zu Boden.
Amara sah erneut hoch. Der kleine Drache war verschwunden. Sie meinte noch einen dunklen Schatten am Rand des Berges aufblitzen zu sehen.
„*Er kommt ganz nach dir, was hast du erwartet?*“, fragte Kaida etwas spöttisch, als sie gerade ein Wesen in Stücke riss.
„*Die Sturheit hat er aber von dir*“, verteidigte sich Dorkas ein wenig grummelig. Kaida stieß einen leisen Atemzug aus, der fast wie ein Lachen klang – ein Laut zwischen Belustigung und Erschöpfung.
„*Denkst du, er kommt wieder?*“ Bei den Worten war ihre Stimme schlagartig ernst. Amara konnte die Sorge der Drachendame förmlich spüren. Für einen Moment schien die Schlacht um sie herum zu verblassen. Die gegenseitigen Sticheleien wirkten beinahe wie ein dünner Faden, an dem die beiden sich festhielten. Ein kurzer Augenblick der Normalität mitten im Chaos der Realität.
„*Ich gehe nicht davon aus und wenn doch, müssen wir uns etwas einfallen lassen*“, schnaufte Dorkas müde, als sein Blick auf den grünen Drachen fiel.

Amara verlor Kaida aus den Augen, als Dorkas sich erneut in Richtung Anruin umwandte, wo die heftigsten Kämpfe tobten.

„Ich habe unser Ziel wieder gefunden!“, sagte er an Amara gewandt und stieg höher, um Perrath aus einer erhöhten Position anzugreifen.

Aldwins Walddrache war gerade in einen Kampf mit Aesira verwickelt. Ihre blauen Schuppen funkelten im Licht der Mittagssonne, als sie nach Perrath schnappte. Doch der kleinere Drache war schnell.

„Bitte nicht! Nicht auch noch Lynn!“, dachte Amara unwillkürlich und es fühlte sich an, als würde ihr Herz brechen. Lynn beschwor von Aesiras Rücken aus eine Windböe herauf, die den anderen Drachen aus dem Gleichgewicht brachte. Perrath wurde nach hinten geschleudert und stieß heftig mit der Felswand des Gebirges zusammen.

„Vielleicht steht er ja nicht mehr auf?“ Ihr Hoffnung starb schnell, als der Drache sich wieder aufrappelte.

„Verdammt nochmal, der möchte echt nicht sterben“, stieß sie enttäuscht hervor.

„Da muss ich dir leider Recht geben“, stimmte Dorkas ihr missmutig zu und schickte ihr eine kurze Warnung. Er setzte gerade dazu an, sich auf den anderen Drachen zu stürzen, da schwappte eine Schmerzenswelle von Kaida herüber. Dunkelheit explodiert am nördlichen Ufer des Sees. *„Kieran!“*

Erschrocken erkannte sie, dass der rote Drache zu Boden gegangen war. Kaida versuchte verzweifelt sich zu befreien, doch etwas hielt sie am Boden. Kieran wehrte verbissen mit Magie und Klinge die Angreifer ab. Erst auf den zweiten Blick sah sie das dicke Netz, das die Drachendame gefangen hielt.

„Sie haben Glück gehabt, dass sie am Ufer gelandet sind und nicht wenige Meter weiter links“, dachte sie mit einem erneuten Blick auf das Wasser. *„Das schwere Netz hätte sie in die Tiefe gerissen und ertränkt!“* Ein kalter Schauer lief ihr über den Rücken.

„Sie sind umzingelt, wir müssen da runter!“, rief Amara erschrocken. Dorkas hatte schon abgedreht, bevor sie den Satz überhaupt beendet hatte. Er warf Perrath, der sich gerade wieder aufrappelte, einen letzten Blick zu und flog mit schnellen schweren Flügelschlägen auf das Ufer zu. Sein Blick wanderte, wie von selbst in Kaidas Richtung.

„Kannst du dich selbst befreien?“, rief Dorkas ihr ruhig zu. Es war die Ruhe eines Kriegers, der seine Gefährtin kannte und wusste, wozu sie fähig war. Er kreiste über ihr, die Augen wachsam auf den Himmel gerichtet, bereit jeden Angriff aus der Luft abzufangen.

„Nein.“, kam schließlich Kaidas Antwort nach einer kurzen Pause. In diesem einen Wort lang mehr als Eingeständnis. Mit einem Mal wich Dorkas´ Ruhe und blanke, fast panische Sorge trat an ihre Stelle.

Beim Näherkommen erkannte Amara die dicken Seile des Netzes besser. Die Enden waren mit stählernen Gewichten beschwert und sie befürchtete, dass selbst Dorkas nicht in der Lage gewesen wäre, sich selbst zu befreien.

Der Kreis der Angreifer schloss sich immer enger um die Beiden. Selbst als Kaida ihre Schuppen in wildlodernde Flammen tauchte, schaffte ihr Feuer es nicht die Seile zu zerstören.

„Die Seile sind verzaubert! Lass mich bei Kieran runter, ich helfe ihm das Netz zu lösen", sagte Amara und spürte den Widerwillen des Drachen, aber zu ihrer Überraschung sagte er nur: *„In Ordnung! Aber du wirst springen müssen. Das Ufer ist zu schmal zum Landen."*

Ein Blick nach unten bestätigte seine Feststellung. Die Sandbank auf der Kaida aufgekommen war, war nur wenige Meter breit. Dahinter schossen die Klippen des Drekafjalls empor.

„Ich halte euch den Rücken aus der Luft frei! Beeilt euch!", sagte Dorkas knapp. Ihr Herz klopfte wild, als sie sich vorbereitete. Dorkas schoss mit angelegten Flügeln auf den Boden zu und ihr tränten die Augen vom Gegenwind. Der Boden kam immer näher. Nur noch wenige Meter, dann würde Dorkas hochziehen müssen.

„Mach dich bereit", warnte er und Amara kletterte nach vorne bis zur Schulter des riesigen Drachen. Er fing seinen Sturzflug ab und sie brauchte eine ordentliche Portion Magie, um sich oben zu halten.

„Jetzt!", rief Dorkas, als er eine enge Kurve um die Sandbank flog und mit dem rechten Flügel wenige Zentimeter über den Sand streifte. Ohne weiter darüber nachzudenken, warf Amara sich vom Rücken des Drachen.

Die Welt drehte sich einen Moment, als sie durch die Luft flog. Dann kam sie, wie gehofft, mit der Schulter auf und rollte sich ab. Der Aufprall ließ sie jeden

Knochen im Körper spüren. Amara ignorierte den dumpfen Schmerz und sprang auf die Füße. Ein Blick nach oben verriet ihr, dass Dorkas wieder über ihnen flog. Er wehrte einen Angreifer nach dem anderen ab. Amara sah sich um. Dorkas hatte sie auf der Wasserseite der Sandbank abgesetzt. Kaida lag mit eingeklappten Flügeln vor ihr, mit Kieran an der Seite, der es mit mehreren Angreifern gleichzeitig aufnahm. Kaida stieß ein warnendes Knurren aus, als sie nähertrat.

„Ey, ich bin es!“, zischte Amara, als sie den Drachen umrundete.

„Hat ja lange genug gedauert!“, brummte Kaida und Amara sah ungläubig zu der Drachendame hinauf.

Kieran wandte sich so schlagartig um, als hätte er sie erst in diesem Moment bemerkt. Die Asche der verkohlten Erde, die sich von seinen Füßen erhob, breitete sich aus und ehe sie sich versah, streckte sie sich nach den Wesen, die versuchten den am Boden liegenden Drachen zu erreichen.

„Es sind Nachtmahre!“, stellte sie erschrocken fest. Sie fühlte, wie Dorkas´ Sorge wuchs. Amara zog Aradyn und überzog die schwarze Klinge des Schwerts mit Feuer. Die wildlodernden Flammen zündelten gen Himmel, als sie an Kierans Seite trat.

„Geh Kaida mit dem Netz helfen, ich halte euch den Rücken frei!“, rief Amara und beschwor eine Feuerwand hinauf. Kieran haderte einen Moment, nickte dann aber und ließ sie widerwillig mit ihren Gegnern allein. Amara ließ die Flammen mehrere Meter hoch züngeln, bevor sie die Wand auf ihre Gegner niederregnen ließ. Die

Hitze stieg ihr ins Gesicht, als die Flammen sich ausbreiteten.

„Achtung!" Dorkas´ Warnung erreichte sie gerade rechtzeitig. Mit einem Satz sprang sie zur Seite und der Kadaver einer riesigen Harpyie landete mit einem dumpfen Aufprall auf dem Boden. Die Erschütterung ließ den Sand hochfliegen und sie zog den Arm schützend vor die Augen. Zu ihrem Schrecken, löste der Körper sich wenige Sekunden nach seinem Aufprall in schwarzgrauen Nebel auf. *„Was zur Hölle?!"*

Das war alles andere als normal! Ein Blick verriet ihr, dass zwei der Nachtmahre nicht so viel Glück gehabt hatten. Der Kadaver der Harpyie hatte sie erschlagen. Blut quoll aus ihrem zottelig dunklen Fell hervor und die weiß leuchtenden Augen blickten ins Leere. Einige Sekunden später, lösten auch sie sich auf.

Ein Blick nach oben ließ ihr den Atem stocken. Dorkas kämpfte mit einer schier überwältigenden Anzahl von Angreifern. Darunter Skrim, Harpyien und auch Drachen. Er wirbelte zwischen ihnen umher, ohne auch nur für den Bruchteil einer Sekunde in der Bewegung zu stocken. Das Blut seiner Gegner tropfte in dicken, dunklen Schlieren zu Boden. Der alte Drache behielt die Oberhand.

Seine Feinde waren zwar weit in der Überzahl, doch Dorkas kämpfte mit der Erfahrung und Präzision von vielen Jahrhunderten, und das zeigte sich in jeder Bewegung.

Der schwarze Drache fegte durch die Reihen seiner Gegner, wie die Personifikation des Todes. Ohne

Gnade. Ohne Zögern. Ohne Rücksicht, tötete er alles, was sich in seine Reichweite wagte.
Amara konnte den Blick nicht abwenden. Sie hatte immer gewusst, dass Dorkas gefährlich war, aber erst jetzt verstand sie, warum die Menschen ihn den schwarzen Tod nannten.
Jeder seiner Schläge war berechnet, jeder Flügelschlag tödlich. Ein Schauer lief ihr über den Rücken, als ihr dämmerte, dass sie ihn bislang eher ausgebremst hatte. Kein Mensch, nicht einmal ein Reiter, konnte bei diesen Manövern bestehen. Auch nicht mit Magie.
Einen Wimpernschlag lang war es, als hätte sich ein Schleier zwischen den Welten gehoben – und darunter glomm etwas auf, wie Glut unter kalter Asche.
Amara riss ihren Blick vom Himmel los und wandte sich zu Kieran um.
„Er wird den Ansturm nicht mehr lange abwehren können", rief sie ihm zu und wandte sich erneut ihren Gegnern zu.
„Ich mach schon so schnell ich kann!", entgegnete er und warf Amara einen besorgten Blick zu.
Mit aller Kraft schnitt und riss er, mit Magie und Messern, an dem Netz. Doch zu ihrem Schrecken, sah sie keine Veränderung an dem Seil.
Etwas Blaues blitzte am Himmel auf. Ein kleiner hellblauer Drache schoss durch die Luft und fegte mehrere der kleineren Skrim, die Dorkas angegriffen hatten aus dem Weg. Es dauerte einen Moment, dann erkannte Amara Dacianas kleinen Wasserdrachen. Sie sah Lonans Reiterin kurz an, als diese nah an der Wasseroberfläche

entlang flogen. Daciana streckte ihre Hand aus und eine gigantische Welle erhob sich vom See. Das Wasser schoss harmlos an ihr vorbei, riss ihre Gegner aber mit der verheerenden Macht der Wellen in die Tiefe.
Amara nickte der anderen Reiterin dankend zu und rannte zurück zu dem am Boden liegenden Drachen, um mit anzupacken. Die Seile waren so dick, dass sie ihre Hand nicht ganz darum schließen konnte. Sie ließ die Flammen an ihren Händen züngeln, doch genau wie Kaidas Feuer perlten sie harmlos an den Stricken ab.
„Verdammt!“, schimpfte sie verzweifelt. Wenn sie Kaida nicht bald befreien, würden sie alle sterben!
Verzweifelt, nahm Amara ihr Schwert und hieb auf die Seile, die die Gewichte mit dem Netz verbanden, ein. Zu ihrem Erstaunen schnitt Aradyns Klinge ohne großen Widerstand durch die Taue.
„Natürlich! Die Klinge kann durch Zauber schneiden!“, erinnerte Amara sich und hätte sich am liebsten für ihre Torheit geohrfeigt. Warum hatte sie nicht eher daran gedacht!
„Geh zur Seite!“, rief sie Kieran zu und machte sich an die Arbeit. Sie durchtrennte ein Tau nach dem anderen und doch kam sie schmerzlich langsam voran. Kaida bewegte sich vorsichtig und schaffte es einen Flügel auszustrecken. Da hörte sie ein Knurren.
Sie zuckte zusammen und sah sich um. Aus dem Schatten der Berge erschienen andere Wesen. Amara erkannte weitere Nachtmahre und meinte auch einen Alp zu erkennen.

„Ich regle das! Mach du hier weiter“, sagte Kieran und zog sein Schwert erneut. Amara verlor keine Zeit und schnappte sich den nächsten Strick.

„Pass auf!“, stieß Kaida hervor und Amara spürte die Präsenz, bevor sie die Bewegung im Augenwinkel wahrnahm.

„Aldwin!“ Der Reiter tauchte ohne Vorankündigung direkt vor ihr auf.

„Perrath muss ganz in der Nähe sein!“, warnte sie Dorkas. Er nahm ihre Warnung zur Kenntnis. Antwortete aber nicht. Aldwin zog seine schmale, grüne Klinge und grinste – sein widerlich süffisantes Grinsen. Wie sehr sie dieses Grinsen verabscheute!

„Zwei zum Preis von einem“, sagte er und zeigte mit seinem Schwert auf den Drachen hinter ihr.

Heiße Wut stieg in Amara auf, als sie ihr Schwert hob und es erneut in Flammen tauchte. Kaida knurrte bedrohlich, aber Aldwin schenkte der Warnung des mächtigen Drachen keinerlei Beachtung.

Sie sah kurz das Aufblitzen grünen Schuppen über sich, als Perrath mit Dorkas kollidierte. Die beiden Drachen kämpften verbissen, ohne die anderen Kreaturen um sie weiter zu beachten.

Der kleine Drache nutzte seine Wendigkeit, um Dorkas anzugreifen und seinen Klauen auszuweichen.

„Du bist alt geworden!“, stieß der Walddrache herablassend hervor.

„Und du solltest Alter nicht mit Schwäche verwechseln. Ich habe auf dem Schlachtfeld Blut vergossen, lange bevor du auf dieser Welt warst!“, knurrte Dorkas zurück und packte den grünen

Drachen. *„Und ich werde noch lange auf dieser Erde wandeln, wenn du schon längst zu Staub zerfallen bist“,* fügte er kalt hinzu, als er den Griff um die Schuppen seines Gegners verstärkte.

„Netter Trick“, sagte Aldwin unbeeindruckt mit einem Blick auf ihr Schwert und trat näher an den am Boden liegenden Drachen. Kaidas Knurren wurde lauter und ihr Blick flog warnend zu Amara. Sogleich schalte sie sich für ihre Unachtsamkeit.

„Nur wird euch das nicht helfen. Wie heißt es so schön: Ein Drache am Boden, ist ein toter Drache“, spottete er. In seiner Stimme war ein Versprechen, dass ihr einen Schauer über den Rücke jagte. Sie musste ihn von Kaida wegtreiben! Amara ging in eine Angriffshaltung und fing langsam an ihren Gegner zu umkreisen.

Drachenblut tropfte vom Himmel, als Dorkas seinem Gegner mit einem heftigen Biss das rechte Vorderbein brach und die Schuppen dabei aufriss. Sie hörte das Knacken des riesigen Knochens, aber der Drache kämpfte ungerührt weiter.

„Ich habe auch so einige Tricks auf Lager“, erklärte Aldwin schmunzelnd und griff nach dem abgeschnittenen Seil. Seine Miene zeigte keine Regung, doch sie meinte, einen Funken Unsicherheit in seinen Augen glitzern zu sehen.

„Wenn wir in der Hauptstadt sind, wirst du uns verraten, wie du das gemacht hast.“

„Ich denke nicht daran! Du wirst mich töten müssen, denn lebend komme ich nicht mit“, stieß Amara angewidert hervor.

„Auch gut. Der König möchte dich zwar, aus welchen Gründen auch immer, lebend. Doch ich habe kein Problem damit, dich auszuweiden, kleine Hexe“, sagte er ruhig und abschätzig. „Dann war es halt ein Unfall, woher soll er es wissen. Im Krieg passieren viele schreckliche Dinge.“ Und wieder dieses aalglatte Grinsen. Kalter Hass brannte in ihrem Herzen.
Ihr Blick flog zu Kaida, die sie mit ihren großen goldenen Augen fixierte und sie verstand. Amara wich unauffällig ein paar Schritte von Aldwin weg. Ehe er reagieren konnte, fegte Kaida ihn mit dem Schwanz von den Füßen. Der Reiter stürzte mit dem Gesicht voran zu Boden. Amara vergeudete keine Sekunde. Sie sprintete auf Kaida zu und hieb auf das nächste Seil.
„Was tust du da?!“, rief die Drachendame scharf.
„Dir das Leben retten. Bedank dich später!“, antwortete Amara und durchtrennte das Tau, das ihren linken Flügel hielt. Kaida befreite sich mit einem Ruck und Sand schoss empor.
Aldwin kam wieder auf die Beine, das Schwert fest in beiden Händen. Der Himmel verdunkelte sich, als ein riesiger Schatten über sie trat. Amara hob instinktiv den Blick – Kaida. Zu ihrem Erstaunen hatte der rote Drache hinter ihr Stellung bezogen und stieß ein warnendes Knurren aus.
Ein heller Schmerz ließ sie plötzlich zusammenfahren. Ihr Blick wanderte für den Bruchteil einer Sekunde erschrocken zum Himmel. Einer der Skrim hatte sich in den Kampf einmischt und Dorkas in den Flügel biss. Der schwarze Drache befreite sich geschickt, aber nicht

ohne die dünne Flügelmembran weiter zu verletzen. Kaida zuckte hinter ihr zusammen, doch ihr Blick blieb entschlossen auf Aldwin gerichtet.
„Geh und hilf ihm! Ich komm schon klar“, sagte Amara zu Kaida und der Drache wartete nicht lange. Sie warf sich verbissen, an der Seite ihres Gefährten, ins Getümmel. Ihr Blick fiel kurz auf Kieran, der sich gegen die Übermacht der Nachtmahre zur Wehr setzte.
Amara hob die freie Hand und schoss einen Feuerball auf ihren Gegner, aber Aldwin teleportierte sich im letzten Moment zur Seite und wich dem Geschoss aus.
„Verdammt! Er ist zu schnell!“ Der Gedanke war ernüchternd. Aldwin sprang vor und ihre Klingen kreuzten sich. Sie tauschten einige schnelle Schläge. Als sich ihre Schwerter erneut trafen, nutzte Amara ihre Chance und trat ihm mit genug Kraft in den Bauch, sodass er wenige Schritte von ihr weg taumelte.
„Halt dich bereit!“, rief Dorkas, der noch immer in den Kampf mit Perrath verwickelt war. Der grüne Drache blutete aus mehreren tiefen Wunden. Doch noch immer gab er nicht einen Zoll nach.
Aldwin sprang wieder auf die Füße und nutzte ihre Ablenkung aus. Bevor er einen Treffer landen konnte, schlang sich ein schwarzer Tentakel aus Asche um sein linkes Bein und riss ihn zurück. Kieran streckte gerade einen der Nachtmahre mit dem Schwert nieder, doch seine freie Hand war immer noch in ihre Richtung ausgestreckt. Sie schenkte ihm ein kurzes dankbares Lächeln, bevor sie vorhechtete und nach Aldwins Schwertarm schlug. Der Schlag wäre, dank Dorkas´ Kraft, stark

genug gewesen, um den Arm abzutrennen. Doch ihr Gegner sah den Angriff voraus und verschwand erneut. Er tauchte nur wenige Schnitte hinter ihr auf. Amara setzte sich mit knapper Not zur Wehr und stieß ihm die Klinge ins Knie. Doch Aldwin kämpfte weiter, als wäre nichts geschehen. Er zeigte keine Regung, keinen Schmerz!

„Er sollte nicht mehr in der Lage sein zu laufen!“, stieß Amara ungläubig hervor. Ein Blick zum Himmel verriet ihr, dass es bei dem Drachen nicht anders aussah. Perrath blutete heftig und seine Wunden waren schwer genug, um selbst den größten Drachen zu Fall zu bringen.

„Sie spüren keinen Schmerz!“, bestätigte Dorkas ihren Verdacht und stürzte sich erneut auf den grünen Drachen.

„Den Kopf abschlagen oder das Herz erwischen, sollte sie töten“, stellte er klar.

„Großartig.“, stieß Amara niedergeschlagen hervor. Doch ein Gedanke ließ sie nicht los: *„Das dürfte nicht möglich sein.“*

Ganz, wie Dorkas es sie gelehrt hatte, schob Amara die Fragen zur Seite und lenkte ihre volle Konzentration auf den Gegner.

Sie tauschten weiter Schläge aus, bis Dorkas ihr eine Warnung schickte. Sie stieß Aldwin heftig gegen die Brust und schickte eine Feuerwelle hinterher, um sich von ihm zu lösen. Der gigantische Schatten des Drachen verdunkelte die Sandbank für einen Moment, bevor sich seine riesigen Klauen um sie schlossen. Dorkas´ Krallen waren rutschig vor Blut, als er wieder höher stieg.

„Oh nein", stieß Amara hervor, als ihr klar wurde, was jetzt unweigerlich folgen würde.
Durch einen Spalt zwischen den Krallen erkannte sie, dass Kaida den grünen Drachen in der Mangel hatte. Ihre Klauen durchstachen in diesem Moment einen seiner Flügel.
Dorkas flogen einige Meter über das Kampfgetümmel und ohne eine Vorwarnung schleuderte er sie hoch in die Luft. Die Welt drehte sich schnell, als sie im freien Fall auf die Erde zuschoss. Es dauerte nur wenige Sekunden, bevor der schwarze Drache mit weitausgebreiten Flügeln unter ihr auftauchte. Amara kollidierte heftig mit den harten Schuppen und der Aufprall presste ihr die Luft aus der Lunge. Für einen Moment sah sie Sterne, kletterte dann jedoch fahrig weiter nach vorne an ihren Platz – hinter den Schultern des Drachen. Dorkas verschwendete keine weitere Zeit und ging in den Sinkflug, um Kaida zu unterstützen.
„Wir müssen den Kampf hier und jetzt beenden!"
Ein Blick verriet ihr, dass ihre Verbündeten immer mehr in der Unterzahl waren. Gegen die weiterhin nachströmenden Schattenwesen würden sie nicht mehr lange bestehen. Ihre Finger zitterten leicht vor Anstrengung, als sie das Schwert zog. Die Magie und der Kraftaufwand der letzten Stunden forderten langsam ihren Tribut.
Amara hielt sich an der Zacke vor ihr fest und bereitete sich auf den Aufprall vor, als Dorkas auf Perrath los ging. Die Drachen gingen mit Fängen und Krallen aufeinander los. Amara schoss einen Feuerschwall nach

dem anderen auf den gegnerischen Reiter und ihr Herz brannte vor Wut. *„Für Ilaria!“*
Aldwin war ihr durch seine Fähigkeiten immer einen Schritt voraus und bald begann sie innerlich zu frieren.
„Meine Magie wird dich umbringen, wenn du so weiter machst!“
Angst und Sorge schwangen in der Stimme des Drachen mit. Sie wusste, dass er recht hatte – seine Magie war ein Teil von ihr geworden, und sie spürte, wie dieser Teil sie aufzehrte. Aber sie durfte jetzt nicht nachgeben.
Ihr kam ein Einfall. Amara packte ihr Schwert und bereitete sich vor auf den grünen Drachen zu springen. Dorkas unterbrach sie barsch.
„Denk nicht mal daran!“, zischte er und grub die Krallen erneut in seinen Gegner. Sie wollte gerade widersprechen, als sie die verhasste Präsenz spürte.
„Pass auf!“, rief Dorkas ihr zu, bevor er sich von Perrath löste und in einer Spirale fallen ließ, um Aldwin abzuschütteln. Doch der Reiter sah das Manöver vorher und nutzte seine Kräfte, um sich oben zu halten.
„Das bringt nichts, ich übernehme!“, rief Amara und sprang auf die Füße.
Der Aufprall hallte in ihren Knochen wider, als ihre Klingen aufeinandertrafen.
„So langsam wirst du echt zu einem kleinen Ärgernis“, sagte Aldwin, als er erneut teleportierte und links von ihr auftauchte. Sie drehte sich um und parierte den Schlag, der auf ihr Herz gezielt hatte. Das grüne Schwert glitt mit Kraft an Aradyns Klinge hinab und bohrte sich durch die Rüstung, seitlich zwischen ihre Rippen. Amara zog scharf die Luft ein, als ein blendend heller Schmerz

in ihrer Seite explodierte. Ihre Hand fuhr wie von allein an die Stelle und sie fühlte das warme Blut, das aus der Wunde quoll.

„Deine Lunge wurde durchstochen, du brauchst einen Heiler!", erkannte Dorkas besorgt, als er erneut mit Perrath zusammenstieß.

„Ich kann Atmen, mir geht es gut!", presste Amara hervor und drückte eine Hand auf die Wunde.

„Das ist gelogen und das wissen wir beide!", antwortete Dorkas scharf. *„Du wirst verbluten und an deinem eigenen Blut ersticken, wenn wir nicht sofort handeln!"* Er war gerade dabei mehr Argumente zurecht zu legen, als sie ihn unterbrach.

„Wir haben jetzt keine Zeit dafür!", gab Amara zurück und biss die Zähne zusammen. Mit hocherhobenem Schwert warf sie sich erneut auf ihren Gegner. Sie hatte nicht mehr viel Zeit, dass wusste sie. Doch sie würde keine Sekunde verschwenden!

„Wenn ich heute schon sterben muss, nehme ich den Mistkerl mit ins Grab!", dachte sie, verbarg den Gedanken aber vor Dorkas. Aradyns Klinge stieß mit Aldwins Schwert zusammen und sie schlug ihm mit ihrer Faust und einem Feuerschwall ins Gesicht. Der Mann fuhr erschrocken, aber nicht schmerzverzehrt, zusammen und sie stieß ihm das Schwert in den Bauch.

„Das wird dir nichts bringen", grinste er Amara an und trat wieder näher.

„Deine Zeit läuft ab", flüsterte er. Das Blut quoll in einem Schwall aus der Wunde, doch er ignorierte es. Ihre Beine zitterten und mit jeder Sekunde, die verstrich, wurde es immer schwerer einen klaren Gedanken zu fassen.

„Lange halte ich es nicht mehr aus“, dachte sie gerade, als sie ihr eine Idee kam.

Ihr Atem ging stoßweise und jeder Atemzug war eine unmögliche Hürde. Das Schwert hing schlaff in ihrer Hand, als sie auf Aldwin zu trat und sie sah sein triumphierendes Grinsen. Sie griff ihn an und stolperte, als ob ihre Beine sie nicht mehr tragen wollten – was auch nicht weit von der Realität entfernt war.

Aldwin hob sein Schwert. Bereit, zu zustechen. Amara riss Aradyn in die Höhe. Ihr Schwert fand sein Ziel. Die schwarze Klinge durchstach den Brustkorb. Amara nahm alle Kraft, die ihr geblieben war und entflammte die Klinge in loderndes Feuer.

Das Lächeln des Mannes verstarb, als ihm langsam Blut aus dem Mundwinkel tropfte. Seine Hände griffen fahrig nach der Klinge, die sein Herz durchstochen hatte. Als sie aufblickte, lösten sich überall Wesen in schwarzen Nebel auf, starben oder flohen. Sie wollte gerade ihr Schwert zurückziehen, als der Reiter sich vor ihren Augen in einem roten, blutigen Nebel auflöste.

Ihr wurde schlecht, vor Ekel und Luftnot.

„Was zur Hölle?!“, stieß sie gepresst hervor.

„Blutmagie.“ Die Stimme des Drachen klang schockierend aufgelöst, als Dorkas das Wort aussprach.

Ihre Lunge brannte und ein Röcheln kam aus ihrer Kehle, als sie Blut hustete.

„Wir müssen einen Heiler für dich finden. Sofort!", sagte Dorkas und sie spürte, wie er auf dem Schlachtfeld nach Lyall suchte.

Er schaffte es mit knapper Not, sich von Perrath zu lösen, der verzweifelter als je zuvor kämpfte. Kaida, die jetzt nicht mehr von Skrim belagert wurde, stürzte sich auf den grünen Drachen.

Sie kämpfte gnadenlos – wild und präzise zugleich.

Amara blinzelte benommen in die Richtung, als eine erneute Schmerzwelle sie zu Boden gehen ließ. Sie fiel auf die harten Schuppen des Drachen und schnappte röchelnd nach Luft. Die Kälte war beinahe genau so unerträglich, wie der Schmerz.

Verschwommen nahm sie noch wahr, wie Kaida an ihnen vorbeischoss, den grünen Drachen mit voller Wucht zu Boden drückte und ihre Krallen in dessen Brust vergrub. Für einen Herzschlag flackerte feuriges Licht zwischen ihren Krallen auf, als würde sie ihm das Herz selbst entreißen.

Amara spürte, dass dies mehr war als ein Kampf. Es war Zorn, der Vergeltung suchte – und zugleich Schutz. Kaida hielt ihnen den Rücken frei, mit aller Wucht, die in ihr brannte.

„Es ist vollbracht." Für einen Moment fielen ihr die Augen zu und es wurde schwarz um sie herum.

„Wach auf!", befahl Dorkas. Seine Stimme riss sie zurück in die Realität, zurück zum Schmerz. Sie fühlte, wie das verklebte Blut sich in ihrer Lunge sammelte.

„Du musst wach bleiben!", sagte der Drache eindringlich. Doch Amara wollte die Augen wieder schließen. Die

Dunkelheit rief einladend ihren Namen und versprach Erlösung von den Qualen.

„Wenn du jetzt die Augen schließt, wirst du sie nie wieder öffnen! Bitte, halte durch!“, flehte Dorkas jetzt fast verzweifelt. Sie sah unter ihnen die Leichen der Gefallenen im Tal verteilt und das Schillern der Drachenschuppen am Boden, machten sie traurig.

Ihr Blickfeld verschwamm erneut an den Rändern, doch Amara konzentrierte sich auf den Versuch zu atmen. Das Blut klebte ihr in der Kehle und machte es fast unmöglich Luft in ihre zusammengefallene Lunge zu bekommen.

Sie spürte den Aufprall, als der Drache auf dem Platz vor der Burg landete und hörte die gedämpften Rufe der Heiler und Magier, die über den Platz eilten. Ihre Augen wollten gerade wieder zu fallen, als eine Gestalt aus einer Wolke schwarzen Nebels trat und auf sie zu rannte. Nicht Nebel. Asche.

Kieran verschwendete keine Zeit und hob sie vorsichtig, mit der Hilfe seiner Magie, vom Rücken des Drachen. Er zog sie eng an sich und Amara sah die Panik in seinen Augen, als er sie musterte.

„Wir haben es geschafft.“ Ihre Stimme war so dünn, dass es sie selbst erschreckte. Der Hauch eines Lächelns umspielte ihre Lippen.

„Das hast du! Du hast es geschafft. Aiden ist auf dem Weg, halte durch!“, flüsterte Kieran ebenso leise wie sie bis seine Stimme brach.

Jede Bewegung schickte einen blendend hellen Schmerz durch ihren Körper und ihr Blickfeld verschwamm erneut, als ihr Kopf nach hinten kippte.
Einige Zeit schwankte Amara so an der Grenze der Bewusstlosigkeit und die Kälte in ihren Knochen war unerträglich. Sie umfasste jeden Zentimeter ihres Seins und machte ihre Glieder taub. Sie erkannte Aidens Stimme gedämpft zu ihr herüberhallen, doch sie vernahm die Worte nicht. Seine Stimme war heiser und von Panik verzehrt.
Ihr Kopf kippte wieder zur Seite. Ihr Blick fiel ein letztes Mal auf Dorkas. Die silbernen Augen des Drachen waren sorgenvoll auf sie gerichtet.
„Es tut mir leid“, sagte sie leise und erschrak selbst, wie schwer es ihr fiel, den Gedanken zu formulieren, als ihr endgültig schwarz vor Augen wurde.

40

Rauch biss ihr in die Lunge. Hustend hob sie die Hände und sah, dass Blut ihre zitternden Finger benetzte. Sie wusste nicht mit Gewissheit, wessen Blut es war, doch die rote Flüssigkeit brannte auf ihrer Haut, wie glühende Esse.

Amara blickte auf und erkannte eine Stadt. Es wirkte, als wäre ein Feuersturm durch die Straßen gezogen. Die Trümmer einer Festung und Schutt bedeckten den Boden, wohin sie auch sah. Eine brennende Fahne wehte geräuschvoll an den Überresten eines Turmes. Der silberne Drache auf dem Wappen brannte mit der Sekunde, die verstrich, weiter ab. Amara hatte diesen Ort nie zuvor gesehen und doch packte sie ein Gefühl von unendlicher Traurigkeit, als sie sich zwischen den Trümmern umsah.

***

Das Licht war blendend hell, als sie ihre Augen öffnete. Ihre Lunge füllte sich mit kalter, klarer Luft, als sie einatmete. Der metallene Geschmack von geronnenem Blut war aus ihrer Kehle gewichen und Erleichterung durchströmte sie.

Amara sah sich um, sie war in ihrem Zimmer, aber von Lynn fehlte jede Spur.

Statt ihrer Rüstung trug sie eine Tunika und eine lockere Hose. Das verkrustete Blut war von ihrer Haut verschwunden und als sie nach der Wunde tastete, war nur noch eine schmale Narbe zu spüren. Aradyn lehnte in der schwarz verzierten Schwertscheide am Fußende ihres Bettes. Kein Blut besudelte die Klinge und zeugte von den Taten der Schlacht.
„Das kann nicht sein", stellte Amara erstaunt fest. Sie hatte das Schwert verloren, als sie bewusstlos geworden war.
„Der Aschebändiger hat es geborgen und hergebracht", erklärte Dorkas und sie war noch nie in ihrem Leben so froh gewesen, die Stimme des Drachen zu hören.
Sie wollte gerade etwas erwidern, als eine Bewegung ihre Aufmerksamkeit auf sich zog. Sie stemmte sich hoch in eine sitzende Position und ihr Körper quittierte die ruckartige Bewegung prompt. Der Raum drehte sich vor ihrem Blickfeld und sie verzog angestrengt das Gesicht.
„Du solltest langsam machen", hörte Amara eine bekannte Stimme und sah sich um. Und tatsächlich, wie vermutet, saß Aiden im Sessel neben dem Schreibtisch.
„Wie geht es dir?", fragte er und musterte sie mit einer Mischung aus Sorge und Erleichterung.
„Ich fühle mich ein wenig so, als wäre ich von der Wehrmauer gefallen und dann von einer Kutsche überrollt worden. Aber besser als erwartet. Ich vermute mal, das habe ich dir zu verdanken", erklärte Amara und ihr kam ein anderer Gedanke.
„Wie lange war ich bewusstlos?", fragte sie leise.

„Drei Tage", gab Aiden tonlos zurück. „Der Kraftverlust durch die Magie hat dich fast umgebracht und die durchstochene Lunge war auch nicht gerade förderlich."
„Ich verspreche, dass ich mich beim nächsten Mal nicht gleichzeitig abstechen lasse und meine Kräfte überreize", versprach Amara und warf einen Blick aus dem Fenster.
„Das ist nicht lustig!", schimpfte Aiden, doch ihre Konzentration war schon woanders.
Amara traute kaum ihren Augen. Der riesige schwarze Drache lag zusammengerollt auf dem Kopfsteinpflaster des Platzes.
„Was machst du hier?", fragte sie erstaunt. Amara sah, wie der Drachen die Augen öffnete und den Kopf hob.
„Du hast doch nicht wirklich geglaubt, dass ich dich allein lasse?", fragte Dorkas ein wenig pikiert zurück.
„Danke", sagte sie leise und Wärme umfing ihr Herz.
„Lynn ist vor wenigen Minuten aufgebrochen, um etwas zu Essen zu besorgen. Sie wird sich ärgern nicht hier gewesen zu sein, als du aufgewacht bist. Und Kieran erst! Er war unerträglich die letzten Tage. Wenn er nicht gerade mit dem Rat beschäftigt war, hat er jede freie Minute nach dir gefragt oder hier gewartet", erklärte Aiden und zog damit ihre Aufmerksamkeit wieder fort von dem Hof und dem dort wartendem Drachen.
„Lynn ist unversehrt geblieben. Dem Himmel sei Dank!" Bei dem Gedanken fiel ihr ein Stein vom Herzen. Sie hätte es nicht ertragen, noch eine Freundin zu Grabe tragen zu müssen. Amara wollte gerade nach dem Rest ihrer Freunde fragen, als ein weiterer Gedanke sie überkam.

„Der Rat ist noch hier?“ Eine Befürchtung machte sich in ihr breit. Sie hoffte inständig, dass Kieran nicht das Desaster mit der Befehlsverweigerung und ihrer vergeigten Mission ausbaden musste. Der Rat war ziemlich wütend gewesen, als sie aus Domhnall zurückgekehrt waren.

„Das sollte er dir lieber selbst erzählen, es ist viel passiert in den letzten Tagen“, wich Aiden ihrer Frage aus.

Amara schob die Decke beunruhigt zur Seite und wollte die Beine aus dem Bett schwingen, als er aufstand und sagte: „Das ist keine gute Idee! Du solltest dich ausruhen.“

„Ich stimme ihm da zu. Du solltest dich wirklich ausruhen. Es bleibt nicht mehr viel Zeit. Wir müssen so bald wie möglich aufbrechen“, erklärte Dorkas und Amara wollte schon die Augen verdrehen, als sie hellhörig wurde.

„Wohin brechen wir auf, und wann?“, fragte sie den Drachen.

„In den Norden“, antwortete Dorkas nach kurzem Zögern. *„Wir müssen alte Allianzen wiederbeleben und neue Verbündete finden, wenn wir gegen Kyrell und seinen Reiter bestehen wollen. Wir brechen auf, sobald du so weit bist.“* Der Entschluss lag klar in seinen Worten und doch spürte Amara die Unruhe dahinter. Es war etwas zwischen Missmut und Erleichterung, weil sie wieder wach war, weil sie noch da war.

„Und wenn Kieran den Rat überzeugt hat! Wir haben versprochen ihm eine Woche Zeit zum Verhandeln zu lassen“, fügte Kaida hinzu. Ihr Ton ließ keinen Widerspruch zu. Amara hatte förmlich das Bild vor Augen, wie die Drachendame

ihren Gefährten gerade mit funkelnden Augen niederstarrte.
„Eine Woche", wiederholte Dorkas schließlich, widerstrebend, fast grollend. *„Dann fliegen wir!"*
Einen Moment herrschte Stille – oder das, was bei Drachen als solche galt. Die Luft im Raum vibrierte, als prallten unsichtbare Kräfte aufeinander. Magie knisterte in der Luft, als Feuer und etwas Dunkles, Lautloses aufeinandertrafen.
Für einen Herzschlag war da etwas – uralte Macht, schwer wie der Atem der Welt – und dann war es vorbei.
„Wartet mal kurz, ich komm nicht mehr hinterher!", platzte Amara schließlich heraus. Beide schwiegen.
Die Magie in der Luft ließ nach, und sie hatte den Verdacht, dass die Auseinandersetzung nun stumm, mit Blicken oder Gedanken fortgesetzt wurde, als wäre sie gar nicht anwesend.
Dann, ohne jede erkennbare Pause, setzten die beiden das Gespräch fort, als sei nichts geschehen.
„Wir fliegen ins Kaldarethgebirge und verhandeln mit Corbin über seine Unterstützung. Falls wir erfolgreich sind, können wir über das Gebirge nach Xandria und ihr könnt dort mit den Menschen über eine Allianz verhandeln", brummte Dorkas nicht gerade begeistert.
„Und wenn es nicht funktioniert?" Amara dachte an das, was sie in den letzten Monaten über das Kaldarethgebirge und dessen Drachen erfahren hatte.
„Dann stehen wir nicht schlechter da als jetzt", beantwortete zu ihrer Verwunderung Kaida die Frage. Bevor sie sich

wieder an ihren Gefährten wandte: *„Hör auf dir solche Sorgen zu machen, Liebster. Dein Plan ist gut!“*

Amara wartete kurz wie Dorkas dazu stand. Er widersprach nicht, auch wenn seine schlechte Laune Antwort genug war.

„Es ist alles organisiert, wir warten nur noch auf euch. Ich würde jemand anderen in unserem Namen schicken, doch Corbin wird mit niemand anderem verhandeln“, erklärte Kaida nach einer kurzen Pause und ihre Stimme ließ durchscheinen, was sie von dem Oberhaupt des Kaldareth hielt.

Amara ließ die Verbindung zu den Drachen in den Hintergrund rutschen und konzertierte sich auf die Aufgabe vor ihr. Eigentlich wusste sie, dass es besser wäre hier zu warten, doch sie dachte gar nicht daran.

„Entweder du hilfst mir oder nicht, aber ich werde nicht weiter hier herumliegen!“, sagte sie mit fester Stimme und zog sich ihre Stiefel an. Ihr Kopf drehte sich immer noch ein wenig von der ruckartigen Bewegung, weshalb sie tief durchatmete, bevor sie sich auf die Füße stemmte.

„Warum bist du nur so verdammt stur!“, brummte Aiden und kam ihr zur Hilfe. Gerade rechtzeitig, denn ihre Beine zitterten und der Boden drehte sich, als sie ihr Gewicht verlagerte, um aufzustehen. Amara brauchte einen Moment, dann hörte ihr Kopf auf sich zu drehen. Sie atmete erleichtert auf und warf Aiden ein dankbares Lächeln zu.

***

Sie betraten gerade den Flur vor dem Sitzungsraum des Rats, als sie ein Flüstern zu sich herüberhallen hörte.
„Was ist hier los?" Sie hatte den Gedanken noch nicht ganz zu Ende gedacht, als sie sie entdeckte. Lynn fiel das Tablet mit dem Essen fast aus den Händen, als sie Amara sah. Sie schob Aiden die Metallplatte in die Hände und hechtete auf sie zu.
„Ich bin doch kein Beistelltisch", brummte Aiden und schob die Platte achtlos auf den steinernen Sims eines der großen Fenster. Lynns starke Arme schlossen sich um sie, als diese sie in eine Umarmung zog. Sie hätte Amara dabei beinahe von den Füßen geworfen.
„Jag uns nie wieder so einen Schrecken ein!", schimpfte Lynn und kassierte einen bösen Blick, bevor Elaena und Adrian sie zu sich winkten und flüsterten: „Ihr müsst leiser sein! Sie bemerken uns sonst!"
Sie zogen Amara und Aiden zu sich und tatsächlich, von ihrer Position konnte man durch einen Türspalt lauschen.
„Es ist schön dich wieder zu haben!", flüsterte Elaena und zog Amara ebenfalls in eine Umarmung, aber deutlich vorsichtiger als Lynn.
„Was besprechen sie?", fragte Amara etwas nervös.
„Das versuchen wir herauszufinden!", flüsterte Adrian zurück und drückte das Ohr gegen die Tür.
„Ihr wisst schon, dass es erstens strengstens verboten ist und zweitens unhöflich zu lauschen?", fragte Lynn, auch wenn sie selbst neugierig wirkte und nicht zurücktrat.
„Und da muss ich Miss Hollis zustimmen!", drang Astorias harte Stimme zu ihnen herüber. Amara zuckte

automatisch zusammen. Die ältere Reiterin war so leise an sie herangetreten, dass keiner von ihnen sie, gehört hatte. Ihre silbrigblonden Haare fielen in einem geflochtenen Zopf über die Schulter und sie hatte die Hände in die Hüfte gestemmt. Zu Amaras Verwunderung trug sie weder ihr Schwert noch eine andere sichtbare Waffe am Körper. Astorias Blick fiel auf sie und ihre Augen weiteten sich.

„Es ist schön, dich wieder auf den Beinen zu sehen. Aber vielleicht wäre es ratsamer zu ruhen“, sagte Astoria fast schon sanft und warf ihren Begleitern einen vorwurfsvollen Blick zu. Die ältere Reiterin wollte gerade etwas sagen, überlegte es sich dann aber scheinbar anders und drückte die große Flügeltür auf und sagte leise: „Komm mit. Du solltest mitentscheiden. Ich vermute Dorkas hat dich über seinen Plan aufgeklärt?“

„Mehr oder weniger“, gab Amara mit einem Nicken zu, als sie ihren Freunden einen letzten entschuldigenden Blick zuwarf und mitging. Astoria wirkte, als hätte sie keine andere Antwort erwartet.

„Es gibt nur einen Drachen, der das Gebirge betreten kann, ohne einen Clankrieg zu provozieren, geschweige denn mit dem Kaldareth zu verhandeln! Ihr könnt keinen anderen schicken!“, hallte Kierans Stimme scharf durch den Saal.

Die Tür fiel mit einem Knall ins Schloss und acht Augenpaare blickten in ihre Richtung. Der Rat saß in einer halbkreisförmigen Formation am Kopfende des großen, holzgetäfelten Raumes. Recht mittig war jedoch ein Platz frei. Es war Astorias, wie sie vermutete. Kieran stand ihnen gegenüber. Er gestikulierte beim Reden aufgebracht mit den Händen, doch sein Blick blieb ruhig, die Stimme kontrolliert. Trotz der Hitze seiner Worte wirkte er gefasst.

Seine Augen weiteten sich, als ihre Blicke sich trafen und der Hauch eines Lächelns stahl sich auf seine Lippen. Amara erwiderte die Geste und schickte einen Gedanken in Kaidas Richtung: *„Sag Kieran bitte, dass ich gerne später mit ihm sprechen würde."*

„Ich bin kein Bote für eure kleinen Nachrichten", keifte Kaida genervt, gab die Bitte aber weiter.

„Danke!", rief Amara dem Drachen zu, doch sie bekam keine Antwort mehr. Sie musste ein Schnaufen unterdrücken. Kaida und sie würden in diesem Leben vermutlich keine Freunde mehr werden. Sie richtete ihre Aufmerksamkeit wieder auf die Verhandlung vor ihr.

Ein älterer Mann mit grauem Bart erhob die Stimme: „Astoria, das geht zu weit! Das sollte eine Ratsversammlung werden und keine für die Öffentlichkeit zugängliche Veranstaltung."

Astoria warf ihm nur einen abschätzigen Blick zu und antwortete dann ruhig: „Amara spricht in Dorchadas´ Namen. Es ist schließlich ebenfalls ihre Mission, über die hier verhandelt wird. Sie hat somit jedes Recht hier zu sein."

Als sie fertig war, setzte Astoria sich ungerührt an ihren Platz neben Tirion und ein weiterer Stuhl erschien aus dem Nichts. Sie warf Tirion einen dankbaren Blick zu. Dieser lehnte sich herüber und flüsterte lächelnd: „Schön, dich wieder unter den Lebenden zu sehen."

Er lehnte sich wieder in seinem Stuhl zurück und sagte dann laut genug, dass alle im Raum es hören konnten: „Gut, wenn das ja jetzt geklärt ist, können wir fortfahren.“

Der bärtige Mann öffnete den Mund erneut, verstummte aber wieder, als Astoria ihm einen eisigen Blick zuwarf.

Ihre langen Haare fielen, wie ein schwarzer Vorhang über die Lehne des Stuhls, als Amara sich anlehnte und sie überkam ein leichtes schlechte Gewissen, weil Kieran als einziger stehen musste. Am liebsten wäre sie zu ihm herüber gegangen, doch sie musste zugeben, dass der Weg hierher mehr an ihren Kräften gezerrt hatte, als sie erwartet hatte. Sie wusste nicht ob ihre Beine ihr den Dienst wieder verweigern würden. Es war ätzend, bemerkte Amara niedergeschlagen.

„Wir sollten in Erwägung ziehen Anruin zu verlassen. Der Standort ist nicht mehr sicher, wie der letzte Angriff deutlich bewiesen hat. Kagan weiß, dass wir hier sind und euer Bruder, wird nicht warten, bis wir stark genug sind, um anzugreifen!“, rief einer der Versammelten und es wurde so still im Raum, dass man den Flügelschlag einer Fliege hätte hören können.

„Mit Verlaub, aber das ist nicht möglich! Anruin ist das Herzstück unserer Verteidigung. Es ist der einzige Ort, der genug Platz und Schutz bietet, um eine Streitmacht unterzubringen und zu versorgen. Und abgesehen davon, selbst wenn sich ein anderer Ort für unsere Streitmächte finden sollte, Anruin ist immer noch die einzige Festung am Drekafjall. Ich weiß, nicht jeder der hier

Versammelten ist ein Drachenreiter, deswegen werde ich es nochmal erklären. Unsere Drachen sind mehr als Verbündete, sie sind Familie und wenn die Drachen den Drekafjall nicht verlassen, werden es die Reiter auch nicht tun. Kagan mag zwar von meinem Blut sein, doch er ist nicht mein Bruder. Nicht mehr“, erklärte Tirion kalt und fügte dann hinzu. „Abgesehen davon, möchte ich wissen, wie ihr vorgehabt hättet, die über hundert Drachen unterzubringen und zu ernähren, die sich entschieden haben, an unserer Seite zu kämpfen, Graf Nevin?“

Der Graf wurde ganz still und sein Gesicht bekam einen grünlichen Unterton.

„Das habe ich mir gedacht“, sagte Tirion gefährlich leise und fuhr dann wieder lauter fort, so dass es alle hören konnten: „Wenn wir das jetzt – erneut – geklärt haben, können wir ja fortfahren.“

Er machte eine kurze Pause und übergab das Wort wieder an Kieran. Dieser führte gekonnt seine Rede fort: „Wir brauchen Verbündete, Drachen wie Menschen, wenn wir in dem bevorstehenden Krieg eine Chance haben wollen! Der Kaldareth ist, neben dem Drekafjall, der mächtigste Clan und hinter dem Gebirge beginnt das Herrschaftsgebiet Xandrias. Wir sollten Gesandte ins Kaldareth und nach Xandria schicken, um über eine Streitmacht zu verhandeln.“ Amara war beeindruckt von seiner Redegewandtheit. Kieran vermochte es, selbst die Adeligen und Politiker mit seiner Art mitzureißen.

„So weit waren wir auch schon, eure Hoheit“, unterbrach Graf Nevin ihn.
„Was hat er gerade gesagt? Ich muss mich verhört haben!“ Ihre Gedanken überschlugen sich. Sie sah zu Kieran und hoffte auf ein Zeichen, irgendeins.
Er warf dem Mann einen bösen Blick zu und sagte dann betont ruhig: „Kieran reicht vollkommen.“
Seine Augen wanderten unauffällig zu ihr und sein Blick hatte etwas Gehetztes, als er auf ihre Reaktion wartete. Amara riss sich zusammen und verzog keine Miene, nicht vor den versammelten Mächtigen des Reiches und dieser Rebellion. Ihr Herz schlug so heftig, dass sie es bis in den Hals spürte, doch sie zwang sich zur Ruhe. Das war weder der richtige Zeitpunkt noch der Ort dafür. Sie würde ihn nach der Ratssitzung zur Rede stellen. Ganz sicher.
Nur nicht jetzt. Nicht hier.
Sie atmete langsam aus, hob das Kinn und zwang sich, Kieran nicht anzusehen, auch wenn ihr Puls mit jeder Sekunde schneller raste.
„Weise Entscheidung“, bestätigte Dorkas.
„Mit dir bin ich noch nicht fertig! Du hast mich genauso belogen!“, zischte sie den Drachen enttäuscht und wütend zugleich an.
„Ich habe nie gelogen“, verteidigte Dorkas sich ruhig. *„Ich habe nur nicht die ganze Wahrheit gesagt. Es war nicht mein Geheimnis.“*
„Das macht es nicht besser“, fauchte sie zurück und ließ die Verbindung auf ein Minimum schrumpfen. Sein

Schweigen schnitt tiefer als jede Lüge. Dorkas akzeptierte es unkommentiert.
Sie wusste, dass es nicht seine Herkunft war, sie die wütend machte, sondern dass Kieran es ihr nicht anvertraut hatte. Und dass sie nicht wusste, was diese Offenbarung für ihre Zukunft bedeuten würde.
„Auch wenn ihr die Gepflogenheiten der Reiter pflegt." Der Graf bemaß die hier ansässigen Drachenreiter, vor allem Amara, mit einem abschätzigen Blick, den sie ebenso eisig erwiderte. „Gebührt es doch die Etikette. Ihr seid der Thronerbe Averions, wenn ihr wollt oder nicht!" Die Worte des Grafen zementierten ihre Befürchtungen erneut.
„Vorsicht, wie ihr sprecht. Vergesst nicht, dass ich vor allem anderen ein Drachenreiter bin", sagte Kieran ohne einen Funken Zorn in der Stimme, doch seine Augen sprachen eine andere Sprache. Graf Nevin war zu seinem Glück weise genug, nicht weiter darauf einzugehen.
„Das Problem ist, dass wir weder den einzigen Thronerben von Averion, noch die letzte Feuerbändigerin, die das Geschick dieses Krieges wenden könnte, allein in möglicherweise feindliches Territorium schicken können", fasste der bärtige Mann das Dilemma passend zusammen.
„Wir können niemand anderen schicken", beharrte Kieran. „Kein Drache, außer Dorchadas, kann mit dem Kaldareth in Kontakt treten und Xandrias Regierung trifft sich nur mit einem Vertreter des Königshauses. Es gibt keine andere Möglichkeit!"

„Aber…“, setzte der Mann erneut an, doch Amara unterbrach ihn und sprach mit lauter, klarer Stimme.
„Diese Diskussion ist überflüssig. Die Entscheidung liegt nicht in der Hand des Rates. Wir werden nach Norden fliegen. Vorzugsweise mit eurem Segen aber auch ohne. Eure Entscheidung!“
Es folgte ein Moment Stille. Amara lehnte sich in ihrem Stuhl zurück und beobachtete, wie im Rat die Hölle losbrach.

Glossar

Anmerkung: Dieses Glossar beruht auf Amaras Kenntnissen der Drachensprache und Politik, daher handelt es sich um keine vollständige Sammlung.

Drachenclans

Drekafjall – Sitz der Feuerdrachen

Gaoth – Sitz der Winddrachen

Bearradh – Sitz der Wasserdrachen

Fearnach – Sitz der Walddrachen

Kaldareth – Feuerdrachenclan im Norden

Titel

Triath – Herrscher/ Oberhaupt

Ceannaire – General/ Anführer

Aethryn – Thronerbe

Aithne – Drachenmal

Aradyn – Glanz (Amaras Schwert)

Eldr-Drachen – Blutlinien, die die Stärke und Größe der „alten" Drachen besitzen.

Eldaril – ein anderer Begriff für die „Urdrachen“

Grimorium verum – Wahre Zauberkunst (Buchtitel)

Lasair – Feuerdrache

Luceat – leuchten

Sprache der Kaldarethdrachen:

Drakthar! – ein Fluch, wie: „Verdammt!“

Die Playlist zum Buch:

Wenn du das Buch zuschlägst, klingt die Geschichte vielleicht noch nach. Diese Playlist begleitet mich beim Schreiben und mag vielleicht auch dir einen Nachhall schenken:

Danksagung

Ein besonderer Dank geht an alle, die mir bei dem Gestaltungsprozess geholfen haben und die *Chroniken des Drachenfeuers* zu dem gemacht haben, was es jetzt ist. An die Leute, die sich durch meine, mehr als dürftigen, ersten Entwürfe gekämpft haben und diese Geschichte durch ihr Feedback vorangebracht haben. Danke, dass ihr euch unermüdlich meine unzähligen chaotischen Ideen angehört und geholfen habt, diese zum Leben zu erwecken.
Danke Tanja, dass du dich mit deinem scharfen Blick durch die Schreibfehler gequält hast und mich mit deinen Tipps unterstützt hast.
Und ganz besonders danke ich auch meinen Eltern. Die mich bei diesem Projekt unterstützt haben, auch wenn sie nicht sonderlich viel mit dem ganzen „Magiegedöns" anfangen können. Danke, dass ihr mich ohne Unterlass unterstützt habt!
Und auch wenn sie es nie lesen werden, geht mein Dank auch an meine Ponys Holley und Batman, die mich seit meiner Kindheit begleiten und charakterlich zu zwei etwas ungewöhnlichen Drachen inspiriert haben.
Doch der größte Dank geht an euch – die Leser!

Dafür, dass ihr diesem Buch und dieser Welt eine Chance gegeben habt, auch wenn kein Verlag oder berühmter Autor hinter diesem Werk steht.

FSC
www.fsc.org
MIX
Papier | Fördert gute Waldnutzung
FSC® C083411

Zeitfracht Medien GmbH
Ferdinand-Jühlke-Straße 7
99095 Erfurt, Deutschland
produktsicherheit@kolibri360.de